Elk hart heeft een raampje

Van dezelfde auteur:

Mijn mooie dochter

Dorothy Koomson

Elk hart heeft een raampje

the house of books

Oorspronkelijke titel
Marsmallows for breakfast
Uitgave
Sphere, an imprint of Little, Brown Book Group, London

Vertaling
Cherie van Gelder
Omslagontwerp
Julie Bergen
Omslagdia
Cultúra Images/ Image Store
Opmaak binnenwerk
ZetSpiegel, Best

ISBN 978 90 443 2121 0
D/2008/8899/50
NUR 302

Voor Tess,
die me het idee voor dit verhaal gaf

Eh… Mag ik even?

Dat je in het openbaar mensen kunt bedanken is een van de leukste dingen van het schrijversvak. Laat me nu dus maar even lekker mijn gang gaan, want dit vind ik écht leuk. Daar gaat-ie dan:

Mijn geweldige, fantastische familie: Samuel, Agnes, Sameer, Kathy, David, Maryam, Dawood, Maraam, Muneerah, Yusuf, Ahmad, Muhammad, Ameerah, Liah, Skye, Aysah, Habiba, David, Jade. Jullie betekenen allemaal ontzettend veel voor me, vooral vanwege jullie steun.

Mijn ongelooflijke agentschap: Antony Harwood (alias GAM), 'de man die altijd meer doet dan zijn plicht is' zou jouw bijnaam moeten zijn. Bedankt voor ALLES. James Macdonald Lockhart, jij bent, om het maar eens zo uit te drukken, de kalmste man ter wereld en daarom ben ik zo dol op je.

Mijn volmaakte gluurdertjes bij de uitgeverij: Jo Dickinson (alias MGE), iedere schrijver verdient het geluk om jou als eindredacteur te hebben, bedankt, vooral omdat je zelfs tijdens je zwangerschapsverlof nog contact met me bleef houden. Louise Davies, je bent een schat met al dat geduld en begrip dat je voor me kon opbrengen. Jennifer Richards, ik vind je werk fantastisch. Kirsteen Astor, dat geldt ook voor jou. Kerry Chapple en Emma Stonex, bedankt dat jullie me op de hoogte hebben gehouden van alle roddels en alle boeken die verschenen.

Mijn briljante maatjes aan Britse kant: Richard Atkinson (bedankt dat je de 'nieuwe Dorothy Koomson' wilde lezen); Emily Partridge, Andy Baker (bedankt dat je me als enige in Oz kwam opzoeken); Rhian Clugston, Sharon, Wright en David Jacobson en Luc; Marian, Gordon, Jonathan en Rachel Ndumbe; Stella Eleftheriades, Jean Jollands, Emma Hibbs, Bibi Lynch, Adam Gold, Rob Haynes, Janet Cost-Chretien, Tasha Harrison, Denise Ryan, Sarah Ball, Martin, Sachiko en Connor O'Neill, Tanya Smale (bedankt dat je mijn Kamryn wilde zijn), Colette Harris, Nuala Farrell, Maria Owen, Sharon Percival.

Mijn bewonderenswaardige Australische amigo's: Lucy en Olivia Tumanow-West, Lindsay Curtis, Rebecca Buttrose, Rebecca Carman, Jen, Danny, Dylan, Isabella, Sunny, Jolie, Gemma en Violet (alias de Adcocks), Erin Kisby.

En alle mensen die zo vriendelijk waren om me de verhalen te vertellen die in dit boek zijn verwerkt ben ik intens dankbaar voor hun eerlijkheid en hun moed.

Proloog

Dit voelt aan als de pauze tussen twee hartslagen. Het moment waarop niets gebeurt. Waarop het bloed in je aderen verstilt, je adem stokt en je verstand op nul staat.

Ik heb hem aan de telefoon.

Hij is het. Hij is het echt.

'We moeten het over ons kind hebben,' zegt hij.

Als ik me had kunnen bewegen, had ik de telefoon neergesmeten. Als zijn stem zich niet stiekem in mijn lichaam had gewurmd, waardoor al mijn spieren zijn verstijfd.

'Kendra?' vraagt hij. 'Ben je daar nog?'

De lijn kraakt een beetje omdat hij met een mobieltje belt. Natuurlijk ben ik er nog steeds. Elk woord komt helder en duidelijk over, zijn lage stem is diep en zacht als een vat vol warme stroop. Ik ben er nog steeds en de herinnering aan hem flitst door mijn hoofd.

Zijn grote sterke hand die wordt uitgestoken om te voorkomen dat ik struikel, stalen vingers die zich om mijn keel klemmen. Zijn glimlachende mond die zegt dat hij alles voor me wil doen, zijn adem die langs mijn oor strijkt als hij bezweert dat hij me zal vermoorden.

'Kendra, ben je daar nog?' herhaalt hij als ik niets zeg.

'Ja.' Ik krijg de woorden met moeite over mijn lippen. 'Ik ben er nog.'

'We moeten praten over ons kind... Je moet me alles over hem of haar vertellen.' Hij zwijgt even, alsof hij naar adem hapt. 'Ik weet niet eens of het een jongen of een meisje is. Dat is niet eerlijk. Ik heb het recht om dat te weten. Dat is mijn goed recht... Je moet met me praten, Kendra. Dat is wel het minste wat je kunt doen.'

Ik zeg niets.

'Ik zie je straks,' zegt hij. 'Na het werk. Ik sta nu voor je kantoor, maar ik wacht wel. Hoe laat ben je klaar?'

Een golf van paniek rijst als een vlucht verstoorde vleermuizen in me op en wordt een deken van dikke, zwarte, leerachtige vleugels waaronder elke andere emotie wordt gesmoord. Staat hij buiten? Staat hij daar... nu?

'Ik ben vanavond bezet,' antwoord ik, terwijl ik mijn best doe om gewoon te klinken en de angst in mijn stem te onderdrukken.

'Het kan me niet schelen of je bezet bent,' sist hij. 'Dit is veel belangrijker dan al het andere. We moeten praten.'

'Ik eh... ik uh...' stamel ik. Ik moet het heft weer in handen nemen. Ik mag niet met me laten sollen.

'Ik weet waar je werkt, dus hoe lang denk je dat het duurt tot ik heb uitgevist waar je woont? Ik laat je niet met rust tot je met me gepraat hebt. Dit kun je vermijden door nu een afspraak met me te maken.'

Hij meent het. Ik weet dat hij het meent. Ik weet hoe hij is als hij zijn zin niet krijgt.

'Ik zie je om kwart voor vijf buiten,' zei ik. 'Meer dan een halfuur heb ik niet voor je.'

'Brave meid,' zegt hij spinnend als een poes, met een stem die zacht, redelijk en kalm is. 'Ik wist wel dat je je netjes zou gedragen. Ik kan niet wachten...'

'Tot straks,' gooi ik eruit en ik verbreek de verbinding door de handset bijna op de houder te knallen.

Vijf minuten geleden was ik er nog van overtuigd dat hij me nooit zou vinden. Vijf minuten geleden was het niet eens bij me opgekomen dat hij naar me op zoek was. Vijf minuten geleden maakte ik me alleen maar druk over de vraag bij welke supermarkt ik boodschappen zou gaan doen.

En nu dit.

Zijn hand die mijn keel dichtknijpt, zijn stroperige stem in mijn oor.

Zou hij me deze keer wel vermoorden?

Cornflakes, een theelepeltje suiker & ijskoude melk

Een

'Je bent zwart.'

Verrassend genoeg gilde ik niet en ik viel ook niet bibberend op de grond toen ik een indringer in mijn huis aantrof. Mijn hart stond stil toen ik achteruit deinsde en ik keek haar met grote, geschrokken ogen aan, maar ik hield mijn mond.

Het was zaterdagochtend vroeg, ik kwam net onder de douche vandaan en stond op het punt om naar mijn slaapkamer te hollen toen ik de indringer – of eigenlijk de indringers – voor de badkamer naar me zag staan staren. De indringer die het woord tot me richtte was klein, een jaar of zes en had groene ogen in de kleur van glanzende, donkere eucalyptusbladeren en schouderlang zwart haar dat aan de ene kant met behulp van een rood elastiekje in een staart zat en aan de andere kant golvend op haar schouder viel. Naast haar stond haar mannelijke evenbeeld, dat wil zeggen, hij had kort donker haar, maar hij was even lang en even oud en hij had dezelfde groene ogen.

Ze waren niet zozeer aangekleed, als wel 'bij elkaar geraapt'. Onder haar roze rokje met een gerimpeld strookje langs de zoom droeg ze een gestreepte blauw met witte maillot en daarboven een wit T-shirt met lange mouwen en een verschoten oranje vestje. Ze had gele sokken aan die als beenwarmers om haar enkels lubberden en haar voeten staken in rode schoenen met grote gele bloemen op de neus. Hij droeg een blauwe lange broek waarvan één pijp in een van zijn groene sokken was gestopt. Zijn witte T-shirt was versierd met een avant-garde kunstwerk van viltstiftstrepen en smoezelige vleugen vingerverf. De kraag van zijn blauwe fleecejack was aan één kant naar binnen geslagen.

De kleren van het stel waren zo gekreukt dat het leek alsof ze erin geslapen hadden.

Behalve hun slonzige kledij had de tweeling ook een grauwwitte huid met donkere, paarsblauwe kringen om de ogen, die de indruk wekten dat ze zich niet hadden gewassen. Ze zagen eruit als een stel straatkinderen dat uitgewoond door de felle februarikou mijn warme flat binnengevlucht was. Maar dit waren geen straatkinderen, dat wist ik bijna zeker. Het waren de kinderen van mijn huisbaas. Ik was nog maar net in deze flat getrokken en moest nog kennismaken met mijn huisbaas en zijn gezin omdat ze in het buitenland zaten toen ik uit Australië kwam. Nu waren ze kennelijk terug.

De kinderen namen me ongegeneerd op, van de doorzichtige plastic douchemuts die mijn zwarte haar bedekte, via mijn schoongeboende en met crème behandelde gezicht, mijn vochtige hals en schouders, de handdoek die ik om me heen geslagen had en nu krampachtig vastklemde en mijn knieën die onder de handdoek vandaan piepten tot mijn met waterdruppeltjes bedekte kuiten. Hun ogen bleven rusten op mijn voeten, waarschijnlijk geboeid door mijn pluizige witte sloffen.

'Je bent zwart,' concludeerde het meisje opnieuw. Ze klonk helder en vast, met de eerlijkheid van een kind en het zelfvertrouwen van een volwassene. Ze wist hoe ze mensen moest aanspreken, ook al waren ze ouder dan zij. Ze had een lappenpop in haar armen, een blauw speelgoedkonijn.

'Dat heb ik wel vaker gehoord,' antwoordde ik.

'Ik ben Summer,' zei ze, waarmee ze bevestigde dat ze inderdaad de dochter van mijn huisbaas was. 'Hij heet Jaxon. Wij zijn een tweeling.'

We bleven elkaar strak aankijken. Ze had me gehypnotiseerd, ik kon mijn ogen niet afwenden al zou ik het willen. Haar gezicht dat omlijst werd door dat ongebruikelijke kapsel was onschuldig en open, maar tegelijkertijd wijs en in zichzelf gekeerd. Een miljoen onbelangrijke en diepe gedachten gingen schuil achter dat gezicht.

Summer haalde haar smalle, knokige schouders op en verbrak ons oogcontact toen ze even knikte. 'Je bent best knap,' zei ze.

'Eh... nou bedankt,' zei ik.

Jaxon boog zich over naar Summer, zette zijn hand aan zijn mond en begon in haar oor te fluisteren. Hij bleef een paar seconden doorpraten en toen hij zijn mond hield, knikte ze. Jaxon richtte zich op. 'Maar je bent niet zo knap als mijn mama,' deelde Summer mee.

Omdat ik aannam dat dit zijn bijdrage was, keek ik Jaxon even aan. Hij bleef me tartend aanstaren, alsof hij me wilde uitdagen om daar tegenin te gaan. Hij was kennelijk geen prater, maar hij wist wel hoe hij je iets onder de neus moest wrijven. 'O, mij best,' zei ik.

'Summer! Jaxon!' riep een volwassen mannenstem onder aan de trap, in de buurt van de voordeur van mijn flat, waardoor mijn hart opnieuw oversloeg. 'Wat doen jullie daarboven?' vervolgde de stem, begeleid door voetstappen op de trap. Dat zou mijn huisbaas wel zijn, Kyle Gadsborough, die naar boven holde om zich samen met zijn kinderen te verlustigen in de aanblik van mij zonder kleren aan. Voordat ik me uit de voeten kon maken stond meneer Gadsborough al voor mijn neus.

Hij nam zo'n beetje de hele overloop in beslag, want hij was een lange vent, zo te zien ruim boven de één meter tachtig. En iets ouder dan ik, een jaar of zes-, zevenendertig, met een vierkant maar strak lijf. Hij droeg een slobberige donkerblauwe spijkerbroek en een verkreukeld T-shirt onder een loodgrijs colbertje. Zijn zwarte haar was heel kort geknipt en hij had net zulke grote ogen als zijn kinderen, maar dan bruin. Zijn gezicht was bedekt met stoppeltjes en hij zag er net als zijn kinderen grauw uit vanwege een gebrek aan slaap.

Mijn huisbaas bleef stokstijf boven aan de trap staan, slaakte een zucht en wierp een verwijtende blik op zijn kinderen. 'Ik heb toch tegen jullie gezegd dat ze niet thuis is,' zei hij. Toen ze geen antwoord gaven en in plaats daarvan mij aan bleven staren, vroeg hij zich kennelijk af waar ze naar stonden te kijken en wierp een blik in mijn richting. Hij gaf me een kort knikje en keek toen de kinderen weer aan. Toen verstarde hij ineens. Ik begreep dat hij pas op dat moment besefte dat hij iemand had zien staan bij die vluchtige blik naar rechts. Met een verbaasd en verward gezicht draaide hij zich weer om. 'O, je bent er wel,' zei hij. 'Sorry, we...' Zijn stem stokte toen het tot hem doordrong dat hij zich in het gezelschap van een min of meer naakte vrouw bevond. Een vrouw met wie hij niet getrouwd was. Zijn grauwwitte gezicht verschoot van kleur en twee felrode strepen staken scherp af tegen de rest. 'Oh-h-h,' stamelde hij. 'O, eh, ik eh...' Hij deed onwillekeurig een stapje achteruit, vergetend dat hij boven aan de trap stond, miste de eerste tree, gleed uit en sloeg achterover. Heel even, gedurende een onderdeel van een seconde, leek meneer Gadsborough in het luchtledige te hangen, daarna duikelde zijn lichaam van de houten trap. Mijn hart, dat toch al op hol was geslagen, klopte in mijn keel toen ik toekeek in de verwachting dat hij in het niets zou verdwijnen, maar hij kon zich nog net vastgrijpen aan de trapleuning. Zodra hij vaste grond onder de voeten had, liep hij nog een paar treden verder naar beneden tot we alleen maar de zachte stekeltjes boven op zijn hoofd zagen. Met zijn gezicht naar de muur zei hij: 'Kom op, jongens, we gaan. En wel METEEN!' Zijn voetstappen roffelden de rest van de trap af en naar buiten alsof de duivel hem op de hielen zat.

Summer, die net als Jaxon en ik naar meneer Gadsborough had staan kijken, draaide zich om en keek me aan. 'We moeten weg,' zei ze ernstig, op een toon die daaraan leek toe te voegen: *Maar we komen terug.*

'Oké,' zei ik bij wijze van antwoord op beide uitspraken, onuitgesproken of niet.

Summer ging als eerste naar beneden. Door de spijlen om het trapgat zag ik haar voorzichtig tree voor tree aflopen tot ze uit het zicht was. Jaxon liep achter haar aan, maar voordat hij zijn voet op de tweede tree zette, bleef hij staan, draaide zich om en wierp me een blik toe. *Mij hou je niet voor de gek,* zei die blik. *Ik kijk dwars door je heen.*

Het was zo'n felle blik dat ik achteruitdeinsde.

Er was maar één persoon die me ooit eerder zo'n blik had toegeworpen. En dat was alweer eeuwen geleden. Destijds was ik er een beetje onzeker van geworden, maar nu had ik het gevoel dat ik een klap in mijn gezicht kreeg. Hoe kon een zesjarig jongetje me aankijken alsof ik een open boek was?

Ik keek hem met knipperende ogen aan en vroeg me af of hij er nog iets aan toe zou voegen. Maar nee. Nadat de blik zijn werk had gedaan, draaide Jaxon zich om en holde de trap af, achter zijn zus en zijn vader aan.

Oké, dacht ik terwijl de deur achter hem dichtviel. *Ik moet hier weg. Nu meteen.*

Twee

Voordat ik iets anders deed, zette ik een eettafelstoel onder de kruk van de slaapkamerdeur.

Ik wilde geen enkel risico lopen: als ik mijn handdoek afdeed om me aan te kleden wilde ik op z'n minst een paar minuten van tevoren gewaarschuwd worden als er weer een lid van de familie Gadsborough kwam opdagen.

Ik liet de handdoek pas vallen nadat ik twee keer had gecontroleerd of de stoel wel goed stond en pakte toen de fles met bodylotion van het nachtkastje. Met een dikke dot ervan in mijn handpalm smeerde ik in recordtempo mijn hele lichaam in en griste vervolgens mijn zwarte beha van het bed. Nadat ik een onderbroekje aan had getrokken, glipte ik in een wit T-shirt met lange mouwen en ten slotte in mijn spijkerbroek. Het kostte me nauwelijks twee minuten om me aan te kleden en ondertussen hield ik voortdurend de deur in de gaten. Voor het geval dat.

Zeven dagen daarvoor zat ik nog in Australië.

Dat maakte alles nog steeds een tikje onwerkelijk, waardoor ik rondliep als een mol die voor het eerst daglicht ziet. Ik moest mezelf er constant aan herinneren dat de kale bomen, de lage temperatuur en de frisse verkwikkende lucht betekenden dat ik in Engeland was. Terug in mijn geboorteland. Weer thuis. Zeven dagen geleden leidde ik nog een heel ander leven in Sydney. Ik had een appartement in de buurt van het centrum en was pr-manager van een groot mediabedrijf.

Vijf dagen geleden was ik verkrampt, bekaf en een tikje duizelig van alle zoetigheid die ik in de loop van vierentwintig uur naar binnen had gewerkt door de douane op Heathrow gekomen en de aankomsthal in gelopen. Ik negeerde de mensen die elkaar om de nek vlogen van blijdschap en was naar de taxistandplaats gelopen. Ik werd niet afgehaald, want vrijwel niemand wist dat ik terugkwam. Mijn familie zat in het buitenland en ik had geen vrienden aan wie ik kon vragen om me af te halen. Ik had al mijn draagbare wereldse bezittingen in een rugzak en twee koffers gepropt. Mijn papieren had ik de dag voor mijn vertrek aan mezelf opgestuurd, dus die zouden op een gegeven moment vanzelf aankomen. Ik had op de luchthaven een taxi genomen en een adres opgegeven in Brockingham, op de grens tussen Londen en Kent.

Ik wist dat de familie Gadsborough, het gezin van mijn nieuwe huisbaas, niet thuis zou zijn. Kyle Gadsborough had me verteld dat hij helaas met zijn hele gezin naar New York moest.

Ik kon de sleutels ophalen bij de buurvrouw. Toen ze de deur opendeed, was ik onwillekeurig achteruitgedeinsd. Ze had haar dat als een bruin schuimpje op haar hoofd balanceerde, zwaar geëpileerde wenkbrauwen en een mond met zoveel rimpels eromheen dat je gewoon bang werd dat de hele zaak op instorten stond.

Ze had me de sleutels niet willen geven. Eerst moest ze mijn paspoort en een kopie van de huurovereenkomst zien. Toen ik die tevoorschijn had gehaald, moest ik nog een ander identiteitsbewijs tonen. Ik had haar mijn Britse creditcard laten zien. Omdat ze wist dat ze er niet meer onderuit kon, had ze vervolgens gezegd dat ze haar schoenen aan zou doen en met me mee zou lopen. Maar toen had ik er genoeg van. Na vierentwintig uur in een vliegtuig en een taxirit die me £150 lichter had gemaakt was mijn geduld op. Ik had mijn hand uitgestoken en ze had me met tegenzin de sleutels gegeven.

Meneer Gadsborough was architect en had de flat boven de voormalige garage ontworpen en verbouwd tot een zelfstandige studio voor zijn vrouw. Het was een wit gebouw met een rij van zes grote ramen met uitzicht op de binnenplaats en drie ramen in het schuine dak. In het midden van het gebouw, waar de ingang van de garage had gezeten, bevond zich de blauwe voordeur.

Terwijl ik ernaartoe liep, had ik al het gevoel dat het mijn flat was, ook al had ik alleen de foto's gezien die meneer Gadsborough me had gemaild. Het leek bij uitstek de plek om een nieuw leven te beginnen. Ik had halsoverkop het besluit genomen om uit Sydney te vertrekken, en omdat ik geen familie in Engeland had op wie ik kon terugvallen, had ik urenlang op internet zitten surfen tot ik ineens de advertentie voor dit huis had gezien. Nadat ik de eigenaar een paar keer had gesproken en het gedoe van het per koerier heen en weer sturen van contracten en de financiële afwikkeling achter de rug waren, kon ik het mijn huis noemen. Het was echt van mij. Op het moment dat meneer Gadsborough tegen me had gezegd dat ik de flat mocht huren, voelde ik een rust over me komen. Ik had een woonplaats, een plekje waar ik me kon verstoppen.

Zodra ik de deur opendeed, sloeg een vlaag kille lucht me in het gezicht. Het was binnen nog kouder geweest dan buiten. Het was goed te merken dat het huis onbewoond was.

Ik keek omhoog langs de houten trap die bovenaan een flauwe bocht maakte en wist dat ik het nooit in één keer zou redden. Nadat ik mijn rugzak boven aan de trap had gedumpt liep ik nog twee keer op en neer met mijn koffers. Pas nadat ik de deur achter me had dichtgetrokken was ik blijven staan. Ik had het gevoel dat ik voor het eerst in weken weer even tot rust kwam en liet de stilte van het huis op me inwerken. Dit was pas echt rust. En hier was ik naar op zoek geweest toen ik op het vliegtuig naar huis stapte. Ik had mijn ogen weer opengedaan en voor het eerst echt rondgekeken. De hele flat was ongeveer twaalf meter lang en bestond min of meer uit één grote ruimte. Rechts van me was het zitgedeelte met een bank, de tv en een salontafel. Links van me stond de kleine ronde eettafel met drie stoelen. Daarachter, helemaal aan het eind, was de keuken met één grote glazen wand waardoor het licht naar binnen stroomde. Daarnaast de deur die toegang gaf tot de badkamer. Met uitzondering van de badkamer lagen overal in de flat blankhouten vloeren.

Op de eettafel stond een doos bonbons met een roze strik eromheen en een wit kaartje ertegenaan. Ik pakte het op.

Welkom in je nieuwe huis, Kendra.
Familie Gadsborough.

Aardig van ze. Maar toch had het me een tikje bezorgd gemaakt. Als ze zo aardig bleven, zou dat wel eens problemen kunnen geven, had ik gedacht terwijl ik het kaartje neerlegde en naar de bonbons staarde. Ik wilde voorlopig met rust gelaten worden. Ik had het gevoel dat ik voortvluchtig was, weggelopen uit Australië, en nu ik weer thuis was, had ik vooral behoefte aan eenzaamheid. Een plek om alleen te zijn, waar ik de wonden kon likken die ik in Sydney had opgelopen en alles weer op een rijtje kon zetten. Waar ik langzaam maar zeker op krachten kon komen voordat ik me weer tussen de mensen zou begeven.

Terwijl ik mijn vingers over het cellofaan om de bonbons liet glijden, was mijn grootste angst dat ze me niet lang genoeg met rust zouden laten om me de kans te geven een nieuw leven te beginnen.

Ik ijsbeerde handenwringend en piekerend door de slaapkamer. Een onverklaarbare angst welde in me op en werd met de minuut heviger. De kinderen zouden inmiddels wel terug zijn in het huis en aan mevrouw Gadsborough hebben verteld wat er was gebeurd. 'Ze is best knap, hoor,' zou Summer tussen neus en lippen door opmerken.

'En ze had helemaal geen kleren aan, hè pap?' zou Jaxon daar opgewekt aan toevoegen.

Dus kon mevrouw Gadsborough nu ieder moment gewapend met een deegroller binnenkomen om me precies te vertellen waar het op stond. Dat ik bijvoorbeeld altijd mijn kleren aan moest houden, ook onder de douche. Vooríl onder de douche.

En zelfs als ze niet meteen kwam opdraven om me de les te lezen, zou het bepaald geen gunstige indruk maken. De eerste argwaan zou meteen gewekt zijn en nu ging ze zich natuurlijk afvragen of ik een oogje op haar man had. Ze zou me scherp in de gaten houden.

Toen dat idee zich in mijn hoofd vastzette, trok ik een trui aan, wurmde mezelf in een vest en schoot in mijn lange zwarte jas. Daarna sloeg ik haastig een gestreepte, veelkleurige das om mijn hals, pakte mijn tas en liep naar de deur. Ik ging gewoon eerst bij een paar makelaars langs en vervolgens zou ik op de trein naar het centrum van Londen stappen en daar de rest van de dag doorbrengen. Als ik zo laat mogelijk terugkwam, zouden ze wel slapen. En ik kon gewoon iedere dag hetzelfde doen, tot ik een ander onderkomen had gevonden.

Voordat ik naar buiten stapte, deed ik eerst de voordeur op een kier open om te zien of de kust vrij was. Aan de andere kant van de binnenplaats stond het huis, groot, wit en indrukwekkend. Vanaf de plek waar ik stond, kon ik het grote keukenraam zien. De houten jaloezieën waren omhoog en ik zag meneer Gadsborough bij de keukentafel staan, heftig gebarend naar de beide kinderen, die aandachtig naar hem zaten te luisteren. Mevrouw Gadsborough was in geen velden of wegen te zien. Nu moest ik de kans aangrijpen om te ontsnappen.

Ik stapte naar buiten en trok de deur voorzichtig achter me dicht. Daarna sloot ik de deur af met behulp van twee verschillende sleutels, heel voorzichtig om geen geluid te maken, beet op mijn lip en maakte aanstalten om tersluiks over de binnenplaats naar het hek te sluipen. Ik draaide me om en zag meneer Gadsborough, gewapend met een doos Weetabix, voor mijn neus staan.

'JEZUS CHRISTUS!' gilde ik, terwijl ik achteruitsprong en mijn hand tegen mijn borst drukte. 'LAAT DAT!' Wat was dat voor familie waarvan iedereen ineens uit het niets leek op te duiken?

Mijn huisbaas zag er op slag ontzet uit, alsof hij niet kon geloven dat hij me dat had kunnen aandoen. 'O, god, neem me niet kwalijk,' zei hij, terwijl hij zijn vrije hand naar me uitstak. Ik deinsde terug en drukte me stijf tegen de deur om te voorkomen dat hij me zou aanraken. We hadden het afgelopen halfuur al genoeg barrières geslecht, meer hoefden we er niet omver te gooien.

'Het spijt me dat ik u heb laten schrikken, mevrouw Tamale,' zei hij.

'Zeg maar Kendra,' zei ik voorzichtig, terwijl mijn hart nog steeds tekeerging.

'Sorry, Kendra, ik wilde je echt niet overvallen. Dat was absoluut niet de bedoeling.'

'Al goed, meneer Gadsborough, niets aan de hand. Ik ben alleen een beetje zenuwachtig.'

'Zeg maar Kyle,' zei hij.

'Goed, Kyle.'

'Ik wilde de kinderen net hun ontbijt geven,' zei hij en wees naar de keuken, 'en toen zag ik je ineens. Ik wilde je nog even mijn excuses aanbieden voordat je wegging. Ik wist niet hoe laat je weer thuis zou komen en wij gaan waarschijnlijk direct na het ontbijt naar bed. Jetlag. Maar voor die tijd wou ik toch even mijn verontschuldigingen aanbieden voor zojuist... Je weet wel... voor net...' Zijn stem stierf weg en zijn gezicht kreeg een charmant karmozijnrood tintje toen het voorval kennelijk weer in zijn geheugen opdoemde.

'Dat zit wel goed,' wimpelde ik automatisch af, hoewel dat eigenlijk niet waar was. Maar het was niet opzettelijk geweest, dus dat maakte het weer iets beter.

'Nee, dat zit helemaal niet goed,' viel hij me in de rede. 'Het heeft me net ongeveer een halfuur gekost om aan de kinderen uit te leggen waarom het niet goed was. Het spijt me ontzettend.' Hij had een prettige, vriendelijke stem met een licht accent, een tikje noordelijk.

'Het was echt niet zo erg, hoor.'

'Ja, dat was het wel. Ik wil je alleen verzekeren dat het niet weer zal gebeuren. Het komt gewoon door de kinderen. Ik weet niet of je zelf ook kinderen hebt?' Zijn ogen dwaalden over mijn lichaam alsof hij aan mijn rondingen kon zien of ik kinderen had gehad en hij werd prompt weer vuurrood toen hij zich plotseling herinnerde dat hij die ook al gehuld in een handdoek had gezien.

'Ik weet wel iets van kinderen,' zei ik een tikje sarcastisch. Als ik kinderen had gehad, zou ik die toch wel meegebracht hebben?

'Nou ja, die twee van mij, als die eenmaal iets in hun hoofd hebben, zijn ze niet meer te houden. Toen ik ze vertelde dat ik de flat aan jou had verhuurd, wilden ze meteen het naadje van de kous weten. Ze wilden meteen kennis met je maken. Ze wilden een foto zien. Ze wilden weten waar je op dat moment uithing. Ze wilden naar Sydney vliegen. Ze snapten niet waarom we onderweg naar New York niet even in Sydney aan konden wippen. Per slot van rekening moest je voor allebei in een vliegtuig stappen. Maar toen we in New York aankwamen, was het afgelopen. Er werd geen woord meer over gezegd. Ik dacht dat ze het vergeten waren, maar onderweg van het vliegveld naar huis schoot het ze weer te binnen. Volgens mij begon Jaxon erover tegen Summer en vervolgens was er geen houden meer aan. Ik moest ze wel binnenlaten om te bewijzen dat je er niet was, maar je was er dus wel.'

Kyle was niet bepaald het zwijgzame type. Terwijl hij aan het woord was, dansten zijn ogen, die de roodbruine kleur van mahoniehout hadden. Van dichtbij was hij een aantrekkelijke vent. Als je de vermoeidheid, de bleke huid en de donkere vlekken onder zijn ogen niet meetelde, was het echt een lekker stuk. Een stevig lijf, zachte trekjes rond zijn kaken, een sterk maar opvallend gezicht en een vleugje aangeboren nieuwsgierigheid dat zijn dochter had geërfd. En die lengte, lichaamsbouw en persoonlijkheid gingen gepaard met een vriendelijkheid die de meeste mensen meteen op hun gemak zou stellen… Als hij tenminste niet ineens stiekem achter hen opdook.

'We hebben echt aangeklopt,' zei Kyle nadrukkelijk.

'Ik zal wel onder de douche hebben gestaan,' zei ik met een uitgestreken gezicht, gewoon om hem weer te zien blozen, en dat gebeurde ook onmiddellijk. Als Kyle bloosde en zijn hoofd iets liet hangen, leek hij sprekend op een verlegen jongetje dat was betrapt terwijl hij de lingeriefolder van zijn moeder zat door te bladeren, een soort volwassen versie van Jaxon.

'Het zal niet weer gebeuren,' beloofde hij. 'Maar als je de reservesleutels ook wilt hebben om ze aan iemand anders te geven, dan moet je dat gewoon zeggen, hoor.'

'Nee, ik heb liever dat iemand die in de buurt woont ze heeft, voor het geval ik in de douche uitglijd en niet meer op kan staan.'

Dit keer bloosde hij niet, maar hield zijn hoofd een tikje schuin terwijl er een glimlach om zijn lippen verscheen. Hij had een leuke lach, hartelijk, warm en uitnodigend. 'Nou blijf je zeker de rest van mijn leven douchegrapjes tegen me maken, hè?' zei hij.

'Ja, dat zit er dik in.'

'Dus we hebben je niet weggejaagd? Je was toch niet van plan om een andere flat te gaan zoeken? Want het zal echt niet meer gebeuren, hoor. Ik zal moeten leren om de kinderen wat beter onder de duim te houden. Dat ben ik in ieder geval van plan. Ik heb dit namelijk nog nooit bij de hand gehad, zie je.'

'O nee?' zei ik. Waren dit dan niet zijn kinderen? Waar was zijn vrouw?

'Mijn vrouw en ik zijn uit elkaar,' zei hij als antwoord op de vraag die me op de lippen lag. 'Nog maar net. Nou ja, een paar weken. Daarom verhuur ik die ruimte ook. Dat was haar studio,' zei hij met een knikje naar de flat. 'We zijn net naar New York geweest, omdat ze van plan is daarheen te verhuizen. Zonder ons. We gaan scheiden. Ik dacht dat ze het tijdens dat reisje weer goed zou maken, maar in de laatste nacht dat we in dat grote hotelbed lagen, met de kinderen tussen ons in, fluisterde ze ineens: "Ik wil scheiden, Kyle. Het gaat niet meer tussen ons, dus wil ik scheiden." Leuk, hè? We hebben twee weken lang samen in dat bed geslapen, met ons vieren net als vroeger, en dan kapt ze het zo af. Ik wist niet eens dat we probeerden om alles weer recht te zetten.'

Terwijl hij dat zei, krulden mijn tenen zich krampachtig in mijn sportschoenen en elk spier in mijn lichaam spande zich om te voorkomen dat ik me omdraaide en hard wegliep. Ik wist alles af van scheidingen en ik had echt geen behoefte om weer met die hele heisa geconfronteerd te worden.

Kyle hield zijn mond en we bleven zwijgend en stokstijf staan. Zijn emotionele uitbarsting die me mee had gesleurd in de diepe krochten van zijn gezinsleven stond als een muur tussen ons in, een onverwacht obstakel. We wisten geen van beiden wat we moesten zeggen, en de stilte die viel was onbehaaglijk en verstikkend.

'Nu ben je zeker van plan om als een dief in de nacht te verdwijnen, hè?' zei hij treurig. Hij schudde zijn hoofd en streek met zijn hand over zijn kortgeknipte haar. 'Slechter hadden we niet kennis kunnen maken. Eerst die toestand in de flat en nu krijg je ineens mijn stukgelopen huwelijk op je brood. Het spijt me.'

Door de telefoon had hij heel anders geklonken. Nou hadden we het daarbij alleen over zakelijke dingen gehad, maar hij had toch een heel rustige indruk gemaakt, alsof hij een echte binnenvetter was. Misschien was het de combinatie van jetlag en het plotselinge besef dat hij een alleenstaande vader was waardoor hij nu ineens zo loslippig was. Hoe het ook zij, ik had geen flauw idee hoe ik daarop moest reageren.

Vanuit het huis klonk ineens het schrille geluid van een telefoon. Mijn gespannen spieren ontspanden en mijn kromme tenen strekten zich weer. Ik hoefde helemaal niets te zeggen, hij zou gewoon de telefoon opnemen en dan kon ik mezelf uit de voeten maken. Hij bleef me aanstaren alsof hij stond te wachten tot ik iets zou zeggen. Ik keek hem aan en wachtte tot hij naar de telefoon zou lopen. Op de achtergrond bleef het gerinkel stug doorgaan.

'Moet je niet opnemen?' vroeg ik en wees naar het huis.

Met een verbaasde blik keek hij achterom.

'Ach, ja natuurlijk,' zei hij terwijl hij zich omdraaide. Maar hij maakte nog steeds geen aanstalten om terug te gaan. In plaats daarvan schonk hij me een verlegen glimlachje en keek eerst naar zijn voeten voordat zijn ogen zich op mijn gezicht vestigden. 'Zou je niet... Je wilt zeker niet even binnen komen, hè? Om samen met ons te ontbijten en fatsoenlijk aan de kinderen voorgesteld te worden?' Hij schokschouderde. 'Ze blijven me toch aan mijn kop zeuren tot ze je echt ontmoet hebben. Nou ja, Summer blijft zeuren en Jaxon steunt haar. Weliswaar stilzwijgend, maar dat werkt net zo goed... Hoor eens, ik beloof je dat ik er geen woord meer aan vuil zal maken als je komt ontbijten. Zou je dat willen doen?'

Als ik heel eerlijk was, wilde ik niet met hen ontbijten. Het was niets persoonlijks, hoor, de familie Gadsborough leek ontzettend aardig, maar ik kende ze nog maar een uurtje en nu leek mijn hele leven al een aaneenschakeling van problemen, gênante toestanden en complicaties. Mevrouw Gadsborough had de benen genomen, vandaar dat ik nu woonruimte had. Ik was letterlijk de halve wereld overgevlogen om in precies dezelfde situatie te belanden die ik juist wilde ontlopen: op de drempel van een scheiding, waardoor ik getuige zou worden van alles waarvoor ik op de vlucht was geslagen. Ik zou direct geconfronteerd worden met alle ellendige, smerige en gemene toestanden waarmee een permanente scheiding gepaard gaat. En dan waren er nog de kinderen. Met kinderen om te moeten gaan was een kwelling voor me. Daar ging ik inwendig kapot aan, het veroorzaakte een intens verdriet. Om naast ze te wonen was nog niet zo erg, maar als ik echt met ze in aanraking zou komen, gaf dat problemen.

Ik had hier niet moeten gaan wonen, besefte ik terwijl ik mijn huisbaas aanstaarde met de hardnekkig rinkelende telefoon op de achtergrond.

'Alsjeblieft?' vroeg Kyle.

'Oké,' zei ik. Ik kon er niet onderuit.

Drie

In de keuken zaten Jaxon en Summer zwijgend aan de houten eettafel.

Summer zat aan het hoofd van de tafel en liet haar blauwe lappenkonijn over de placemat huppelen. Jaxon zat rechts van haar met zijn kin op zijn hand en tuurde in zijn lege kom alsof hij op zoek was naar het geheim van het leven.

De tafel was gedekt voor het ontbijt, compleet met een doos cornflakes, lepels, een witte porseleinen suikerpot, glazen, een pak melk en een pak sinaasappelsap dat nog dicht zat. Kyle zette de doos met Weetabix op tafel en holde meteen verder om de telefoon op te pakken.

Ik aarzelde even voordat ik naar binnen ging. De kinderen, die hun vader hadden nagekeken toen hij zonder een woord te zeggen de keuken weer uitrende, draaiden zich om en keken me aan. Summers gezicht klaarde op toen ze me zag en ze stak met een stralend glimlachje haar hand op. Jaxon keek van mij naar Summer en perste zijn lippen op elkaar, terwijl hij zijn zusje fronsend aankeek alsof ze hem verraden had.

'Hoi,' zei ik behoedzaam. Ik was gewoon bang om binnen te komen zonder dat hun vader erbij was. Ze zeiden geen van beiden iets, hoewel Summer inmiddels van oor tot oor zat te grijnzen.

'Jullie vader heeft gevraagd of ik kwam ontbijten,' legde ik uit. 'Als jullie daar tenminste geen bezwaar tegen hebben.' Summer keek even naar Jaxon, alsof ze om toestemming vroeg. Jaxon beantwoordde haar blik en er flitste heel even iets in zijn ogen voordat hij zijn blik weer op de tafel richtte. Je hoefde geen gedachten te kunnen lezen om te begrijpen dat hij het maar niets vond. Hij had geen behoefte aan mijn gezelschap. Summer grinnikte tegen hem voordat ze mij aansprak.

'Dan moet je ook een kom pakken,' deelde ze mee en wees naar een van de witte kastjes aan de muur.

'Goed hoor,' zei ik, en zette mijn tas bij de stoel links van Summer, tegenover Jaxon. Ik deed mijn jas uit, maar hield het vest aan. Vervolgens liep ik naar de kast die Summer aanwees en pakte er net zo'n kom uit als op de tafel stonden. Maar ik zat nog niet of Summer zei: 'En je moet ook nog een glas hebben voor je sinaasappelsap.'

Ik liep naar het kastje dat ze aanwees en diepte er een simpel recht waterglas uit op. 'Nog meer noten op je zang?' vroeg ik. Summer schudde haar hoofd en schonk me weer die stralende lach. Maar Jaxon, die me strak zat aan te kijken, tilde zijn hand op en wees naar een la vlak naast de kast waar ik voor stond.

'O ja, een lepel,' zei ik.

Jaxon knikte en een schaduw van een glimlach gleed over zijn gezicht voordat hij zijn blik weer op zijn eigen kom richtte.

Via de deuropening kon ik Kyle door de gang zien ijsberen, met een witte draadloze telefoon tegen zijn oor gedrukt en een ontstemde blik op zijn gezicht. Hij praatte met zijn vrouw, die binnenkort zijn ex-vrouw zou zijn. Alleen iemand van wie je houdt, kan je zo'n gezicht laten trekken. Mensen die vroeger van je hadden gehouden en precies wisten hoe ze je moesten raken op dat gevoelige plekje, waar ze je het meest pijn konden doen. Ze konden je littekens bezorgen die een leven lang niet zouden verdwijnen. Ik keek toe hoe Kyle op en neer drentelde. Toen ik het huurcontract ondertekende, was het niet tot me doorgedrongen dat hij hier alleen met zijn kinderen zou wonen. Maar goed, hoe moet je zoiets ook vertellen? Hoe leg je een volslagen vreemde uit dat je huwelijk min of meer op springen staat? Nu begreep ik pas waarom ze per se naar New York moesten. Nu begreep ik ook waarom hij er zo vermoeid uitzag. Het was niet alleen jetlag, hij was een beetje levensmoe. Kyle moest alles wat zich de laatste weken had afgespeeld nog verwerken.

Hij was er niet kapot van dat zijn huwelijk was stukgelopen, ook al had ik het vermoeden dat hij het niet had zien aankomen. Hij had er kennelijk helemaal geen rekening mee gehouden. Maar wie hield er nou rekening met de mogelijkheid van een scheiding? Als je het jawoord gaf, kwam het toch niet bij je op dat je partner uiteindelijk zeven uur vliegen bij je vandaan zou gaan wonen? Er verscheen een boze blik op Kyles gezicht toen de persoon aan de andere kant van de lijn iets zei. Hij nam de telefoon van zijn oor, sloeg zijn ogen ten hemel, hief zijn handen op alsof hij de hemel aanriep en drukte toen de telefoon weer tegen zijn oor. Als iemand vanaf de eerste dag rekening had gehouden met een mogelijke scheiding, dan was het Kyle zeker niet. Waarschijnlijk duizelde het hem nog steeds en eigenlijk leek het er meer op dat hij nu pas overeind begon te krabbelen.

Omdat ik aannam dat mevrouw Gadsborough alleen had gebeld om te horen of ze veilig thuis waren gekomen, draaide ik de ijsberende, boos kijkende Kyle de rug toe, liep terug naar de tafel en ging weer zitten. 'Hoe heet je?' vroeg Summer terwijl ik de lepel kletterend in de kom liet vallen.

'Eh, Kendra,' antwoordde ik. 'Maar de meeste mensen noemen me Kennie.'

'Kendie,' zei Summer. 'Kendie.' Ze knikte. 'Kendie, vind ik leuk. Dat is een mooie naam.'

Kendie. Dat bezorgde me een binnenpretje, maar ik nam niet de moeite om haar te verbeteren want dat had toch geen zin. Als kinderen eenmaal hebben besloten om je een bepaalde naam te geven, valt daar weinig aan te doen.

'Ik heet Summer,' zei ze. 'Dat betekent eigenlijk zomer. Wist je dat?'

Ik knikte. 'Jazeker. Ik vind Summer echt een mooie naam.'

'Hij heet Jaxon,' zei ze, terwijl ze naar haar broertje wees. 'Maar dat is gewoon een jongensnaam. Die heeft mijn moeder uitgekozen.'

'Ik vind Jaxons naam ook heel mooi,' zei ik en glimlachte naar hem.

Hij keek even op en sloeg meteen zijn ogen weer neer, met een schim van een glimlach op zijn gezicht.

Er viel een stilte. Ik wist niet hoe lang we op Kyle moesten wachten. En of we eigenlijk wel op Kyle moesten wachten, of dat we beter konden gaan ontbijten, zodat ik weg kon en dit achter de rug was. 'Hoe heet je konijn?' vroeg ik om het gesprek op gang te houden.

Summer keek naar het blauwe speelgoedbeest in haar hand en schudde het even. 'Huppeltje,' zei ze. 'Ze huppelt.' Ze liet me zien hoe haar konijn over de tafel huppelde en hoe het speelgoedbeest een paar snoekduiken in haar gladde witte kom overleefde.

Ik lachte tegen haar. 'Wat leuk,' zei ik. 'Is dat je beste vriendje?'

Summer hield abrupt op, keek me aan met haar donkergroene ogen en fronste terwijl ze het loshangende deel van haar haar uit haar gezicht streek. Ze leek een beetje verbaasd, maar meteen daarna wees ze naar haar broertje. 'Jaxon is mijn beste vriend. Hij is mijn broer, maar ook mijn beste vriend.'

'Ik begrijp het,' zei ik met het gevoel dat ik een flater had geslagen. 'En houdt Huppeltje ook van wortels?' vroeg ik, om de schade enigszins te herstellen.

Het kleine meisje keek me met licht samengeknepen ogen aan en perste toen haar roze lipjes bezorgd op elkaar. Ze legde haar konijn neer en klopte me even geruststellend op mijn hand. 'Huppeltje is geen echt konijn, hoor,' zei ze rustig. Ze klonk alsof ze een beetje bezorgd was over de uitwerking die dit nieuws op mij zou hebben. 'Ze lijkt er alleen maar op. Ze eet helemaal niks.' Terwijl Summers hand op de mijne tikte, moest ik op mijn lippen bijten om niet in lachen uit te barsten. Aan haar gezicht te zien zat ze er behoorlijk over in dat ik kennelijk een eersteklas idioot was. Ik staarde naar het blanke handje dat geruststellende klopjes op mijn hand gaf en een triest gevoel welde op in mijn borst. Een gevoel dat meteen werd gevolgd door die bekende pijnscheut.

'NEE! Nou moet je eens heel goed naar me luisteren!' schreeuwde Kyle ineens, waardoor we allemaal rechtop schoten en meteen naar de deuropening keken. Hij was stram van boosheid en zijn gezicht was rood geworden. Zijn ogen spuwden vuur. 'Jij bent bij mij weggegaan, Ashlyn! Niet andersom! Jij bent ervandoor gegaan! Dus je hebt het recht niet om te zeggen...'

Ik schoof mijn stoel met een ruk achteruit en liep met grote passen naar de keukendeur. Terwijl ik de deurkruk vastpakte, zag Kyle me en hij herinnerde zich ineens waar hij was en wie hem konden horen. Hij hield op met dat geschreeuw en we keken elkaar even aan. Hij stak verontschuldigend zijn hand op en trok een bijpassend gezicht, maar ik wendde mijn ogen af en smeet de deur dicht. Ik had geen behoefte aan excuses. Hij had zich moeten inhouden, zeker met zijn kinderen binnen gehoorsafstand.

Het bleef stil aan de andere kant van de deur, maar vrijwel meteen daarna hoorden we hem de trap op lopen. Daarna sloeg er boven een deur dicht. Ik draaide me om en keek naar Jaxon en Summer. Hun blik was nog vast op de deur gericht. Ze hadden allebei bezorgd hun lippen op elkaar geklemd en de angst stond in hun ogen te lezen.

Ik voelde een steek in mijn hart toen ik terugdacht aan wat er in Sydney was gebeurd. *De telefoon die overging. De afschuwelijke stilte na het gesprek. Die stem…* Met een ruk keerde ik terug naar het heden. Die dingen had ik achtergelaten, het heden was het enige dat telde. Het heden met twee kinderen die doodsbang waren omdat hun vader zo boos had geklonken. Die zich afvroegen of alles wel in orde was met hem. En of hij ook zo boos tegen hen zou gaan doen.

'Nou, laten we het maar eens over het ontbijt hebben,' zei ik, terwijl ik mijn best deed om een beetje opgewekt te klinken.

Ze zaten me allebei verward aan te kijken. Summers verdriet stond op haar gezicht te lezen, en dat Jaxon bang was en zich zorgen maakte over wat er met zijn ouders zou gebeuren was al even duidelijk te zien. Kennelijk hadden hun ouders zich geen van beiden om het stel bekommerd. Hun moeder had de benen genomen naar New York en hun vader stond tegen hun moeder te schreeuwen. Ondertussen zaten Summer en Jaxon aan de keukentafel op hun ontbijt te wachten.

Ik moest iets doen, het maakte niet uit wat. Ze moesten hun ouders uit hun hoofd zetten. Op zoek naar iets waarmee ik hun aandacht af kon leiden, dwaalden mijn ogen door de strakke, moderne keuken met allerlei dure snufjes. 'Weten jullie wat ik zaterdags het liefst voor het ontbijt wil?' vroeg ik. Mijn ogen bleven rusten op mijn jas en ik zag nog net een hoekje van een verkreukeld plastic zakje uit de zak steken. Ik had die jas tijdens de vlucht aangehad en ik had me gedurende de reis vrijwel continu vol zitten proppen met zoetigheid. Het plastic zakje had ik vlak voordat we gingen landen opengemaakt.

Ze gaven geen van beiden antwoord.

'Tja, als jullie zo aandringen, zal ik het wel moeten vertellen,' zei ik glimlachend. 'Nee, nee…' Ik wuifde hun denkbeeldige protesten weg, 'doe maar niet alsof het jullie niets kan schelen, ik weet best dat jullie trappelen van verlangen om het te horen, jullie durven het gewoon niet te vragen.' Ik begon nog breder te lachen terwijl ik beurtelings naar de smoeltjes van de tweeling keek. Ze leken zo ontzettend veel op elkaar. Precies dezelfde mondjes, dezelfde ogen en hetzelfde neusje.

'Dan wil ik het liefst marshmallows hebben,' zei ik en ging weer aan tafel zitten. 'Weten jullie wat marshmallows zijn?' Ik wist dat ze geen antwoord zouden geven, ze waren diep in hun schulp gekropen en door een beetje jolig te doen zou ik ze daar niet uit krijgen. 'Dat zijn van die zachte schuimblokjes, meestal roze en wit. En heel af en toe neem ik die bij het ontbijt. Maar alleen op zaterdag en alleen bij heel speciale gelegenheden. Dat is trouwens wel een geheimpje, want dat heb ik nog nooit aan iemand verteld. Alleen aan jullie.' Ik had nu dat platgedrukte zakje met marshmallows wel uit mijn jaszak kunnen halen om ze dat te laten zien, maar ik wilde ze geen snoep geven bij het ontbijt.

Ze bleven allebei die wartaal uitslaande gek aan hun ontbijttafel strak aankijken. 'Maar goed, meestal ontbijt ik op zaterdag dus gewoon met cornflakes of zo.' Ik wees naar de doos met Weetabix. 'Maar dan doe ik er toch iets bijzonders bij, want het ontbijt op zaterdag hoort gewoon bijzonder te zijn, hè? Van maandag tot vrijdag kun je er ook wel iets speciaals van maken als je dat graag wilt, maar op zaterdag hoort dat gewoon. Waarom zou het anders weekend zijn?

En om er iets bijzonders van te maken, moet je dit doen. Je moet een stel bij elkaar passende kommen hebben, net als wij. Daarna pak je je zak met liefste wensen die altijd naast je staat. Je moet hem optillen en je vingers erin steken. Kijk zo.' Ik stak mijn hand in de onzichtbare zak en pakte er tussen duim en wijsvinger iets uit, dat ik in de lege kom voor me strooide. 'De eerste hoeveelheid wensen is altijd liefde,' vertelde ik, voordat ik mijn hand weer in de zak stak om er iets uit te pakken. 'En dan komt altijd geluk. Want dat geeft je zo'n blij gevoel in je buik.' Ze zeiden nog steeds niets, maar ze zaten geboeid toe te kijken. Ik pakte weer iets. 'En dit is een hap zonneschijn, om je vanbinnen warm te maken.' Ik stak mijn hand weer in de zak. 'Weten jullie wat dit is?' vroeg ik en wachtte. Ik moest wel wachten. Ze hadden hun aandacht nu op mij gevestigd, maar ik moest ze erbij betrekken om er zeker van te zijn dat ze niet meer aan hun ruziënde vader zouden denken, al was het maar voor even. Dus bleef ik wachten. De minuten tikten voorbij en ik begon me een beetje stom te voelen met die portie onzichtbare liefste wensen in mijn hand, maar ik moest geduld hebben.

'Toverkunst,' zei een zacht stemmetje. Met tegenzin, maar toch.

Ik lachte naar Jaxon, blij dat hij zijn mond had opengedaan en bereid was om mee te spelen. 'Dat klopt als een bus, Jaxon,' zei ik, nog steeds lachend. Ik sprenkelde het in de kom en pakte weer iets anders. 'En weet jij wat dit is, Summer?'

'Pret,' zei ze met een brede lach.

'Precies!' zei ik en gooide het ook in de kom. 'Goed, nu we er onze wensen in hebben gestrooid kan de rest er ook bij.' Ik schudde er een paar Weetabix in. 'Je kunt allerlei soorten cornflakes nemen, maar deze vind ik het lekkerst. En zodra het in de kom ligt, doen we er nog een wens bij. Maar die is heel bijzonder, echt heel speciaal. Want wat we er bovenop strooien, is een geheime wens die we aan niemand doorvertellen. Je mag wensen wat je wilt, alles kan. Wat denk je, willen jullie het ook proberen?'

Summer kwam het eerst in actie. Ze legde Huppeltje neer en keek in haar zak met wensen voordat ze haar hand erin stak om ze in de kom te strooien. 'Liefde,' zei ze toen ze het eerste had gepakt. 'Geluk.' Jaxon pakte zijn zak met wensen ook op. Hij zei niet hardop wat hij eruit pakte, maar binnen de kortste keren zaten we alle drie achter een volle kom. Ik had Weetabix, en zij hadden cornflakes gekozen.

'Nu moeten we er nog die bijzondere, extra speciale wens bij doen,' zei ik. Ik pakte weer iets en wachtte tot zij dat voorbeeld zouden volgen. Summer deed haar ogen dicht en zei iets waarbij haar roze lippen licht bewogen. Daarna deed ze haar ogen open om haar wens over de cornflakes te strooien. Jaxon was als volgende aan de beurt. Er verscheen een geconcentreerde blik op zijn gezicht terwijl hij zijn geheime wens oppakte. Heel even keek hij verlangend naar de deur, maar strooide vervolgens de wens uit over zijn cornflakes. Ik pakte mijn eigen strooisel op, sloot mijn ogen en wachtte tot zich een wens in mijn hoofd had gevormd. Plotseling drong tot me door dat ik er echt in geloofde. Ik was met dit spelletje begonnen als afleiding voor twee kinderen, maar nu geloofde ik er ook in. Ik geloofde dat als mijn wens maar krachtig genoeg was, die uiteindelijk ook zou uitkomen.

Ik wenste dat alles weer goed zou komen. Dat de schade die ik had veroorzaakt weer hersteld zou worden en dat niemand verdriet zou hebben. En dat iedereen die ik pijn had gedaan het zou overleven. Ik deed mijn ogen open en glimlachte tegen de kinderen terwijl ik mijn wens over de Weetabix strooide. Zelfs als het niet werkte, dan had ik toch in gedachten mijn best gedaan.

Ik goot melk in de kommen, schonk sinaasappelsap in de glazen en daarna namen we allemaal onwillekeurig tegelijk onze eerste hap.

'Dat smaakt lekker,' zei Summer kauwend en wel, waardoor we iets van de oranje smurrie van haar cornflakes te zien kregen.

Jaxon knikte terwijl hij zat te kauwen.

'Het smaakt echt naar marshmallows,' zei Summer, waaruit ik kon opmaken dat ze die nog nooit had gegeten.

Jaxon knikte.

'Nou, wel een beetje,' zei ik, omdat ik haar niet wilde tegenspreken.

'Ik vind dit bijzondere zaterdagochtendontbijt heel leuk,' vertelde Summer me, opnieuw met een volle mond cornflakes.

Jaxon zei niets, maar knikte opnieuw.

'Je bent echt aardig,' zei Summer.

Jaxon knikte niet. Hij bleef strak naar zijn eten kijken, alsof hij niets had gehoord.

'Dank je wel,' zei ik tegen Summer.

Summer vestigde haar blik op Jaxon tot hij zijn hoofd ophief en ze elkaar zwijgend even bleven aankijken, alsof ze contact hadden in een soort stille, geheime tweelingcode. Daarna draaide ze zich om naar mij. 'Jaxon vindt je ook aardig. Hij kan niet praten,' legde ze uit.

'Ik heb hem net toch iets horen zeggen,' zei ik.

'Hij kan niet veel praten,' zei ze.

'O nee?'

De deur ging open en Kyle kwam de keuken binnen. Hij was asgrauw, zijn ogen stonden dof en bezorgd en zijn hele lijf stond strak van boosheid. Toen hij mij zag, bleef hij even verwonderd staan. 'Je bent er nog steeds,' zei hij.

'Ja, natuurlijk,' zei ik een tikje spottend, om de spanning weg te nemen. 'We zitten te ontbijten.'

'Een heel bijzonder zaterdagochtendontbijt,' voegde Summer eraan toe.

'O ja?' zei hij afwezig. Hij had niet eens gehoord wat we zeiden. Hij zette de waterkoker aan en bleef er strak naar kijken terwijl hij zijn hand over zijn haar liet glijden. Vervolgens pakte hij een mok uit een van de kastjes en een potje oploskoffie uit een ander kastje, deed twee schepjes in de mok en goot er kokend water op. Zonder zich om te draaien begon hij aan de sterke zwarte koffie te nippen, krabde op zijn hoofd en liep de keuken weer uit. Het moest wel een stevige ruzie zijn geweest om hem zo van streek te maken dat hij ons als een soort keukenapparaten behandelde in plaats van levende mensen die het prettig vonden als er iets tegen hen gezegd werd.

Jaxon begon zijn cornflakes haastig in zijn mond te proppen. Hij at met volle toewijding, alsof zijn wens echt zou uitkomen als hij netjes zijn kom leeg at.

'Mijn mama is niet erg lief voor papa,' deelde Summer mee.

'O, juist,' zei ik.

Ik had zo'n vermoeden dat als haar mama niet erg lief was voor papa, papa waarschijnlijk ook niet bepaald lief was voor haar mama.

Ik had ook het gevoel dat ik, als ik niet heel goed op mijn tellen paste, ik midden in deze puinhoop van niet lief zijn voor elkaar terecht zou komen.

Vier

Het wemelde in deze buurt van de kinderen.

In mijn flat kwam de herrie die ze maakten van alle kanten op me af.

Spelen, gillen, lachen, vechten, ruzies bijleggen, met veel gespetter door plassen lopen en hollen naar de ijscoman met het vrolijk rinkelende belletje. Eind februari en ze genoten allemaal met volle teugen van deze onverwacht zonnige zondag. Dat wil zeggen, met uitzondering van de familie Gadsborough. Het bleef verdacht rustig op de binnenplaats die onze woningen scheidde. Stil. Doods. Zo'n stilte die niet veel goeds beloofde, de zenuwslopende stilte van een begraafplaats om middernacht.

Het zat me de hele dag al dwars.

Tijdens het stofzuigen, met een cd keihard op de achtergrond, had ik de stilte gehoord. Terwijl ik tv zat te kijken, had ik de stilte gevoeld. En terwijl ik de kranten doorbladerde, kon ik nergens anders aan denken.

Ik wierp een blik uit het raam naast de bank dat uitzicht bood op de bovenste verdiepingen en het donkere leistenen dak van het grote huis. Terwijl ik bleef staren en onbewust naar een teken van leven op de bovenverdiepingen zocht, schoten me wel duizend verklaringen voor die stilte door het hoofd.

Ik wilde me niet met hen of met iemand anders bemoeien, maar er waren kinderen bij betrokken. Moest ik dan ook bij mijn besluit blijven? Moest ik ze echt negeren en net doen alsof ik niet wist wat er met hen zou kunnen gebeuren? Gisteren tijdens het ontbijt was Kyle hen volkomen vergeten. Echt, helemaal vergeten.

Nadat we hadden ontbeten, wilden Summer en Jaxon allebei naar bed. Ze zeiden niets, niet tegen mij en niet tegen elkaar, ze besloten gewoon gelijktijdig om naar bed te gaan. Summer kwam het eerst in beweging en Jaxon volgde haar voorbeeld. Ze waren allebei nog bleker dan ze in mijn flat waren geweest en de donkere kringen onder hun ogen waren paarse schaduwen geworden. God mocht weten hoe lang ze al op waren. Ze kwamen net uit het buitenland, het was een wonder dat ze nog op hun benen konden staan. Jaxon ging naast Summer staan en zij keek mij aan. Van dichtbij kon ik zien dat ze een roodbruine ring om haar donkergroene irissen had.

'Welterusten, Kendie,' had ze gezegd. Jaxon zei niets, hij keek me alleen maar op dezelfde manier aan als hij in mijn flat had gedaan en wendde toen zijn blik af. Summer had weliswaar gezegd dat ik aardig was, maar hij moest er kennelijk nog even over nadenken.

'Welterusten, jongens,' had ik geantwoord. 'En bedankt voor het ontbijt.'

'Kus?' had Summer gevraagd en me haar ronde blanke wangetje voorgehouden.

Ik kende dit meisje amper, maar zij was kennelijk vastbesloten om daar verandering in te brengen. Ach, een kus zou geen kwaad kunnen. Ik had me gebukt en een nachtzoentje op haar wang gedrukt. Jaxons ogen waren nog steeds neergeslagen, maar verrassend genoeg had hij me ook zijn wang voorgehouden. En dus had ik hem ook een kus op zijn wang gedrukt. Ik had ze nagekeken toen ze de keuken uit liepen en in het binnenste van het huis verdwenen. *Hoe kan iemand in vredesnaam geen aandacht schenken aan dat stel,* had ik mezelf afgevraagd terwijl ik toekeek hoe ze om de bocht van de trap verdwenen, Summer voorop. *Hoe haalde iemand het in zijn hoofd om ze niet het allerbelangrijkste ter wereld te vinden?*

Voordat ik wegging, had ik de tafel afgeruimd, de ontbijtspulletjes afgewassen en alles even met een vochtige roze spons afgenomen. Ik had de keukendeur opengedaan en nog één blik op de chique, moderne keuken geworpen voordat ik ze aan hun lot overliet.

Ik had Kyle niet meer gezien. Hij had zich bij het ontbijt niets van hen aangetrokken. Zou dat ook voor vandaag gelden? Nadat ik was weggegaan had ik ze niet meer gehoord en er was geen geluid uit het huis gekomen… Ik begon me weer van alles in het hoofd te halen.

Ik stond op en liep vastberaden naar de trap, van plan om naar beneden te lopen en aan de overkant van de binnenplaats te gaan controleren of alles wel in orde was. Of de kinderen gegeten hadden, in bad waren geweest en of er iemand zich om hen bekommerd had. Dat was ik als buurvrouw en als mens verplicht. Wat werd er ook weer altijd na een tragedie gezegd? Dat mensen het gevoel hadden gehad dat er iets mis was, maar dat gevoel hadden genegeerd waardoor het was uitgelopen op een ziekenhuisopname of nog erger.

Ik bleef boven aan de trap staan. *Het zijn jouw kinderen niet,* prentte ik mezelf in. *Jij hebt er helemaal niets mee te maken. Je bent alleen maar de onderhuurder.*

Trouwens, Kyle leek helemaal niet het type om zijn kinderen iets aan te doen. Wat voor type dat ook mocht wezen. Hij leek echt om ze te geven. Hij was tegen mij ook heel aardig geweest. Ik moest ineens weer denken aan die blik vol afschuw nadat hij me zo had laten schrikken. *Zo'n type is het niet.* En er zat een gigantisch verschil tussen het verwaarlozen van een kind en het even geen aandacht schenken omdat je probeert alles weer op een rijtje te krijgen. Misschien waren dat wel twee verschillende punten op hetzelfde traject, maar aangezien het om een traject ging dat mij volkomen vreemd was, kon ik immers ook niet weten hoe gemakkelijk je de kinderen vergat als alles je even te veel werd? Misschien was zaterdag gewoon een rotdag. Misschien bleven ze gewoon de hele dag in bed. *Misschien kun je je er maar beter niet mee bemoeien.*

Met die gedachte sleepte ik mezelf terug naar de bank, pakte de afstandbediening op en zette de tv harder om die doodse stilte te verdrijven.

Eerlijk gezegd had mijn bezorgdheid over de familie Gadsborough waarschijnlijk alles te maken met luiheid. Er was iets wat ik moest doen en daar had ik helemaal geen zin in. Ik moest een brief schrijven. Een brief die ik al minstens een maand geleden had moeten schrijven, maar door alle heisa rond mijn plotselinge vertrek uit Sydney had ik daar geen tijd voor gehad.

Nu had ik tijd genoeg, dus moest het er maar van komen. Maar het lukte niet. Het vel papier dat voor me op de salontafel lag, leek zo groot als een ontbijtlaken. Heel toepasselijk, omdat ik ontzettend veel te zeggen had. Maar ik was nog niet verder gekomen dan een blauw stipje in de rechterbovenhoek van het papier. Dat was de plek waar ik de pen op het papier had gezet om de datum op te schrijven en vervolgens besloot om dat niet te doen omdat het wel even zou kunnen duren voordat ik de brief af had. Ik had de pen weer opgetild en naar het vel zitten staren in de wetenschap dat ik ook mijn adres niet kon opschrijven, omdat hij dan misschien achter me aan zou komen. Daar was hij best toe in staat. Om uit te zoeken waar ik was en tegen me te zeggen dat hij me niets kwalijk nam. Of nog erger: dat hij van me hield. Dat hij ondanks alles nog steeds van me hield. Dat zou ik niet aankunnen. Ik voelde me al schuldig genoeg zonder de wetenschap dat hij er niet van overtuigd was dat ik zijn hele leven had verpest.

Maar nadat ik had besloten om de datum en het adres over te slaan, doemde er opnieuw een struikelblok op. Ik wist niet of ik met 'lieve' moest beginnen, want dat klonk wel heel formeel, of met 'hoi', wat juist weer een tikje te nonchalant klonk. En toen ik had besloten om gewoon met zijn naam te beginnen, was ik verstijfd. Ik kon het niet. Ik had prompt de pen en het papier aan de kant gegooid en begon me weer zorgen te maken over het gezin aan de andere kant van de binnenplaats.

En nu wist ik niet wat ik met mezelf aan moest.

Geërgerd sprong ik op en rekte me in mijn volle lengte van een meter zestig uit. Ik genoot even van het gevoel dat ik zweefde en pakte toen de afstandsbediening van de tv op om langs alle kanalen te zappen. Toen ik niets interessants kon vinden, liep ik naar het toestel toe en zette het uit.

Ik ga gewoon naar bed. Dan zal ik dit wel van me af kunnen zetten.

Waarschijnlijk had ik nog steeds een beetje last van jetlag. Ik was nog geen week geleden teruggekomen en ik had in Sydney gewoon doorgewerkt tot twee dagen voor mijn vertrek. En sinds mijn terugkomst had ik Brockingham verkend en mezelf vertrouwd gemaakt met de dienstregeling van het openbaar vervoer, de kronkelende straatjes en de snoezige winkeltjes. Ik was naar West-Londen gegaan, de buurt waar ik vroeger had gewoond, om de vlechtjes uit mijn haar te laten halen en mijn haar steil te laten maken. Ik was zelfs op donderdag en vrijdag een paar uur gaan werken. En doordat ik mezelf niet de kans had gegeven om rustig aan alles te wennen was ik waarschijnlijk nu zo gefrustreerd en gespannen. Ik had al in geen weken een hele nacht geslapen en morgen zou ik voor het eerst weer fulltime aan de slag gaan bij het uitzendbureau. Een paar uur in bed liggen en lekker naar muziek luisteren zou me goed doen.

Ik ging plat op mijn bed liggen, met gespreide armen en benen onder het witte dekbedovertrek alsof ik een soort menselijke zeester was, en hoorde de zachte hese stem van Peter Gabriel door de kamer klinken toen 'In Your Eyes' begon. Het was halfzes in de middag en het begon buiten al donker te worden.

Terwijl ik mijn ogen dichtdeed, liet ik me meedrijven op de tekst van het liedje: *leegte, weglopen, terug naar de plek waar alles begon.*

De herinneringen leken op dia's, stilstaande beelden die als het klikken van een camera in mijn hoofd opdoemden.

Klik. Het gevoel van dat zachte plekje in zijn nek, vlak onder zijn haar.

Klik. De warmte van zijn lichaam onder mijn vingertoppen.

Klik. De intense blik in zijn ogen.

Ik deed mijn ogen met een ruk open in de hoop dat het dan zou ophouden en dat ik op die manier de herinneringen zou kunnen verdringen, terug naar de duistere krochten waar ze thuishoorden. Maar ze bleven komen. En de foto's veranderden langzaam in bewegende beelden.

Klik. Zijn lippen die heel zacht over het kuiltje in mijn hals gleden.

Klik. De vorm van zijn mond toen hij zei: 'Ik zou wel altijd bij je willen blijven.'

Klik. Zijn handen die mijn topje over mijn hoofd trokken.

Klik. De lichte zucht die hem ontsnapte toen zijn ogen over mijn halfnaakte lichaam dwaalden.

Ik verzette me er niet langer tegen en liet de herinneringen voor mijn geestesoog langs klikken. Herinneringen aan hem. Herinneringen aan ons. Herinneringen aan de persoon die ik was toen ik bij hem was. Ik gaf me over aan de herinneringen. Dat was gemakkelijker dan ertegen te vechten. Want ik had eigenlijk nauwelijks vechtlust over.

Ik schrok wakker, met een kreet op mijn lippen en een hart dat van angst in elkaar kromp.

Er was iemand in de kamer. Dat voelde ik gewoon.

Of misschien had iemand me aangeraakt. Hoe dan ook, er was absoluut iemand bij me. Het was nog steeds donker in de kamer, dus ik had geen flauw idee hoe laat het was. Mijn hart bonsde toen ik mijn hand uitstak om de lamp naast het bed aan te doen en me ervan te overtuigen dat er echt niemand was.

Maar toen het licht aanging, schrok ik me weer een ongeluk, want ze waren zelfs met hun tweeën.

Summer. Jaxon.

Ze stonden vlak bij de openstaande deur.

Toen ik ze met grote ogen aankeek, besefte ik dat ze rechtstreeks uit bed kwamen: Summer droeg een ouderwets nachtponnetje van grauw wit flanel met strookjes langs de hals en de manchetten en een patroon van roze bloempjes en haar haar was een warrige zwarte bos krullen. Jaxon droeg een blauw met rode Spiderman-pyjama die bij de polsen en de enkels een paar centimeter te kort was, zijn haar stond rechtop en zijn gezicht was nog steeds pafferig van de slaap.

In de afgelopen drie dagen hadden ze twee keer in mijn flat ingebroken. Twee keer hadden ze me de stuipen op het lijf gejaagd. Ik wist zeker dat ik de voordeur op slot had gedaan, ik had zelfs de sleutels nog een keer omgedraaid zoals ik altijd deed. Voor alle zekerheid. Om elke vorm van gevaar buiten te sluiten.

Het duurde even tot mijn hart weer een beetje tot rust kwam terwijl ik met mijn handen om mijn opgetrokken knieën zat te wachten op wat er komen ging. Als alles normaal verliep, zou Kyle nu ieder moment de trap op komen stormen om zijn kinderen mijn kamer weer uit te drijven. Vervolgens zou hij zich oprecht en eerlijk bij me verontschuldigen, ook al schoten we daar niets mee op. Ja, het speet hem ontzettend dat het weer was gebeurd en dat zijn kinderen weer bij me ingebroken hadden.

Misschien kon ik hem toch maar beter vragen om me de reservesleutels ook te geven, dacht ik. Want nog een paar van die 'bezoekjes' konden me toch een flink aantal jaren van mijn leven kosten.

Er ging een minuut voorbij. En nog een. Geen spoor van Kyle.

Ik keek langs de kinderen naar wat ik van de woonkamer kon onderscheiden, voor het geval hij zich daar schuilhield omdat hij zich geneerde om zomaar mijn slaapkamer binnen te komen. Niets. De kamer was leeg.

Ik richtte mijn blik weer op de kinderen. Jaxon had zijn duim in zijn mond en met zijn andere hand frunnikte hij aan de zoom van zijn pyjamajasje. Zijn donkergroene ogen met de bruine randjes staarden glazig naar een plek in de buurt van mijn voeten. Summer had Huppeltje bij zich en friemelde aan het linkeroor van het konijn. Ze vouwde het naar voren, naar achteren en weer naar voren en weer naar achteren en naar voren, alsof ze probeerde het uit te wringen. Ze keek me aan, maar ze zag me niet. Haar ogen keken dwars door me heen naar het hoofdeinde van het bed achter me. Op haar wangen waren de smalle, glanzende sporen van tranen te zien.

O.

Pas op dat moment begreep ik dat ik de dekens van me af moest gooien om mijn benen over de rand van het bed te zwaaien, op te staan, wat kleren aan te schieten en naar het huis aan de overkant moest gaan.

Maar ik kon het niet. Dit zou wel eens een regelrechte nachtmerrie kunnen worden, waardoor ik een hele hoop ellende voorgescho-teld kreeg zonder dat ik er iets aan kon doen. En als ik me bewoog, was het niet meer tegen te houden. Als ik bleef zitten zou het best kunnen dat ik me vergiste. Kinderen schrokken wel vaker wakker uit een nare droom die hen aan het huilen had gemaakt. Een droom die hen ertoe dreef om uit bed te klimmen en naar de kamer van hun ouders te lopen. Dus ik kon me best vergissen.

'Wat is er aan de hand?' vroeg ik.

Summer wreef met haar vlakke hand over haar ogen. Ze was zo bleek dat de donkergroene en blauwe aders, die vanuit haar nek ontsprongen en omhoog krulden naar haar kaken, op kronkelige, slecht getekende tatoeages leken. Jaxon bleef op zijn duim zuigen terwijl zijn ogen vast op mijn tenen gevestigd bleven.

Hoewel ik haar onbewust probeerde te dwingen om 'ik heb zo naar gedroomd' te zeggen, begon mijn hart weer sneller te kloppen, nog sneller dan toen ik een paar minuten geleden het licht had aangedaan. Het bonsde in mijn oren, dreunde door mijn hoofd en klopte in mijn keel. *Zeg alsjeblieft dat je naar gedroomd hebt, alsjeblieft.*

'Je moet mee naar ons huis,' zei Summer, met een stem die zo vermoeid klonk dat het leek alsof ze niet meer tegen de moeilijkheden bestand was.

'Waarom?' vroeg ik.

Ze keek nog steeds dwars door me heen, toen haar op een rozenknop lijkende mondje opnieuw bewoog. 'Je moet mee naar ons huis,' herhaalde ze. 'Mijn papa wil niet wakker worden.'

Vijf

Zou hij blauw zijn?

Lag hij op de bank of op de grond? Was het zijn hart? Was er iemand in het huis binnengedrongen die hem iets had aangedaan? Of had hij besloten dat alles hem te veel werd en dat hij er een eind aan maakte? Zou hij koud zijn? Hoe lang was hij al dood?

Dat waren de gedachten die als een vlucht bloeddorstige gieren door mijn hoofd cirkelden terwijl ik de binnenplaats overstak. Ik had nog nooit een dode gezien. Waarom moest dat nu de eerste keer zijn?

Door aan te dringen had ik Summer zover gekregen dat ze me vertelde wat er precies was gebeurd. Jaxon had zich nog steeds in stilte gehuld, hoewel hij duimzuigend en wel scherp in de gaten hield hoe ik op hun verhaal reageerde. Summer was wakker geworden toen ze beneden een geluid hoorde. Ze was naar de kamer van haar vader gelopen om te vragen waar dat geluid vandaan kwam, maar zijn bed was leeg geweest. Dus toen had ze Jaxon opgehaald om samen op onderzoek uit te gaan. Het geluid kwam van de tv. Hun papa lag op de bank met de tv aan. Summer had hem door elkaar geschud om hem wakker te maken en te vertellen dat hij de tv aan had laten staan. Zonder succes. Daarna had Jaxon het geprobeerd. Ze hadden samen aan hem staan schudden. Ze riepen zijn naam, maar er gebeurde niets. Toen waren ze op de grond gaan zitten wachten tot hij wakker zou worden en ze waren zelfs weer in slaap gevallen, maar hij wilde maar niet wakker worden. Uiteindelijk hadden ze besloten om mij te gaan halen. Om te zien of ik hem wakker kon krijgen. Ze waren op een stoel gaan staan om het slot van de achterdeur open te maken en daarna waren ze naar mijn flat toe gekomen. Ze wisten waar de reservesleutels lagen en die hadden ze gebruikt om binnen te komen.

Zodra ik het hele verhaal had gehoord, had ik tegen de kinderen gezegd dat ze maar even in mijn woonkamer moesten blijven wachten. Ik had de tv aangezet en een zender met tekenfilms opgezocht en was me toen gaan aankleden. Ik had net zo goed in de joggingbroek, het T-shirt en de zwarte fleecetrui die ik in bed had aangehad naar de overkant kunnen lopen, maar ik had besloten om me aan te kleden zodat ik wat meer tijd had om mezelf op het ergste voor te bereiden. En om wat kalmer te worden. Met trillende handen had ik mijn ondergoed, een spijkerbroek, een T-shirt en een zwarte trui met een V-hals aangetrokken. En ondertussen bleef het zinnetje 'dat had jij kunnen voorkomen' maar door mijn hoofd spoken. Als ik gisteren gewoon naar hen toe was gegaan om een babbeltje te maken, dan was dit misschien nooit gebeurd.

Aangekleed en nog steeds doodsbang was ik teruggegaan naar de woonkamer. Het eerste wat me opviel, was de geur van alcohol. Geen echte walm, maar gewoon een vleugje van die wat zure, verschaalde lucht dat mijn neus binnendrong. Ik had zelf nog geen borrel gehad sinds ik hier was komen wonen, er was zelfs helemaal geen alcohol in de flat, dus waarom hing die lucht dan in mijn woonkamer? Bier. Ja, het was bier. Ik keek even naar de kinderen, maar die hadden zich niet verroerd en zaten nog op dezelfde plek met nietsziende ogen naar de tv te staren.

Toen ik nog eens snuffelde, rook ik niets meer.

Nadat ik tegen hun strakke smoeltjes had gezegd dat ze rustig moesten blijven zitten en dat ik zo terug was, liep ik de binnenplaats over. Het was een afstandje van een paar meter, maar het nam een eeuwigheid in beslag. Een tocht die mijn leven voorgoed zou veranderen. Eén blik op Kyles lichaam – zijn dode lichaam – zou genoeg zijn. Dan zou ik nooit meer de oude worden, want dat moment zou diep in mijn ziel snijden en weer zo'n litteken achterlaten dat nooit helemaal zou genezen. God mocht weten wat de twee zesjarige kinderen die in de flat zaten te wachten eraan zouden overhouden.

Toen ik bij het huis aankwam, zag ik dat de essenhouten achterdeur nog steeds op een kier stond, en met een diepe zucht duwde ik hem verder open. Het was stil in het huis toen ik naar binnen stapte. Mijn hart bonsde zo hard in mijn oren dat ik niets anders meer hoorde. Toen ik over de houten keukenvloer naar de gangdeur liep, besefte ik ineens dat ik mijn adem inhield. Ik bleef staan en dwong mezelf om weer gewoon adem te halen. Het bleef bij een armetierige poging, maar in ieder geval kreeg ik weer lucht. De houten vloer liep naadloos door naar de gang en wees me de weg richting Kyle. Aan het eind van de gang was de voordeur, waar nog steeds de ketting van het veiligheidsslot op zat. Het zag er niet naar uit dat er was ingebroken. Iets dichterbij, aan mijn linkerhand, stond een deur open. Ik nam aan dat hij daar was. Ik kon me niet voorstellen dat de kinderen de deur achter zich dicht hadden gedaan toen ze mij gingen halen.

Terwijl ik naar de openstaande deur toe liep, drong ineens tot me door dat ik eigenlijk de politie moest bellen. Maar ik wilde eerst weten waar ik aan toe was. Zodra mijn vermoeden bevestigd was, moest ik de kinderen onder mijn hoede nemen. Ik zou wel iets verzinnen om ze te beschermen tot het ergste voorbij was. Ik wilde niet dat ze het te horen kregen van een wildvreemde politieagent. Ik was natuurlijk ook een vreemde voor ze, maar niet echt wildvreemd.

Ik bleef even voor de deur staan en vroeg me af of ik toch niet beter de politie kon bellen. Zij hadden ervaring met dit soort dingen, ik niet.

Plotseling zag ik de strakke smoeltjes van Summer en Jaxon weer voor me. De holle ogen, de hopeloze uitdrukking op hun gezichtjes. Zij hadden dit al achter de rug. Zonder dat ze de keus hadden gehad. En als zij het aankonden, dan kun jij dat ook, praatte ik mezelf moed in.

De woonkamer was gigantisch. Het waren vroeger twee kamers geweest, met een toog op de plek waar een muur was weggebroken om één groot en licht vertrek te krijgen. Achter in de kamer stond een eethoek en de zithoek werd gevormd door twee banken en twee fauteuils, allemaal bekleed met hetzelfde, zacht uitziende karamelkleurige leer en opgesteld rondom het televisietoestel, dat luidruchtig voor het raam stond te schetteren.

Het eerste wat ik te zien kreeg, waren zijn voeten. Op de bank die het dichtst bij de deur stond, met de enkels over elkaar geslagen. Mijn hart stond bijna stil toen ik naar de huidnerven in zijn voetzolen keek. Ik haalde diep adem om kalm te blijven en niet te gaan hyperventileren. Ik bevond me op het smalle randje tussen ijskoude kalmte en volslagen hysterie. En toen maakte ik dat laatste stapje, waardoor alle gevoel uitgeschakeld werd en ik me terug kon trekken op dat plekje waar ik altijd veilig was. Waar me niets kon gebeuren. Waar ik me kon verstoppen voor alle akelige dingen van het leven.

Nu kon ik alles aan, omdat ik niet bang meer was. Dat moest trouwens wel, want ik had geen keus. Ik schuifelde voorzichtig verder en merkte hoe de walm van alcohol met iedere stap die ik deed sterker werd.

Ik liep door tot ik de hele bank kon zien. En, o, lieve god nog aan toe. O, mijn god!

De vloer rond de bank was bedolven onder alcoholflessen. Flessen en blikjes. Kleine groene ginflesjes, grote heldere wodkaflessen, amberkleurige whiskyflessen, bruine bierflessen, een paar groene flessen waar witte wijn in had gezeten en een paar donkere flessen van rode wijn. Vermengd met de nodige blikjes, maar vrijwel allemaal sterke drank. Ze vormden een soort slotgracht rond de bank. Vandaar dat ik die lucht in mijn flat had geroken, die was gewoon aan de kleren van Summer en Jaxon, in hun haren en aan hun huid blijven hangen. Midden in die oceaan van drankflessen en blikjes zag ik de halvemaanvormige plekjes die de kinderen hadden vrijgemaakt om op de grond te gaan liggen tot hun vader wakker werd. Hun vader die zich overduidelijk en opzettelijk dood had gezopen.

Als ik er niet was geweest, waren ze daar misschien wel urenlang, zo niet dagenlang, naast hun dode vader blijven zitten. Ik verplaatste mijn aandacht naar Kyle.

Hij lag roerloos, nog steeds in de houding waarin hij zijn laatste slok had genomen. Zijn lichaam lag languit op de bank, plat op de rug, met het hoofd omhoog en opzij gekeerd tegen een armleuning. Zijn ene arm lag naast hem, de andere hing van de bank; de hand bungelde tussen de puinhopen van de avond ervoor.

Zijn kleren waren gekreukeld en zijn lichtblauwe overhemd hing half uit zijn zandkleurige broek. Dat zou wel gebeurd zijn toen Summer en Jaxon hem wakker probeerden te schudden. Zijn huid had de lichtgrijze kleur van donderwolken voordat de bui losbreekt, niet blauw. Ik had eigenlijk verwacht dat hij blauw zou zijn als hij al een tijdje was heengegaan, maar echt zeker was ik daar niet van. Ik bleef strak naar zijn borst staren om te zien of daar beweging in zat, maar er gebeurde niets. Het leek erop dat hij niet ademde. En er hing een enge stilte om hem heen. Een stilte die als een soort zijig glad en levenloos laken over hem en de hele kamer lag.

Ik zou er alleen zeker van kunnen zijn dat hij echt... hééngegaan was als ik hem aanraakte. En controleerde of hij een polsslag had. Ik liep verder en voelde het speeksel in mijn mond lopen. Mijn brein was weliswaar uitgeschakeld, maar mijn lichaam gedroeg zich nog steeds alsof ik wel bij mijn positieven was. De alcohollucht veroorzaakte samen met angst een soort misselijkmakend brouwsel in mijn maag. Ik moest mezelf dwingen om niet te gaan kokhalzen. Zodra ik dit achter de rug had, kon ik de zaak afhandelen. Dan kon ik gaan bedenken wat ik tegen de kinderen zou zeggen en de politie bellen.

Ik scharrelde tussen de flessen door en bleef vlak voor hem staan.

Diepe zucht.

Schiet op. Nu. Doe het nou maar, dan heb je dat tenminste achter de rug.

Zonder dat ik er iets aan kon doen, trilde mijn hand als een espenblad toen ik mijn vingers uitstak naar het grauwe plekje blote huid vlak boven de kraag van zijn overhemd. Ik dwong mezelf om te blijven kijken, zodat ik het juiste plekje zou kunnen vinden, en ik hield mijn adem in, hoewel ademhalen de enige manier was om te voorkomen dat ik zou gaan kotsen. Toen raakten mijn vingers zijn huid.

Die voelde vreemd genoeg warm aan. Maar daar wilde ik niet te lang over nadenken. Een lichaam werd niet ineens koud, het koelde langzaam af als het bloed dat het warm hield en de chemische reacties die voor een vaste temperatuur zorgden hun werk hadden gestaakt. Ik liet mijn vingers omhoog glijden, naar het punt vlak onder zijn kaak.

'HUHHH!' mompelde Kyle plotseling en schudde mijn hand af alsof hij een vlieg wegjoeg.

Jezus Christus! Ik kon een kreet nog net binnenhouden en strompelde achteruit over een stel flessen. Een paar halflege blikjes vielen om waardoor de lichtgekleurde inhoud over het vloerkleed stroomde. Ik bleef struikelen tot ik dan toch mijn evenwicht verloor en hard op mijn achterste terechtkwam.

Ik zat hem hijgend van schrik aan te staren, wachtend tot de herrie van de tegen elkaar kletterende flessen hem wakker zou maken en hij tot het besef zou komen dat hij me net tien jaar van mijn leven had gekost. Maar er gebeurde niets. Nadat hij niet alleen mij maar ook zijn kinderen de stuipen op het lijf had gejaagd, bleef die klootzak gewoon vredig in zijn van drank vergeven dromenland dutten.

De slapende Kyle lag als een lange, gespierde sliert over de leren bank.

Vanaf het moment dat ik erachter was gekomen dat hij weliswaar bezopen maar nog steeds in leven was, had hij zich niet verroerd. Ik was teruggegaan naar de flat om de kinderen te vertellen dat alles in orde was en had hun uitgebreid uitgelegd dat hun vader alleen maar sliep. Hij was ontzettend moe, zo moe als alleen grote mensen konden zijn, en het zou nog wel even duren voordat hij weer wakker werd. Ik had ze ook verteld dat hij gauw genoeg uit zichzelf wakker zou worden en dat wij ondertussen gewoon terug konden gaan naar hun huis om aan onze eigen maandag te beginnen. Ze hadden me uitdrukkingsloos aangekeken, vroegen niets, en om eerlijk te zijn schenen ze mijn lange uitleg helemaal niet nodig te hebben. Ze hadden kennelijk genoeg aan de mededeling dat alles in orde was met hem en dat ze weer naar huis konden. Terwijl zij naar de trap liepen, bleef ik even achter om de tv uit te zetten toen mijn oog viel op een stukje groen glas dat achter een van de kussens op de bank lag. Ik was er verbaasd naar toe gelopen, had het kussen opgepakt en vond een leeg bierflesje dat tussen de rugleuning en de zitting van de bank zat. Toen ik het volgende kussen oppakte, vond ik er nog een. En onder het derde kussen lag ook een flesje.

Vanuit mijn ooghoeken had ik Summer en Jaxon in de gaten gehouden en ik zag dat hun ogen groot werden van angst. Geen wonder dat mijn flat naar alcohol had geroken. Geen wonder dat ze niet verbaasd waren toen ik zei dat hun papa heel moe was op een grotemensenmanier. Ze wisten wat er aan de hand was, want ze hadden het al eerder meegemaakt.

Ze waren eraan gewend dat hun vader dit deed en dat ze het bewijsmateriaal moesten verdonkeremanen. In het huis zelf waren maar een paar blikjes bier opengemaakt. Lege blikjes waren nergens te bekennen. Ze hadden zorgvuldig alle bewijzen dat hun vader had liggen zuipen weggewerkt en alleen volle flessen en blikjes achtergelaten. Arme kinderen. Wat hadden die allemaal meegemaakt... Mijn hart smolt toen ik daaraan dacht. *Mijn mama is niet erg lief voor papa,* hoorde ik Summer in gedachten weer zeggen. Nu snapte ik best waarom dat zo was.

Terwijl ik ze vanuit mijn ooghoeken in de gaten bleef houden, zag ik hun jonge gezichtjes bezorgder worden. Nu kende ik hun geheim en ze waren doodsbang. Wat zou ik doen? Zou ik hun papa in moeilijkheden brengen? Zou ik denken dat het hun schuld was?

Omdat ik eigenlijk niet wist hoe ik moest reageren, legde ik de kussens weer over de flesjes en deed net alsof ik niets had gezien. Waarschijnlijk niet echt verstandig, maar ze hadden al genoeg te verduren gehad. Ze hadden er geen behoefte aan om door mij aan de tand te worden gevoeld. Als er iemand was die zich moest schamen, was het hun vader.

Zonder iets te zeggen liepen we terug naar hun huis en ze gingen naar boven om zich aan te kleden. Ik had mijn werk gebeld en tegen mijn bazin gezegd dat er iets dringends aan de hand was en dat ik waarschijnlijk die dag niet zou komen werken. Daarna had ik voor ons allemaal bij wijze van ontbijt geroosterde boterhammen met jam gemaakt. Dat was het enige wat ik had kunnen vinden. Hij had kennelijk sinds hun terugkomst nog geen boodschappen gedaan en alle voorraadkastjes waren leeg. Zelfs de cornflakes waren op, dus die zouden ze wel in het weekend gegeten hebben. In de koelkast had ik alleen boter, aardbeienjam, een verdwaalde ui, een flesje ketchup, een flesje ketjap, een restje sinaasappelsap, een pak dure koffie en een half pak karnemelk gevonden. De diepvries leverde een gesneden volkorenbrood op, dus had ik zoveel mogelijk boterhammen geroosterd. Daarna waren ze gewillig buiten gaan spelen, terwijl ik de ontbijttafel afruimde.

Tijdens het ontbijt had ik voortdurend zitten hopen dat Kyle weer bij bewustzijn zou komen, zou begrijpen wat hij had gedaan en dat hij de keuken in zou hollen om zich tegenover zijn kinderen te verontschuldigen. Maar dat was vergeefse hoop gebleken. Hij had zich niet verroerd.

En nu zat ik op de armleuning van een stoel naar hem te kijken en naar het dronken gesnurk te luisteren dat af en toe over zijn volle lippen kwam. Er gingen nog een paar minuten voorbij zonder dat Kyle ook maar bewoog. Hij zweefde nog steeds in zijn van drank vergeven niets, waar het echte leven hem niet kon bereiken. Dat was natuurlijk heel fijn voor hem. We hebben allemaal wel eens behoefte aan vergetelheid, maar aan die van hem zou nu toch heel snel een eind komen.

Ik stond op van de stoel, liep naar hem toe, pakte bij zijn middel zijn vel tussen duim en wijsvinger en draaide dat zo hard als ik kon rond. Daarna rukte ik een paar haren met wortel en al uit.

'AU!' gilde Kyle, die regelrecht vanuit zijn zoete vergetelheid in een wereld vol pijn terechtkwam toen hij overeind schoot. 'Wat is er verd...' Zijn hand schoot naar zijn buik en wreef over de pijnlijke plek, terwijl hij me boos aankeek. 'Wat nou...?'

Ik wierp hem een minachtende blik toe, vergezeld van één licht opgetrokken wenkbrauw. 'Het lijkt me hoog tijd dat wij eens een praatje gaan maken, vind je ook niet?' zei ik.

Zes

'Mijn hoofd...' begon Kyle toen hij een halfuurtje later de keuken binnen wankelde.

Ik stak mijn hand op om te voorkomen dat hij verderging. 'Ik wil er niets over horen. We hebben allemaal onze problemen en de jouwe mag je wat mij betreft voor je houden.' Ik wees naar de stoel bij de plek waar ik een pot koffie neer had gezet, plus twee paracetamols en een glas water. 'Ga zitten.'

Er verscheen een frons op Kyles gezicht en hij kneep zijn mond samen alsof hij op het punt stond te protesteren dat mijn toon hem niet beviel en dat dit per slot van rekening zijn huis was. Maar zijn kater hield de overhand en hij liet zich op de stoel vallen die ik had aangewezen. Terwijl hij zijn hoofdpijnpillen slikte, schonk ik een mok vol koffie en deed er een paar scheppen suiker in, voordat ik hem over de tafel naar hem toe schoof.

'Bedankt,' mompelde hij en nam een paar slokjes. Hij had zich gedoucht en rook nog steeds naar douchegel en schone kleren. Hij had zich ook geschoren, zodat zijn kin, zijn wangen en de huid rond zijn mond zacht en roze waren. Zijn korte, krullende haar was glanzend zwart en nog steeds nat.

De kinderen waren buiten aan het spelen. Summer reed op een roze fietsje rondjes over de flagstones en Jaxon bouwde een enorm kasteel van de grote, veelkleurige blokken die midden op het grasveld lagen. Ze gaven geen kik, maar dat scheen Kyle helemaal niet op te vallen. Ik had niet gehoord dat hij de woonkamer had opgeruimd en hij gaf geen enkel blijk van schaamte. Het interesseerde hem kennelijk geen bal dat ik hem daar buiten westen in die troep had zien liggen en ook niet dat zijn kinderen hem in die toestand onder ogen hadden gehad.

Ik keek naar zijn gebogen hoofd. Kyle was een grote vent. Hij was mager, met lange armen en benen en een pezig lijf en er ging kennelijk een heleboel in hem om. In zijn hoofd, in zijn hart en in zijn ziel. Meer dan zijn lichaam kon verstouwen, en daarom kwam het eruit. Zoals op zaterdag, toen hij me in drie minuten zijn levensverhaal had verteld. Dat was waarschijnlijk de reden waarom hij gisteravond zoveel had gezopen. Hij had geprobeerd al die enorme gevoelens die in zijn binnenste opwelden te onderdrukken.

'Volgens mij kun je ze beter aan haar geven,' zei ik tegen hem. Dat was wat mij constant door het hoofd had gespeeld, tijdens het ontbijt, terwijl ik naar hem had zitten kijken en in de tijd dat ik had gewacht tot hij uit de badkamer zou komen opdagen. Het leek mij de meest voor de hand liggende oplossing. Hij kon het niet aan. De emoties die hem parten speelden, bezorgden iedereen in zijn omgeving ellende en maakten het leven van zijn kinderen tot een hel.

'Pardon?' zei Kyle, met zijn mok halverwege zijn mond.

'Het is overduidelijk dat je ze niet aan kunt, dus laat ze nou maar gewoon naar je vrouw gaan.'

'Pardón?' Hij klonk even ongelovig, verontwaardigd en woedend als elke andere man zou zijn geweest.

'Ik neem aan dat je daar met je vrouw ruzie over maakte toen je haar zaterdag aan de telefoon had. Ze zal ze ongetwijfeld willen hebben. En het zou het voor iedereen een stuk gemakkelijker maken als je gewoon toegeeft. Je moet ze niet langer gebruiken om te marchanderen, je moet ze gewoon naar haar sturen.'

Kyle zette zijn mok met zo'n klap terug op tafel dat ik verbaasd was dat hij niet aan gruzelementen ging. De zwarte koffie plensde over de rand op het houten tafelblad. Hij schudde de druppels van zijn hand en keek me met vuurspuwende ogen aan. Ik verwachtte dat hij tegen me zou gaan schreeuwen, maar hij hield zich in. 'Wie denk je verdomme wel dat je bent?' snauwde hij, en hij leek wel twee keer zo groot te worden toen hij zich dreigend naar me toe boog.

'Nee, wie denk jíj verdomme wel dat je bent, meneer Gadsborough?' siste ik terug.

Hij hield even verbaasd zijn mond, omdat ik zo snel, zo vastberaden en zo venijnig had gereageerd. Zijn aanval was niet op een verdediging gestuit, maar nog veel feller gepareerd.

'Je kinderen dachten dat je dood was,' vervolgde ik met een zachte, boze stem. 'Dóód. Ze zijn zich een ongeluk geschrokken. Nadat ze jou daar op de bank zagen liggen met een halve drankwinkel om je heen, moesten ze naar een wildvreemde toe om hulp te halen. Ze moesten een stoel pakken om de achterdeur van het slot te krijgen, vervolgens de binnenplaats over, mijn deur openmaken en de trap op naar boven. En daarna moesten ze mij vertellen dat jij niet wakker wilde worden. De angst in hun ogen, de uitdrukking op hun gezicht...' Ik begon te hakkelen toen ik ze in gedachten weer voor me zag. 'Heb je er ook maar het flauwste idee van hoe dat voelt? Ik ben nota bene een volwassene met al aardig wat levenservaring, maar ik was doodsbang toen ik hiernaartoe kwam. Ik wist niet of ik het wel zou kunnen opbrengen om naar een dode te kijken, hoe moet dat dan voor hen zijn geweest? Ze zijn naast je op de grond gaan liggen wachten tot je weer wakker zou worden. En waarom? Omdat je bezópen was. Hoe lang het zal duren voordat die twee daar overheen zijn, weet ik niet. Dus ga nu alsjeblieft niet de vermoorde onschuld uithangen, want je hebt je zo misdragen dat je dat de eerste honderd jaar niet meer goed zult kunnen maken.'

De boosheid verdween uit Kyles ogen, en voordat hij ze neersloeg en naar de troep keek die hij met zijn koffie had gemaakt zag ik er een blik vol schaamte en berouw in verschijnen. Hij tilde langzaam zijn hand op en trok met zijn wijsvinger een spoor door de gemorste koffie.

Ik balde mijn vuisten en boorde mijn nagels in mijn handpalmen om mijn trillende handen te verbergen. Iemand die net die uitval had gehoord, zou vast niet geloven dat ik bijna nooit mijn geduld verloor. Ik kon me niet eens herinneren wanneer me dat voor het laatst was overkomen.

Zoals de meeste meisjes was me geleerd dat ik beleefd moest blijven en dat mensen het niet leuk vonden als je herrie schopte en de aandacht opeiste. Het werd ook niet gewaardeerd als je voor jezelf opkwam. Dat deed ik dan ook zelden, maar ik kwam wel voor andere mensen op. (Volgens mijn bazin had ik altijd een zeepkist bij me.) En zeker als het ging om twee kinderen die dachten dat hun vader in de nacht ervoor was overleden. Maar nu ik mijn woede en afschuw had geuit, zat ik te trillen op mijn stoel.

'Ik heb weer ruzie met Ashlyn gehad,' zei Kyle ten slotte, nog steeds met afgewend gezicht.

'Dat interesseert me niets,' zei ik meteen.

Hij keek met een ruk op. Zijn gezicht stond verbaasd en aan zijn blik kon ik zien dat hij me wel heel erg hard vond.

Ik slaakte een diepe, onhoorbare zucht om mijn kolkende gevoelens in bedwang te krijgen en slaagde er met moeite in iets van sympathie op mijn gezicht te toveren. 'Dat meende ik niet,' zei ik rustig. 'Het interesseert me wel. Heel veel zelfs.' Ik bleef even stil, tot ik voldoende was gekalmeerd om hem aan te kijken. Kyle wendde zijn ogen niet af. Het werd even een intiem momentje, omdat we wisten wat we aan elkaar hadden. Normaal gesproken duurde het jaren voordat je een dergelijk begrip voor elkaar had, maar die uitval van mij had voor een stroomversnelling binnen onze relatie gezorgd: hij had iets verkeerds gedaan en ik had niet geaarzeld om hem dat als een eersteklas kreng onder de neus te wrijven. 'Maar ik ben knap pissig op je.'

'Dat was al tot me doorgedrongen,' zei Kyle treurig, voordat hij weer een slokje koffie nam.

'Vertel me nou maar eens wat er is gebeurd,' zei ik zacht, in een poging om begrip voor hem op te brengen. Het was niet eerlijk dat ik meteen maar klaarstond met mijn conclusies en hem veroordeelde. Ik had gemakkelijk praten, niemand had mij met een scheiding gedreigd.

'Hetzelfde liedje,' zei hij hoofdschuddend. 'Zij wil de kinderen hebben en wat mij betreft kan dat alleen als ze weer thuiskomt.'

'Waarom?' vroeg ik.

Hij wierp me een blik toe alsof hij nog nooit zo'n stomme vraag had gehoord. 'Omdat ze hier wonen.'

'Maar, Kyle...' Ik hield abrupt mijn mond, omdat ik ineens besefte dat ik eigenlijk niets mocht zeggen. Per slot van rekening was hij alleen maar mijn huisbaas. Ik zuchtte diep en roerde door mijn koude koffie terwijl ik me afvroeg wat ik hier te zoeken had. En waar ik me mee bemoeide.

'"Maar, Kyle" wat?' vroeg hij.

Ik zuchtte opnieuw. 'Je kunt ze helemaal niet aan. Waarom wil je niet dat Ashlyn de kinderen krijgt?'

'Moet ik mijn kinderen dan maar zo opgeven? Het zijn geen dingen, ik kan ze niet gewoon afstaan en een stel nieuwe aanschaffen.' Hij schudde zijn hoofd en zijn stem klonk scherper. 'Ik kan wel merken dat je nooit kinderen hebt gehad.'

Dat was raak, en te zien aan de uitdrukking op zijn gezicht en de boze blik in zijn ogen, was dat ook de bedoeling. 'Nou, dan vergis je je toch behoorlijk,' snauwde ik. 'Ik heb wel kinderen. Twee zelfs en ze heten Summer en Jaxon. En ze werden mijn kinderen op de dag dat ik ze aan de ontbijttafel bezig moest houden omdat hun vader aan de telefoon zo tekeerging tegen hun moeder dat hij zich niet meer van hun bestaan bewust was. Die dag voelde ik me verantwoordelijk voor hen. En als je je eenmaal aan een kind hebt gehecht, kun je het niet zomaar de rug toekeren.'

Kyle zat me met grote ogen aan te kijken, maar hij zei niets.

'Ik heb kinderen omdat ik ze niets heb gevraagd toen ze drie lege bierflesjes in mijn flat verstopten.'

'Wat hebben ze gedaan?' vroeg Kyle, zichtbaar geschokt.

'Ze hebben de flesjes verstopt die jij hebt leeggedronken, omdat ze bang waren dat die je zouden verraden. Ze begrepen dat je iets had gedaan waarvoor je je moest schamen en ze probeerden dat te verbergen.'

Kyle haalde ontzet een hand door zijn haar, krabde afwezig op zijn hoofd en worstelde met zijn geweten, waarbij op zijn gezicht onpeilbare emoties voorbijflitsten. Zijn blik dwaalde naar buiten en bleef op zijn kinderen rusten, wat kennelijk nog meer gevoelens wakker maakte.

'Wat was je met al die alcohol van plan?' vroeg ik. Dat wilde ik graag weten. Was hij echt van plan geweest om zichzelf om zeep te brengen door die enorme hoeveelheid op te zuipen en was hij buiten westen geraakt voordat het zover was? 'Wilde je dat echt opdrinken?'

De ontzetting op zijn gezicht veranderde van het ene moment op het andere in minachting. 'Dat gaat je geen bal aan,' deelde hij mee en richtte zijn blik weer op de inhoud van zijn koffiemok. We hielden allebei onze mond en elk gevoel van sympathie was verdwenen. Hij mocht mij niet en ik was niet bepaald weg van hem.

'Wees nou eens eerlijk, Kyle,' zei ik na een tijdje om de stilte te verbreken. 'Je wilt de kinderen toch niet?'

Aan zijn gezicht te zien stond hij op het punt om te protesteren.

'Zeg het nou maar, ik vertel het heus niet verder,' drong ik aan.

Hij zei niets, leunde achterover en staarde met een vertrokken mond naar zijn kop koffie.

'Dat is toch zo? Je houdt ze alleen maar bij je omdat je denkt dat zij dan wel terugkomt.'

Kyle wendde zijn ogen af en keek weer uit het raam, naar zijn spelende kinderen. Ik draaide me iets om, zodat ik ze ook kon zien. Ze hadden eigenlijk naar school gemoeten, maar ik had opgebeld en gezegd dat ze ziek waren. Het kasteel van Jaxon was al behoorlijk hoog en de gekleurde blokken glansden in het februarizonnetje. Summer had haar fiets op het pad voor mijn flat laten staan en zat nu naast Jaxon op het gras om haar konijn om het kasteel te laten springen. Ze waren allebei nog steeds erg stil. Zouden ze alles wat eerder gebeurd was in gedachten steeds opnieuw beleven? Had het littekens achtergelaten? Hoe vaak zou het al gebeurd zijn? Waren ze misschien bang dat het opnieuw zou gebeuren?

'Ik zeg niet dat je niet van ze houdt, maar je gebruikt ze wel, hè?'

Kyle wendde zijn ogen af van zijn kinderen en zijn blik dwaalde naar mijn flat. 'Zo simpel ligt dat niet,' zei hij.

'Dat weet ik ook wel. En eerlijk gezegd zou ik niet met mijn hand op mijn hart durven zweren dat ik in jouw omstandigheden niet precies hetzelfde zou doen. Maar je kunt ze niet als wapens gebruiken zonder ze te kwetsen.'

'Als je jou hoort, is het net alsof zij volmaakt is, alsof alleen zij van de kinderen houdt en ik niet. Maar ze is niet alleen bij mij weggegaan, ze heeft hen ook in de steek gelaten. Weet je dat het haar schuld is dat Jaxon niet meer wil praten? Hij zag haar weggaan en toen heeft ze tegen hem gezegd dat hij niets mocht zeggen. Dat heeft hij letterlijk opgevat en sindsdien doet hij geen mond meer open. Hij praat in feite alleen nog maar met Summer. Af en toe wil hij nog wel eens een paar woorden tegen mij zeggen, maar dat is alles. En dat heeft zijn moeder hem aangedaan. Denk je soms dat ik ze dat nog eens wil aandoen? En dan dat idiote gedoe over die gezamenlijke vakantie... "Oh,

Kyle, laten we nou toch maar gewoon op vakantie gaan." Dat was haar idee. En weet je waarom? Omdat ik de vliegreis en het hotel al betaald had en zij vond dat zij daar mooi gebruik van kon maken voor het sollicitatiegesprek waarvoor ze daarginds een afspraak had. En ze blijft daar ook. Hoe ik er ook over denk, zij wil van me af. "O, tussen twee haakjes, als jij nou gewoon de kinderen mee naar huis neemt terwijl ik hier mijn nieuwe leven regel, dan kunnen ze naar mij toe komen als ik alles voor elkaar heb."'

Alles wat ik daarop zou zeggen, zou een dooddoener zijn, alsof ik geen boodschap had aan wat hij had doorgemaakt. En als ik heel eerlijk was, kon ik me dat ook niet voorstellen. Het moest afschuwelijk zijn. Het zou vanbinnen aan hem blijven knagen. En zijn vrouw... Ze zou wel een reden hebben voor de manier waarop ze zich had gedragen, maar wat ze allebei kennelijk vergeten waren, was dat Jaxon en Summer hier niet om gevraagd hadden. Ze hadden er niet om gevraagd om op de wereld gezet te worden en zeker niet door twee mensen die zo met elkaar overhoop lagen. Maar het was gebeurd en dat kon niet teruggedraaid worden. Dus nu waren Kyle en zijn vrouw allebei verplicht om hun zoveel mogelijk verdriet te besparen.

'Ik zeg helemaal niet dat Ashlyn volmaakt is. Ik ken haar niet. Maar jij moet proberen om zo volmaakt mogelijk te zijn. Dat verdienen je kinderen toch? En als je dat niet kunt opbrengen, geef ze dan aan iemand die dat op z'n minst wil proberen.' O, wat klonk dat ontzettend pathetisch. Alsof ik in een of ander tv-programma zat waarin alles na vijftig minuten keurig voor elkaar zou komen. Waarin, als ik mijn zegje had gedaan, Kyle meteen de telefoon zou pakken om zijn vrouw te bellen en te zeggen: 'Laten we nou nog maar eens praten...', waarna ze samen alles zo zouden regelen dat iedereen gelukkig was.

In werkelijkheid kon ik zeggen wat ik wilde, maar zelfs als hij bereid was om daarnaar te luisteren zouden over een paar uur toch het verdriet, de boosheid en de trots weer de kop opsteken en dan zou hij haar net zo willen kwetsen als zij hem had gekwetst, wat betekende dat hij de enige wapens zou gebruiken die hij had: Jaxon en Summer. De twee personen die waarschijnlijk niets liever wilden dan dat hun ouders weer bij elkaar zouden komen.

'Eerlijk gezegd, Kendra, begrijp je er helemaal niets van,' antwoordde Kyle. Misschien zou het helemaal niet zo lang duren voordat zijn boosheid weer de overhand kreeg.

'Nee, dat is waar,' gaf ik toe.

'Maar toch bedankt dat je bent gekomen toen de kinderen je kwamen halen.'

'Dat maakt niet uit. Ze mogen altijd bij me aankloppen. Maar ik kan je niet beloven dat ik de kinderbescherming niet bel als het weer gebeurt.'

Kyle leek eerst niet te reageren, maar toen verstrakte zijn gezicht. Zijn ogen werden groot van schrik, hij klemde zijn lippen op elkaar en zijn kaken spanden zich toen hij letterlijk begon te tandenknarsen. Ik week instinctief iets achteruit, want nu was hij echt kwaad. Nu zou ik ervan langs krijgen.

De achterdeur vloog open en Summer kwam naar binnen hollen, met Jaxon in haar kielzog. ' Mogen we een ijsje? Uit de ijswinkel?' vroeg ze terwijl ze zich bijna op haar vader stortte. Hij keek haar niet aan, omdat hij mij op een woedende blik trakteerde. 'Papa,' drong Summer aan terwijl ze aan de zoom van zijn T-shirt trok. 'Mogen we een ijsje?'

Kyles ogen boorden zich in de mijne.

'PAPA!' Summer brulde zo hard als ze kon om tot hem door te dringen.

'Ja?' zei hij, toen hij zijn dochter eindelijk aankeek.

'Mogen we een ijsje?' vroeg ze opnieuw. 'Uit de ijswinkel?'

'Eh...' zei Kyle, 'ja, waarom niet? Wacht maar even tot ik mijn schoenen en mijn jas heb aangetrokken en mijn portefeuille en mijn telefoon heb gepakt.'

Jaxon kwam naar mij toe en liet zijn hand in de mijne glijden. Het was een warm handje, met een zachte huid. Het was bijna drie jaar geleden dat ik een kinderhand had vastgehouden, tijdens een bezoek aan mijn neefjes en nichtjes in Italië. Een gevoel van rust welde in me op, meteen gevolgd door een steek in mijn hart. Ik moest me concentreren op de dunne lijntjes in zijn huid en zijn keurige vierkante nageltjes om niet verscheurd te raken van verdriet. Summer zag wat hij deed en zei: 'Jaxon vraagt of Kendie ook mee mag.'

'Volgens mij heeft ze het veel te druk,' zei Kyle scherp. Hij wilde helemaal niet dat ik meeging. Gek genoeg had ik daar zelf ook weinig zin in.

'Ja, ik heb het heel druk,' beaamde ik. 'Ik moet eigenlijk naar mijn werk.'

Jaxons korte, mollige vingertjes klemden zich steviger om mijn hand, alsof hij erop aandrong dat ik toch mee zou gaan.

'Je moet echt mee,' zei Summer.

'Je kunt haar niet dwingen,' zei Kyle. Zijn stem klonk een tikje dreigend. Waarschuwend. Ik was te ver gegaan in mijn kritiek op zijn gezin en dat pikte hij niet. Maar dat was prima. Uitstekend zelfs. Het was nodig dat iemand hem het vuur aan de schenen legde om ervoor te zorgen dat hij aandacht aan zijn kinderen schonk en bereid was om voor ze te vechten. Niet tegen zijn vrouw, maar tegen zichzelf. Hij moest leren inzien dat niet zij maar hij voor de grootste problemen zorgde. Zijn onverschilligheid, zijn boosheid en de wrevel dat de kinderen hier waren... al die dingen samen vormden de grootste bedreiging voor hen.

'Nee, ik moet echt iets anders doen,' zei ik.

Jaxons gezicht leek in elkaar te zakken als een stel vallende dominostenen, en de hoop dat ik mee zou gaan voor zoiets gewoons als samen een ijsje eten maakte plaats voor de angst dat ik ze in de steek zou laten.

'Maar eigenlijk,' zei ik, 'zou ik best trek hebben in een ijsje. Volgens mij hebben we dat allemaal wel verdiend.'

Twee uur later zaten Kyle en ik in een klein parkje toe te kijken hoe de kinderen in een speeltuintje in de weer waren. Summer klauterde met Huppeltje onder haar arm rond over de draaimolen. Ze had zichzelf uitgedost in een oranje jurkje, een blauw T-shirt, een roze vest en haar blauwe skijack gecombineerd met een rode maillot, roze sokken en gele schoenen. Haar glanzende, gitzwarte haar was achter haar oren gestopt.

Jaxon, die wat soberder was gekleed in een zandkleurige broek, een wit T-shirt, een zwarte trui en zijn blauwe fleecejack, ging keer op keer de glijbaan af.

De afgelopen paar uur hadden we met ons vieren door het centrum van Brockingham gedwaald, een ijsje in een salon gegeten en een paar winkels bezocht, voordat we naar het park gingen. Kyle was erin geslaagd om gedurende al die tijd niets rechtstreeks tegen me te zeggen. Terwijl we ijs zaten te eten, had hij me genegeerd. Toen we over straat liepen en winkel in winkel uit gingen, met Summer die zijn hand vasthield en Jaxon de mijne, had hij net gedaan alsof ik er niet was. Hij gunde me geen blik waardig, behalve in die stille momenten dat ik me op andere dingen concentreerde en ineens voelde dat hij naar me keek. Dat hij me opnam en zich afvroeg of ik dat dreigement echt zou uitvoeren. Ik voelde die blik gewoon op me rusten, maar ik weigerde om hem aan te kijken, omdat ik net zo bang was als hij. Ik had niet goed nagedacht voordat ik mijn mond opendeed, ik had het er zomaar uitgeflapt en nu zou ik me er ook echt aan moeten houden. Dat is toch een van de gouden regels van goed en consequent ouderschap? Duidelijk zeggen waar het op staat en je daar dan ook aan houden als het ongewenste gedrag opnieuw de kop opsteekt.

Het bleef tien minuten stil terwijl we daar op dat bankje zaten. Een gespannen stilte die me op mijn zenuwen begon te werken. Ik wilde iets zeggen. Wat maakte niet uit, als die kloof maar gedicht werd. Ik wenste dat hij iets zou zeggen, al was het maar dat ik mijn neus niet in zijn zaken moest steken. Die stilte werkte verstikkend. De koele, frisse buitenlucht van deze zonnige dag benam me langzaam maar zeker de adem.

'Meende je echt dat je me bij de kinderbescherming aan zou geven?' vroeg Kyle. Ik was zo blij dat ik zijn stem hoorde, dat ik een zucht van opluchting slaakte en niet goed verstond wat hij zei. Maar toen draaide ik het bandje nog eens af en hoorde wat hij had gezegd. Ondertussen kostte het hem de grootste moeite om me niet aan te kijken. Hij bleef stokstijf naar de kinderen staren om te voorkomen dat hij mij woedende blikken toe zou werpen.

Nu zat ik voor het blok. Op die vraag kon ik geen 'ja' en geen 'nee' zeggen en 'misschien' sloeg nergens op. 'Ik probeer nooit dingen te zeggen die ik niet meen,' zei ik ten slotte zonder hem aan te kijken. Een beter antwoord had ik niet.

Zeven

Dinsdagochtend meldde ik me even over halfzeven 's ochtends op mijn werk. Ik was zo vroeg omdat ik tijd wilde inhalen. Maandag was onze drukste dag, vooral voor mij, want dan kwamen de meeste aanvragen van bedrijven voor flexwerkers binnen en belden de uitzendkrachten die geen werk meer hadden naar kantoor om te horen of we iets voor hen hadden. Hoewel Gabrielle, mijn bazin, geen bezwaar had gemaakt dat ik niet kwam, vond ik het zelf ontzettend vervelend. Ze had mijn werk moeten overnemen en ik was nog maar net terug.

Gabrielle was haar eigen 'uitzendboetiek' begonnen en erin geslaagd om het idee te verkopen aan Office Wonders, een internationaal uitzendbureau. Als het aansloeg, zouden zij vergunningen voor andere uitzendboetiekjes gaan verkopen, kleine en wat persoonlijker bureautjes. Haar ondernemingsgeest had voor mij niet op een beter moment kunnen komen. Ik had net een dag of wat eerder genoeg gekregen van Sydney en snakte ernaar om weer naar huis te gaan. Toen had Gabrielle me ineens een e-mail gestuurd waarin ze vroeg of ik geen zin had om terug te komen en haar assistente te worden. 'Ik heb net mijn huidige chef tijdelijke werkkrachten betrapt terwijl ze met een paar lijntjes coke en een mogelijke nieuwe kracht op mijn bureau aan het stoeien was,' schreef ze.

Ik dankte god en het hele universum op mijn blote knieën. Ik had een excuus om naar huis te gaan. Ik liet haar weten dat ik meer dan geïnteresseerd was en dat ik binnen een maand zou kunnen beginnen. Omdat ze mij de helpende hand had gereikt, voelde ik me ontzettend schuldig dat ik gisteren had moeten bellen met de mededeling dat ik niet zou komen.

Bovendien had ik vrijwel geen oog dichtgedaan. Nadat ik afscheid had genomen van de familie Gadsborough, had ik besloten om naar de bioscoop te gaan. Ik had er echt behoefte aan om in het donker te zitten en me met allerlei onbekenden om me heen op iets heel anders te concentreren, zodat ik niet voortdurend zou denken aan de kinderen en aan wat er van hen moest worden. Met een moeder die de benen had genomen en een in aanleg alcoholistische vader. En ik kon daar helemaal niets aan doen. Behalve dan woedend in het donker te gaan zitten. De verleiding was groot geweest om nog een keer met meneer Gadsborough te gaan praten en hem te laten beloven dat hij zijn leven zou beteren en aandacht aan zijn kinderen zou gaan schenken. Er waren meer dan genoeg mensen die een moord zouden doen om in zijn schoenen te staan en kinderen te hebben, terwijl hij niet eens besefte hoe gelukkig hij was.

Toen ik thuiskwam uit de bioscoop stond hun auto er niet meer. Ik hoorde ze een paar uur later thuiskomen en zag vanuit mijn flat het licht in de keuken aan gaan. Hopelijk had hij nu wel inkopen gedaan. Hopelijk hadden mijn woorden hem wakker geschud. Vervolgens had ik de halve nacht over hen liggen piekeren.

Ik liep de trap op naar Office Wonders *Lite*, dat in het centrum van Brockingham was gevestigd, en toen ik de matglazen deur open wilde duwen kreeg ik plotseling het onrustbarende gevoel dat ik dit allemaal al eens eerder had meegemaakt. Tien jaar geleden bijvoorbeeld, toen ik voor het eerst bij een uitzendbureau met Gabrielle was gaan samenwerken. Hetzelfde gevoel dat ik destijds had gehad, bekroop me nu opnieuw toen mijn hand de deur raakte, en heel even vroeg ik me af of ik eigenlijk niet iets anders zou moeten doen. Niet iets beters, alleen iets anders.

Toen ik ging studeren was het de bedoeling dat ik journaliste zou worden. De helft van een vrouwelijke Woodward en Bernstein. Een succesvolle verslaggeefster die corruptie zou opsporen en aan de kaak stellen. Politici en grote bazen in driedelig pak zouden in hun dure schoenen staan te trillen van wat ik ze met een toetsenbord kon aandoen.

Maar ineens veranderde alles. Op een bepaald moment werd alles me te veel. Ik kon me nauwelijks op mijn studie concentreren. Ik werkte hard en bleef vaak nachtenlang op om werkstukken te schrijven, maar mijn cijfers vielen steeds lager uit. En dat bleef maar doorgaan, ook al werkte ik me een ongeluk. Ik haalde geen voldoendes meer. Ik kon de moed niet opbrengen om tijdens college een discussie aan te gaan. En ik wist dat ik absoluut niet in staat zou zijn om mijn hoofd boven water te houden bij de media, niet tussen een groep eerzuchtige fanatiekelingen die zich ten koste van alles een weg naar de top wilden banen. Het kostte me al moeite genoeg om 's ochtends mijn bed uit te kruipen, laat staan dat ik het zou kunnen opbrengen om me een paar jaar lang met hart en ziel in te zetten om een topverslaggeefster te worden. Mijn vrienden en mijn docenten begonnen zich zorgen te maken en wisten me er en bloc toe te bewegen om naar de dokter te gaan. Daar kreeg ik te horen dat ik duidelijk aan een depressie leed, waarschijnlijk omdat mijn studie een te grote druk op me legde en dat ik moest proberen om me wat meer te ontspannen. Minder alcohol drinken en meer fruit en groente eten. 'En je mag ook wel eens iets aan je conditie doen, jongedame. Als je er beter uitziet, ga je je vanzelf beter voelen.'

Ik had braaf geknikt en beseft dat ik mijn gevoelens beter moest verbergen. Ik moest de moed erin houden. Mijn plannen om journaliste te worden mochten dan van de baan zijn, ik moest me toch groothouden tegenover mijn ouders, mijn vrienden en mijn docenten. Het werd een enorme klus, maar ik slaagde er toch in om met betere cijfers af te studeren dan iemand voor mogelijk had gehouden.

Mijn ouders, mijn docenten en alle andere mensen die om me gaven, waren dolgelukkig, zonder te beseffen wat ik ervoor had moeten doen. Maar daarna was ik volledig uitgeteld. Ik kon niet meer. Ik ging als uitzendkracht werken om de rekeningen te betalen en – zei ik tegen mijn ouders – om verder te studeren en een graad te behalen. En aangezien dat gemakkelijker was dan een beroep te kiezen had ik me aangemeld bij verscheidene mediacursussen en had ik een plaatsje gekregen in Zuid-Londen. Ik had daar geen nieuwe vrienden gemaakt, niet omdat de mensen niet wilden, maar omdat ik geen interesse had, aangezien ik daar alleen was om mijn familie tevreden te houden. En zodra ik die cursus achter de rug had, ging ik bij een uitzendbureau werken omdat ik Gabrielle Traveno had leren kennen.

Ik had net mijn tweede studie achter de rug en was op zoek naar tijdelijk werk tot ik een baan zou hebben gevonden. Ik besloot om naar een kantoor op Oxford Street te gaan, in het centrum van Londen, waar ik wel eens langs was gelopen. De buitendeur was van glas, onder een vierkante neonreclame met de tekst ' Office Wonders'. Ik duwde de deur open, liep door het smalle trappenhuis naar boven en deed de deur boven aan de trap open.

Het was een grote, open kantooretage met bureaus, computers en archiefkasten aan het eind, bij een raam met uitzicht op Oxford Street. Aan het andere eind van de etage was de wachtruimte, met drie roze wanden waarvoor gemakkelijke paarse stoelen stonden voor flexwerkers en andere sollicitanten. Bijna alle stoelen werden in beslag genomen door modieus geklede jonge vrouwen. Stuk voor stuk in een donker mantelpakje met daaronder een witte blouse of shirt. En ze hadden ook allemaal een tas bij zich die wel iets weghad van een glanzend zwart koffertje. Ik was de enige in een donkerrood broekpak en ik had mijn versleten slappe zwarte schoudertas bij me. Toen ik hen zag, zakte de moed me in de schoenen. Ik vroeg me af of uitzendkrachten er tegenwoordig echt zo uitzagen en bleef staan, terwijl ik mijn tas van mijn schouder liet zakken. Ik wenste dat ik eraan had gedacht om me op te maken.

In het kantoor zelf werden de zaken afgehandeld door één vrouw. Er zat een jongedame tegenover haar met wie ze kennelijk in gesprek was geweest, maar inmiddels zat ze aan de telefoon en probeerde zakelijk en beleefd te blijven, hoewel ze duidelijk gestoord werd.

Haar in boblijn geknipte blauwzwarte haar reikte tot aan haar kin en haar voluptueuze gestalte was gehuld in een marineblauw mantelpakje. Zodra ze de telefoon neerlegde, begon het toestel opnieuw te rinkelen en er flitste een geërgerde blik over haar gezicht voordat ze weer oppakte. Daarna begon het toestel op een ander bureau te bellen. Vervolgens ging een derde apparaat over. In plaats van me bij de rij vrouwen te voegen die kennelijk kwamen solliciteren, vertelde een inwendige stem me dat ik amok zou gaan maken als ik die telefoon niet opnam. Ik had al een lange dag achter de rug, ook al was het pas twaalf uur 's middags, en ik wist zeker dat er de volgende dag krantenkoppen zouden verschijnen in de trant van 'flexwerker vermoordt zeven collega's wegens rinkelende telefoon' als die herrie niet ophield. Zonder er echt over na te denken liep ik naar het bureau, pakte de telefoon op en nam een boodschap aan. Ik kende het soort centrale waarmee ze hier werkten, dus ik zette het gesprek in de wacht en nam het volgende aan. En nog een. Uiteindelijk had ik al zo'n zeven telefoontjes verwerkt toen de drukbezette vrouw haar gesprek beëindigde.

Zonder zich om het meisje dat voor haar bureau zat te bekommeren, liep ze met grote passen naar me toe. Ze was groot en behoorlijk indrukwekkend.

'Jij bent dus mijn nieuwe leerling-intercedent,' zei ze.

'Eh nee, ik kom alleen maar vragen of jullie misschien nog een uitzendkracht voor een wat langere periode kunnen gebruiken,' antwoordde ik en zag ineens dat de andere aanwezigen me zaten aan te kijken of ze me met liefde zouden kelen.

'Je begrijpt me verkeerd, jij bént mijn nieuwe leerling-intercedent,' zei ze. Het viel me op dat ze een gladde, roomwitte huid had, niet alleen op haar gezicht, maar ook in haar hals en op haar borst. Van dichtbij was ze gewoon mooi, zo'n vrouw naar wie je automatisch blijft kijken. Opvallend.

'Ik wil alleen maar tijdelijk werk,' zei ik nog een keer. Ik had geen zin in een volledige baan met verantwoordelijkheden en problemen waarover ik ook na werktijd nog zou moeten nadenken.

'Prima,' zei de vrouw. 'Dan doe je het voor een halfjaar, en als je iets beters vindt, mag je binnen een week weg, zonder opzegtermijn.'

'Eh...'

'Je verdient meer dan je als flexwerker krijgt en daar komen vakantiegeld en andere toeslagen bij. En een bonus voor elke nieuwe klant die je aanbrengt.' Ze praatte over dingen die me totaal niet interesseerden. Ik wilde juist minder verplichtingen, niet meer. Ik wilde vrij zijn en me niet vastleggen.

De zwarte telefoon op het bureau naast ons begon te rinkelen en ik stak automatisch mijn hand uit. 'Raak die telefoon niet aan, tenzij je het meent,' waarschuwde de vrouw. *Beloof me geen dingen die je niet waar kunt maken,* stond op haar gezicht te lezen. *Dat kan ik niet verdragen.*

Het kwam door die uitdrukking. Haar wanhoop. Het gevoel dat iedereen haar in de steek liet. Pas jaren later drong tot me door dat er nog iets was geweest. De stille ellende die ergens diep in haar helderblauwe ogen verstopt had gezeten... die had ik eerder gezien, bij de keren dat ik de moeite nam om aandachtig in de spiegel te kijken.

Ze trok vragend haar wenkbrauwen op en ik pakte de telefoon aan, waardoor mijn lot meteen bezegeld was. Zonder dat ik de vrouw zelfs maar mijn naam had gegeven of had gehoord hoe zij heette, had ik een baan gevonden. Terwijl ik zat te telefoneren, hoorde ik de vrouw tegen de anderen zeggen dat de vacature inmiddels vervuld was, omdat de desbetreffende sollicitante een grote mate van initiatief had getoond.

En iets beters had ik nooit gevonden. Niet in zes jaar en nog wat. Tot het moment dat ik besloot dat ik absoluut naar Australië wilde.

Gabrielle was altijd als eerste op kantoor.

Wat ik ook had geprobeerd in de jaren dat ik met haar had samengewerkt, hoe vroeg ik ook op kantoor verscheen, ze zat iedere ochtend al driftig achter haar bureau te tikken, met een halfvolle kop koffie en een zakje met de kruimeltjes van een croissantje naast zich. Ik had nooit kunnen bewijzen dat de theorie dat ze in het kantoor sliep niet klopte.

Ze had me een keer verteld dat ze een dwangmatige vroege vogel was. Zoals andere mensen per definitie te laat komen, was zij altijd veel te vroeg. Nu was ze kennelijk nog maar net binnen, want ze trok net het dekseltje van haar beker met koffie.

'Verdorie,' zei ze terwijl ze het plastic dekseltje even met rust liet en naar de klok aan de muur in de wachtruimte voor sollicitanten keek. 'Ik dacht dat ik de enige was die 's morgens niet in bed kan blijven liggen.'

'Ik probeer je gewoon de loef af te steken,' zei ik voor de grap. 'En ik wilde de tijd van gisteren inhalen.'

'Zijn alle problemen opgelost?' vroeg ze, terwijl ze toekeek hoe ik mijn jas uittrok en mijn bontgekleurde sjaal af deed.

'Voor zover mogelijk,' zei ik. Ik wilde haar niet alles vertellen, maar ik moest met iemand praten en vertellen hoe bezorgd ik was. 'De kinderen van mijn huisbaas maakten zich zorgen omdat ze hun vader niet wakker kregen. En ze waren zo bang dat ik ze niet alleen kon laten. Zelfs niet toen ze wisten dat alles in orde was.'

'Waar zit hun moeder?'

'Naar het schijnt in Amerika. Hoewel ze inmiddels ook best terug kan zijn, dat weet ik niet. Maar ze is niet thuis en daarom kwamen de kinderen mij halen.'

'Is het een stuk?'

'Wie?'

'Die maffe vader.'

Ik haalde mijn schouders op. 'Ik zou het niet weten. Daar heb ik niet over nagedacht. Er is al het een en ander voorgevallen sinds we elkaar leerden kennen en we zijn niet bepaald de beste maatjes. Dan ga je iemand in een bepaald daglicht zien.'

'Ja, dus.'

'Dat is jouw conclusie, schat. Ik maak me vooral zorgen om de kinderen.'

'Hij mishandelt ze toch niet?' vroeg Gabrielle bezorgd.

'Nee, nee.' Ik moest ineens denken aan die twee halvemaanvormige plekjes tussen al die drankflessen. 'Nee, dat is het niet. Hij is gewoon maf, zoals je zelf net al zei. Ze liggen in scheiding en daar heeft hij het moeilijk mee. Ik heb een beetje overdreven, er is niets aan de hand.'

Ik hoorde zelf hoe onecht dat klonk. Er was wel degelijk iets aan de hand. Maar als ik dat vaak genoeg ontkende, zou ik het misschien zelf ook gaan geloven.

Gabrielle, die precies wist tot hoever ze kon gaan, hoorde mijn iets te nadrukkelijke geruststellingen aan en veranderde toen heel verstandig van onderwerp. 'Nou, laten we dan maar samen een kopje koffie gaan drinken om even bij te praten.'

De enige oplossing was om me op mijn werk te storten. Op die manier zou ik in ieder geval tijdelijk de bleke, holle smoeltjes van

Summer en Jaxon die in mijn hoofd geprent waren van me af kunnen zetten.

Ze zaten op de stoep voor mijn deur toen ik die avond thuiskwam.

Ik had overgewerkt om de verloren tijd in te halen, dus het was donker en koud toen ik het pad naar mijn voordeur op liep. Ze zaten in het oranjegele licht dat vanuit hun keuken naar buiten viel, met geblokte plaids om hun schouders en een gewatteerde deken over hun knieën.

Jezus, je zou toch denken dat er een paar dagen overheen gaan voordat hij ze opnieuw begint te verwaarlozen, dacht ik toen ik naar hen toe liep.

Ze begonnen allebei te stralen, hoewel Jaxon zijn blijdschap haastig probeerde te verbergen door naar beneden te kijken. 'We hebben op je zitten wachten,' zei Summer, nog steeds met een brede grijns. Ze sprankelde als ze lachte, haar glimlach kwam echt uit haar hart en dat liet ze merken ook.

'Ik zie het,' zei ik, terwijl ik voor hen op mijn hurken ging zitten. 'Is er iets mis?'

'Nee hoor,' antwoordde Summer. Jaxon schudde zijn hoofd.

'Mooi. En jullie zitten hier gewoon omdat...'

'Omdat we op jou wachtten,' herhaalde Summer, alsof ik wel erg traag van begrip was.

Ik knikte en wreef over mijn neus. Mijn ogen brandden, mijn hoofd bonsde en mijn nek was helemaal verkrampt omdat ik veel te lang achter de computer had gezeten en de afgelopen nacht nauwelijks had geslapen.

Jaxon stootte Summer aan, alsof hij haar wilde herinneren aan de reden waarom ze waren gekomen. 'Papa zei dat we naar je toe moesten om je te bedanken,' legde ze uit.

'O ja?'

'Hij zei dat we je moesten bedanken omdat je zaterdag en gisteren zo goed voor ons had gezorgd. En dat we maar een tekening voor je moesten maken.'

Jaxon trok een verkreukeld A4-velletje onder de deken uit. Op de plekken waar de verf was opgedroogd was het helemaal stijf. Hij had een stoomlocomotief voor me getekend. Geelgroen met donkerblauwe kringels als wielen. In de hoek had hij 'Ken' geschreven.

'Dank je wel,' zei ik met een verraste glimlach.

'En dit is mijn tekening.' Summer zwaaide met het vel dat opnieuw onder de deken vandaan kwam. Ze had een tekening gemaakt van een mevrouw in een paarse rok en een oranje topje. Ze had een lange blonde paardenstaart, grote bruine ogen met lange zwarte wimpers, rode lippen en een klein neusje. Aan haar arm bungelde een roze handtas. Summer had de tekening uitbundig met potlood ingekleurd. 'Dank je wel' had ze in haar onregelmatige handschrift boven aan het vel geschreven.

'En jij ook bedankt.'

'Vind je ze mooi?' vroeg Summer.

'Ik vind ze prachtig,' bekende ik. Vooral omdat het betekende dat Kyle zich de moeite had getroost om zijn kinderen dit te laten doen. Hij had zichzelf weer in de hand en eerst aan hen gedacht. Dat maakte deze tekeningen nog veel mooier. 'Ik zal ze op mijn koelkast hangen, dan zie ik ze elke dag. Is dat goed?'

Ze knikten allebei.

'Papa zei dat we ook een cadeautje voor je moesten kopen,' zei Summer. Jaxon haalde een zak marshmallows tevoorschijn.

'Jaxon heeft tegen papa gezegd dat we marshmallows voor je moesten kopen, omdat je die altijd bij het ontbijt eet,' legde Summer uit.

'En je houdt niet van bonbons,' mompelde Jaxon met neergeslagen ogen.

Dat was niet waar, maar mijn verhaal over marshmallows had kennelijk alle gedachten aan andere zoetigheid uit zijn hoofd verdreven.

'Papa zei dat er op de hele wereld geen vrouw te vinden is die niet van bonbons houdt, maar hij heeft ze toch gekocht. Ben je er blij mee?'

Ik pakte het zakje, dat onder de deken warm was geworden, van Jaxon aan.

'Ik ben er heel blij mee. Ik vind ze gewoon heerlijk. Dank je wel dat jullie zo attent zijn geweest.'

'Goed hoor. Je bent onze vriendin,' antwoordde Summer.

Jaxon knikte bevestigend. Zonder er echt moeite voor te doen was ik wat hem betrof gepromoveerd van iemand met wie je hand in hand over straat wilde lopen tot zijn vriendinnetje. Hij vond me lief, ook al probeerde hij dat nog steeds te verbergen.

'Goed, maar nu moeten jullie vast naar bed, hè?' zei ik, terwijl ik met krakende knieën opstond.

Jaxons schouders zakten en Summer rolde met haar ogen. 'Mogen we niet even bij jou tv kijken?' vroeg ze. 'Heel eventjes maar.'

'Vijf minuten,' deed Jaxon een duit in het zakje.

Ik begreep meteen dat ze misbruik van me maakten. Hun vader zou wel hebben gezegd dat ze op mochten blijven tot ze me bedankt hadden. Nu probeerden ze nog een beetje tijd te rekken. 'Dat zou ik heel leuk vinden, maar dat gaat helaas niet. Jullie moeten morgen weer naar school.'

'Vijf minuten,' smeekte Summer.

'Waarom vragen jullie niet aan papa of jullie thuis nog even vijf minuten tv mogen kijken?' vroeg ik. 'Kom maar.' Ik pakte de gewatteerde deken op en hing die over mijn arm.

Ze stonden met tegenzin op en trokken de plaids strakker om hun schouders. Toen ik me omdraaide, zag ik hun vader voor het raam staan. Hij had ze kennelijk constant in de gaten gehouden terwijl ze buiten zaten. Des te beter. Hij had kennelijk toch wel enig gevoel voor verantwoordelijkheid. Afgelopen weekend was waarschijnlijk gewoon een vergissing geweest. Ja, natuurlijk was dat zo, ze maakten echt geen verwaarloosde indruk. Hij had gewoon moeite met de omstandigheden.

Hij liep naar de deur en deed die wijd open, om zijn kinderen weer naar binnen te halen.

'Ze was er heel blij mee, papa,' zei Summer terwijl ze om hem heen naar binnen liep. 'Kendie heeft gezegd dat we nog vijf minuutjes tv mochten kijken.' Ze liep de keuken uit, met Jaxon in haar kielzog.

'Dat heb ik helemaal niet gezegd,' zei ik tegen Kyle. Ik wilde niet dat hij zou gaan denken dat ik me bemoeide met dingen die me niet aangingen.

'Dat verwachtte ik ook helemaal niet,' zei hij.

'Ik heb gezegd dat ze maar aan jou moesten vragen of ze nog vijf minuten tv mochten kijken,' vervolgde ik. Op de achtergrond werd het geluid van de tv harder gezet.

'Dat weet ik wel.'

'O, hier,' zei ik en gaf hem de gewatteerde deken.

Hij pakte hem aan en vouwde hem dubbel in zijn armen zodat het bijna een schild werd.

We bleven even staan zonder iets te zeggen. Er had zich de afgelopen vier dagen zoveel tussen ons afgespeeld en we wilden er allebei nog iets over zeggen voordat het onderwerp begraven werd. Hij zou het de volgende keer beter aanpakken en dat wist ik best.

'Goed, ik zie je nog wel,' zei ik ten slotte, toen het duidelijk werd dat we geen van beiden de juiste woorden konden vinden.

Hij knikte.

Ik draaide me om en vertrok. Toen ik over het gras liep, voelde ik zijn ogen in mijn rug. Het was net alsof hij er zeker van wilde zijn dat me niets zou overkomen, precies zoals hij met de kinderen had gedaan. Hij was echt bezorgd.

Toen ik mijn deur openmaakte, riep hij mijn naam. Ik keek om.

Hij gaf me even een vragend knikje. *Beginnen we weer met een schone lei?*

Ik knikte terug. *Prima.*

Spekpannenkoeken met een dikke laag stroop

Acht

'Ooo, kijk eens, Kendra, een brief uit Australië,' riep Janene dwars door het hele kantoor, zwaaiend met een witte envelop alsof ze probeerde een taxi aan te houden. Iedereen in het vertrek keek op, zelfs de twee jonge, potentiële uitzendkrachten die zonder afspraak binnen waren komen lopen en nu allerlei formulieren zaten in te vullen.

We werkten met ons vieren bij Office Wonders *Lite:* Gabrielle, ik, Terri, een veertigjarige moeder van vier kinderen die tweeëneenhalve dag per week werkte als intercedent, en Janene, onze administratieve kracht.

Janene was een vals kreng van vierentwintig jaar dat er geen geheim van maakte dat ze mij niet mocht. Het ging niet zozeer om mij persoonlijk, als wel om Kendra Tamale, hoofdintercedent. Zij vond dat zij eigenlijk recht had op die baan, ook al werkte ze pas drie maanden voor Gabrielle en had ze geen enkele ervaring in die baan. Het zat haar dwars dat iemand anders die praktisch uit de lucht was komen vallen de baan had gekregen. Het gevolg was dat ze zich in de drie weken dat ik er nu werkte met overdreven aandacht op haar eigen werk had geconcentreerd en genoot van iedere keer dat ze me dwars kon zitten.

Ze was echt het standaardvoorbeeld van iemand die geen bal had in te brengen – thuis noch op kantoor – en dus haast dwangmatig al haar werkzaamheden volgens de letter van de wet uitvoerde. Bij Janene bleek dat vooral bij het verwerken van de post.

Ze nam de post door en maakte alles open wat haar interessant of leuk leek, of wat informatie opleverde over het reilen en zeilen van het bedrijf. Achteraf beweerde ze dan dat ze dacht dat er misschien facturen in zaten die voldaan moesten worden. Het was een beetje zielig dat ze het zo leuk vond om de post van andere mensen open te maken, maar desondanks pikte ik het echt niet. Ik had haar al onder de neus gewreven dat er zoiets was als briefgeheim en dat ze onder geen beding aan mij geadresseerde brieven mocht openmaken, ook al zaten er honderd facturen bij. Daarop had ze gereageerd met deze aanpak: luidkeels rondblèren waar de post vandaan kwam. Als er een afzender op stond, kwam dat er ook bij.

'Volgens mij is deze doorgestuurd door je oude kantoor daarginds,' vervolgde ze, terwijl ze de brief bestudeerde alsof ze probeerde te raden wat erin zat. Als ze alleen was geweest, zou ze waarschijnlijk meteen naar de keuken zijn gehold om de envelop open te stomen.

'Dank je wel, Janene,' zei ik vriendelijk, terwijl mijn hart ineens op hol sloeg. Er was maar één persoon die de moeite zou nemen om mij een brief te schrijven en mijn oude werkgever te vragen die door te sturen. Dat was kennelijk niet het antwoord waarop Janene zat te wachten. Ze kwam naar mijn bureau toe, legde de brief demonstratief op het blad en bleef met de armen over elkaar staan wachten tot ik de envelop open zou maken.

Ik deed net alsof ik niets zag. In plaats daarvan keek ik naar de beide sollicitanten die weer ijverig zaten te schrijven. Het blanke meisje, dat haar haar strak achterover in een knotje droeg, zat nog steeds over het klembord gebogen. Het andere meisje, met een smetteloze mahoniekleurige huid, grote, chocoladebruine ogen en schouderlang, steil gemaakt haar, keek op en glimlachte. Zij had kennelijk de toets al klaar.

Terwijl ik net deed alsof de brief me totaal niet interesseerde en tegelijkertijd barstte van spanning om te zien of ik gelijk had, stond ik op. 'Ben je zover?' vroeg ik aan de uitzendkracht. Ze knikte.

Vlak langs Janene, die zich duidelijk wild stond te ergeren omdat ik haar spelletje niet meespeelde, liep ik naar de sollicitante toe. Natuurlijk trilden mijn handen toen ik het klembord aanpakte. *Die brief is van hem, ik weet het zeker.*

Ik bleef nog anderhalf uur met de beide sollicitanten bezig en controleerde uiteindelijk of ik een geschikte baan voor hen had. Ondertussen bleef ik opzettelijk de brief negeren die naast de telefoon lag en waar de vlammen van af leken te slaan.

Een paar uur later zat ik alleen in het kantoor. De andere drie waren gaan lunchen en ik had telefoondienst. Eindelijk pakte ik de brief op en bleef ernaar staren. Over het aanvankelijke adres was een witte sticker geplakt, maar 'Kendra Tamale' was in het oorspronkelijke handschrift. Zijn handschrift. Smalle, maar stevige letters. *Gewoon doorademen,* prentte ik mezelf in.

De deur vloog krakend open en mijn hart bonsde ineens in mijn keel. Gabrielle viel bijna naar binnen. Ik verstopte de brief haastig onder mijn bureau, in de donkere ruimte waar hij thuishoorde.

'Wat zie jij er ontzettend schuldig uit,' zei Gabrielle, terwijl ze haar groene jas uittrok en achter haar bureau ging zitten.

'Dat zal best,' antwoordde ik. 'Ik ben katholiek opgevoed, dus schuldgevoelens zijn me met de paplepel ingegoten.' Ik dook onder mijn bureau, duwde de brief tussen de bladzijden van mijn agenda en sloeg het boekje voorzichtig dicht.

'Van wie was die brief?' vroeg Gabrielle, terwijl ze haar beker soep openmaakte. De inhoud was knalrood en de geur van tomaten en uien dreef door het kantoor.

'Ik heb hem nog niet opengemaakt, dus ik zou het je niet kunnen vertellen,' antwoordde ik.

'Waarom ben je uit Australië weggegaan?' vroeg Gabrielle terwijl ze in haar soep roerde.

Ik keek langs haar heen uit het raam. De lucht was prachtig blauw, met hier en daar wat witte wolkjes. Toen ik nog klein was, wilde ik altijd in de lucht wonen. Ik was een echte dromer. 'Waarom wil je dat weten?' vroeg ik.

'Toen ik je die e-mail stuurde en vroeg of je terug wilde komen, had ik verwacht dat je zou zeggen dat ik het heen en weer kon krijgen. Maar vijf weken later zit je hier. Begrijp me niet verkeerd, ik ben blij dat je er bent, maar je weet wel… Waarom ben je teruggekomen uit Australië?'

Een gevoel van spanning kroop omhoog langs mijn nek en nestelde zich tegen mijn achterhoofd, waar het even lag te bonzen om vervolgens door te schieten en achter mijn rechteroog te blijven hangen.

Ik bewoog mijn hoofd van links naar rechts in een poging de spieren te ontspannen. En mezelf weer in de hand te krijgen. 'Eerlijk gezegd heb ik geen zin om daarover te praten, Gabrielle,' zei ik. 'Dat ik terug ben, zegt toch genoeg?'

Ze nam een hapje soep en slikte het door. 'Hoe heet hij?' vroeg ze.

Ik drukte de palm van mijn hand tegen mijn oog in een poging het gebons in mijn hoofd weg te drukken, en bleef mijn hoofd heen en weer bewegen. Ik werd gek van die pijn.

'Welk deel van "ik heb geen zin om daarover te praten" is niet tot je doorgedrongen, Gabrielle?' vroeg ik rustig.

'Zo'n beetje alles, geloof ik,' zei Gabrielle en ze richtte al haar aandacht op haar soep.

Gabrielle vond dat ik halsstarrig was. En zwijgzaam. Zonder reden, want we waren toch vrienden? We kenden elkaar al tien jaar, dus waarom zou ik haar mijn geheimen niet vertellen? En de reden waarom ik het zuidelijk halfrond zo haastig mijn voetzolen had laten zien. Ze besefte niet dat ik het haar niet kon vertellen, omdat ze dan een hekel aan me zou krijgen. Dan zou ze heel anders over me gaan denken en dat kon ik missen als kiespijn bij iemand die ik iedere dag zag. Ik had geen zin in die blik vol afkeer of die preek over hoe stom ik was geweest. Dat wist ik allemaal allang. Maar gevoelens zijn anders dan gedachten, die veranderen niet van het ene op het andere moment. Dat had ik al zo vaak geprobeerd. En ze zaten er nog steeds. Diep verborgen in mijn hart, in mijn ziel, als ik 's morgens wakker werd en als ik 's avonds in slaap viel. Ik hield nog steeds van een getrouwde man.

'Hier, pak aan,' zei Gabrielle en ze schreef iets op een geel plakbriefje. Ze hield het omhoog en ik liep naar haar toe om het aan te pakken. Daarna ging ik op de rand van haar bureau zitten en las wat ze had opgeschreven. 'Mick Stein', plus een telefoonnummer en een adres, ergens in Rochester, aan de andere kant van Kent.

'Wie is Mick Stein en wat moet ik met zijn nummer?'

Ze wees naar mijn hoofd. 'Aan de manier waarop jij voortdurend met je hoofd zit te schudden, je schouders laat rollen en met je ogen knippert, kan ik zien dat je last hebt van je nek. Hij is een kraker en heeft die nek van je binnen de kortste keren weer in de juiste stand. Geloof me, je zult je een stuk beter voelen als je bij hem bent geweest. Als er iets mis is, zal hij het weer rechtzetten.'

Maar een kraker zou mij niet kunnen helpen. Ik betwijfelde of iemand dat kon.

Gabrielle zat me op die speciale manier van haar aan te kijken. Jaxon had dat ook, ze konden je het gevoel geven dat ze precies wisten wat er in je hoofd en je hart omging en dat alles wat je zo zorgvuldig verborgen hield in hoofdletters op je voorhoofd stond. 'Ga nou maar naar hem toe, als je hem niet ziet zitten kun je nog altijd naar een ander.'

'Verderop in de straat zit ook een kraker, waarom zou ik helemaal naar de andere kant van Kent gaan om een afspraak met deze kerel te maken?'

'Als je mijn naam noemt, krijg je misschien wel korting.'

'Echt waar?'

'Nee! Ga nou maar gewoon naar die verdomde kraker toe, Kennie, ik wil niet dat je hier zit te creperen van de pijn als dat helemaal niet nodig is.'

'Waarschijnlijk wil je alleen maar voorkomen dat ik je een proces aandoe wegens slechte arbeidsomstandigheden.'

'Dat komt er ook bij. En om nog eens te benadrukken dat ik een fantastische bazin ben, mag je vanmiddag vrij nemen om naar de aantrekkelijkste kraker van heel Groot-Brittannië te gaan.'

Evangeline, een vriendin van me, had net een scenario verkocht aan een filmmaatschappij en vierde dat met een borrel in het centrum van Sydney. We waren in Engeland jarenlang bevriend geweest voordat ze terugging naar haar geboortestad Sydney en ik wilde haar feliciteren, dus had ik mezelf gedwongen om ernaartoe te gaan, ook al kende ik alleen Evangeline, haar man en nog één andere persoon.

Ik moest al mijn moed verzamelen toen ik de trap op liep naar de bar, ik rechtte mijn schouders, plakte een glimlach op mijn gezicht en liep naar binnen. Ik voelde wat zenuwtrekjes rond mijn middenrif en mijn handen waren een tikje vochtig toen ik rondkeek in de duistere ruimte of ik Carrie zag, de enige andere vrouw die ik kende. Toen ik haar ontdekte, zat ze midden op een van de banken, met een heel stel mensen om haar heen. Ik worstelde me tussen de alcohol hijsende lijven door om bij haar te komen. Ze begroette me met een glimlach, maar ze zat midden in een gesprek, dus ze schoof gewoon op zodat ik ook kon zitten. Het feit dat ze haar achterste een stukje naar rechts verplaatste in plaats van naar links zou mijn hele leven veranderen, al had ik daar destijds natuurlijk geen flauw idee van. Ik ging gewoon zitten en wachtte tot ze uitgekletst was.

Rechts van me zat een groepje mensen heftig met elkaar te discussiëren. De man die naast me zat, leek zich bij het gesprek betrokken te voelen omdat hij min of meer in hun richting keek, maar aan zijn blik te zien zat hij aan iets heel anders te denken. 'Je hebt geen idee waar ze het over hebben, hè?' zei ik tegen hem.

Hij knipperde met zijn ogen en keek me aan. 'Valt dat dan zo op?' vroeg hij. Hij was Engels, hij had een sterk, duidelijk Londens accent. Heel even leek ik weer thuis, aan de andere kant van de wereld.

'Ja hoor, pas maar op anders verraad ik je nog.' Dat was heel ongebruikelijk voor me. Ik was meestal heel verlegen, vooral bij mensen die ik niet kende. Maar ik had besloten dat ik met iemand moest praten, wilde ik straks, als ik naar huis ging, niet het gevoel hebben dat ik een volslagen mislukkeling was. En aangezien Carrie door anderen in beslag werd genomen moest ik het met deze man doen.

'Ik ben Will,' zei hij en hij stak zijn hand uit. 'Ik vind dat je mijn naam hoort te weten, voordat je me zo meteen door het slijk haalt.'

Ik pakte zijn hand aan en schudde die glimlachend. 'Kendra,' zei ik op mijn beurt. 'Ik word meestal Kennie genoemd, maar aangezien ik op het punt sta je te verraden, zul je wel een paar andere leuke namen voor me bedacht hebben.'

'Nee, nee, ik zal me niet verlagen tot schelden. Ik zal mijn straf als een echte man ondergaan.'

'O, dus je gaat eerst als een gek tekeer, om vervolgens mokkend in een hoekje te gaan zitten en uiteindelijk iemand die een kop kleiner is dan jij te grazen te nemen, waardoor je je weer een stuk beter zult voelen?'

Hij barstte in lachen uit en dat klonk zo aanstekelijk dat ik ook begon te lachen. We bleven nog een paar uur kletsen en lachen en elkaar meedogenloos onderuithalen en verder niets. Geen enkele rilling, geen maag die plotseling samenkromp, geen enkele gedachte aan 'dat'. Toen hij wegging – hij woonde een eind buiten Sydney – nam hij afscheid van de mensen in de groep die we min of meer genegeerd hadden voordat hij mij aankeek, en zei: 'Ik stel het echt bijzonder op prijs dat je me niet verraden hebt, Kendie. Ik zal het nooit vergeten.'

'Laat maar zitten, Willie. Tot ziens dan maar.'

'Tot ziens.'

En dat was alles. Hij was weg. We wisselden geen telefoonnummers uit, we hadden elkaar niet op een rondje getrakteerd en we hadden absoluut niet met elkaar geflirt. Ik kon me niet eens herinneren hoe hij eruit zag tot ik hem weer ontmoette. Ik praatte nog met drie andere mensen en ging helemaal verrukt naar huis in de wetenschap dat ik echt met mensen had gepraat. Op de avond dat ik Will ontmoette, was ik hem eigenlijk al snel nadat hij weg was gegaan weer vergeten.

Ik besefte niet dat het soms zo gaat als je iemand leert kennen op wie je later verliefd wordt.

Terwijl Gabrielle meeluisterde, belde ik haar kraker en maakte een afspraak voor later in de middag. Toevallig had er net iemand afgebeld, zei de receptioniste, dus dat kwam goed uit. En Gabrielle hield me nog steeds in de gaten toen ik om drie uur opstond, mijn jas aantrok en ervandoor ging.

'Doe hem de groeten,' riep ze me na toen ik humeurig de trap af denderde.

Negen

Ik ging niet naar de kraker toe. Natuurlijk niet. Ik liep Brockingham High Street uit en belde toen op om de afspraak af te zeggen.

Hij was waarschijnlijk fantastisch voor de wervelkolom van Gabrielle, ze had een geweldige houding, en ze zou ook wel gelijk hebben dat hij een echt stuk was, maar die twee dingen konden de laatste twee jaar van mijn leven niet uitwissen. Hij zou de gevoelens van spijt en berouw waarmee ik wakker werd en in slaap viel niet weg kunnen nemen, net zomin als alle herinneringen aan Will die in mijn lijf verankerd lagen.

Dus besloot ik om de tijd verstandig te gebruiken en naar huis te lopen, een wandeling van drie kwartier die hopelijk de spieren in mijn rug weer wat losser zou maken. En zodra ik thuis was, stapte ik in een gloeiend heet bad met een enorme lading Radox, maakte een warme kruik die als warmtekussen kon dienen, nam een paar paracetamols en dook mijn bed in.

Toen ik naar nummer vierendertig toe liep, zag ik haar al.

Zij van Hiernaast, de buurvrouw met de onvriendelijke ogen, dat valse mondje en de mishandelde wenkbrauwen. Dezelfde die me met frisse tegenzin de sleutels van de flat had gegeven toen ik van het vliegveld kwam. Ze stond voor haar glimmend blauwe voordeur haar diverse sloten op slot te draaien. Misschien kwam ze mijn kant wel op en dan zou ik haar onmogelijk kunnen ontlopen. En dan moest ik haar wel begroeten. Dat waren van die dingen waar ik doodzenuwachtig van werd. Zelfs al was het niet meer dan een knikje, ik wilde er gewoon niet aan beginnen. Het zou tot een gesprek kunnen leiden en alleen al het idee dat ik met iemand zou moeten praten die meteen onaardig had gedaan bezorgde me het klamme zweet. Bij mijn werk had ik daar geen last van, dan kon ik iedereen aan. Maar om met een wildvreemde over koetjes en kalfjes te kwebbelen, vooral met iemand die al had laten merken dat ze me helemaal niet zag zitten...

'NEE! DAT WIL IK NIET!' hoorde ik ineens krijsen toen ik langs het huis van de Gadsboroughs liep. Meteen waren alle gedachten en zorgen over een ontmoeting met Zij van Hiernaast verdwenen. Ik keek met grote ogen naar het raam, geschrokken van het volume en de heftigheid van het gekrijs.

Zij van Hiernaast, die het ook had gehoord, schommelde langs me heen, keek naar het huis, richtte haar blik op mij, trok een weggeplukte wenkbrauw op en schudde haar hoofd met een gezicht van 'het was lang niet zo erg voordat jij hier was'.

Dat overviel me, dus ik had geen tijd om haar zwijgend van repliek te dienen. Ze was al voorbij.

'IK DOE HET GEWOON NIET!' krijste Summer door het raam. Zij van Hiernaast hees haar tas hoger op haar schouder en liep hoofdschuddend door.

Wat een ongelukkig toeval. Dat kwam er nou van als ik spijbelde en naar huis ging in plaats van naar de kraker. De afgelopen twee weken was ik erin geslaagd om de familie te ontlopen en hun op die manier de kans te geven gewend te raken aan een leven zonder hun moeder. Aangezien de kinderen niet bij me in de flat waren geweest en ook niet hadden gebeld, hoewel ik ze mijn nummer had gegeven voor het geval dat, had ik aangenomen dat alles in orde was. Maar nu... Ik liep naar de voordeur en drukte op de bel, die door het huis ding-dongde.

'NIET OPENDOEN, PAPA!' gilde Summer. 'IK ZEI NIET OPENDOEN!' bleef ze krijsen terwijl Kyles lange, slanke gestalte in het vervormende gekleurde glas van de voordeur naar me toe kronkelde. Hij trok de deur met een ruk open en wist nog net te voorkomen dat die tegen de muur sloeg.

Toen hij mij zag staan, slaakte hij een zucht en zei: 'Hoi.' Niet aangenaam verrast, maar ook niet geërgerd. Als hij al iets voelde, dan was het desinteresse. Hij had kennelijk heel andere dingen aan zijn hoofd.

'Hoi,' antwoordde ik. 'Ik kwam net voorbij en... Is er iets aan de hand?' vroeg ik, terwijl ik me plotseling realiseerde dat mijn reactie ook opgevat kon worden als hernieuwde kritiek op Kyles manier van opvoeden.

'O, nee hoor. Dit is gewoon Summer die door het lint gaat,' zei hij nonchalant. Maar zijn lichaamstaal sprak dat tegen. Alle pezen in zijn gespierde armen stonden stram, zodat het leek alsof het op zijn beide bovenarmen getatoeëerde streepjesmotief boven op de huid lag. Zijn nekspieren waren al even gespannen en een adertje in zijn slaap klopte snel. Zijn huid was bleek en klam en hij had rimpels op zijn voorhoofd en rond zijn ogen, waardoor hij er een stuk slechter uitzag dan toen hij een kater had gehad. 'Ze wil haar eten niet opeten, ze wil alleen maar spelen, ze wil niet naar me luisteren en ze krijgt een driftaanval als ik zeg dat ze haar spullen op moet ruimen. Kortom, de gewone toestand met Summer.'

'Zal ik het eens proberen? Soms helpt het als iemand anders zich ermee bemoeit.' Ik praatte zacht en een tikje berouwvol, om geen olie op het vuur te gooien.

Hij slaakte een diepe zucht en liet zijn hoofd tegen de deurpost zakken. 'Aangezien ik inmiddels zover ben dat ik mezelf het liefst in de badkamer zou opsluiten om vervolgens tegen de muren op te vliegen, Kendra, is alles welkom. Dus...' Hij stapte opzij en maakte een gebaar naar de kamer aan de andere kant van de trap, waar ik nog nooit was geweest. 'Kom binnen.'

Ik stapte over de drempel en liep naar de deur van de kamer aan de voorkant. Het eerste wat ik zag was Jaxon, die halfzittend en halfliggend in een hoek aan de andere kant van de kamer met zijn trein zat te spelen. Hij droeg een Superman-pyjama die hem een stuk beter paste dan het Spiderman-pak. Er hing een soort luchtbel van kalmte om hem heen, die hem beschutte tegen de rest van de kamer, die één grote puinhoop was. Een puinhoop veroorzaakt door Summer Gadsborough.

Ze stond wijdbeens midden in de kamer, in een blauwe joggingbroek met daaroverheen een roze korte broek. Haar blote armen staken uit een rood T-shirt met een gele eenhoorn, en haar gebalde vuisten rustten op haar heupen. Ze had een zijden, gewatteerd slaapmasker met een Pucci-achtig motief van felgekleurde rode, blauwe, gele, groene en oranje kringeltjes als een soort tiara op haar hoofd en haar gezicht was vertrokken van woede. Ze had haar ogen wijd opengesperd en haar tanden op elkaar geklemd achter haar samengeperste mondje. Het was een houding die ze geërfd of geïmiteerd had van een volwassene en die ze voor eigen gebruik tot in de finesses had geperfectioneerd. En momenteel ging het erom de speelkamer te terroriseren.

Haar koninkrijk was bij toeval maar vol vastberadenheid gecreëerd. Gewoonlijk stond tegen de achtermuur een rij blankhouten bankjes, ongeveer dertig centimeter hoog, met donkerblauwe leren zittingen. Elk bankje bevatte een la waarin speelgoed opgeborgen kon worden. Maar vandaag stond elke la open of was hij helemaal uit de bank getrokken en ondersteboven op de grond gegooid. Al het speelgoed was eruit gehaald en de vloer lag bezaaid met elektronische spelletjes, pluchen beesten, bordspellen, boeken, pennen, papier, tekeningen, felgekleurde houten speeltjes, legpuzzels, kleren uit haar verkleedkist, make-up, stukjes glitterstof, treinen, blokken, autootjes en ballen. Het leek alsof ze alles van zich af had gegooid of geschopt.

'Hallo, jongens,' zei ik voorzichtig.

Jaxon keek op van zijn trein, richtte zijn grote donkergroene ogen op me en schonk me een verlegen glimlachje, waarbij nog net te zien was dat hij zijn beide voortanden miste. Het was zonder twijfel de breedste lach waarop hij me tot nu toe getrakteerd had en het bezorgde me een warm gevoel in mijn hele lijf. Ik lachte terug, blij dat hij me op die ingetogen manier liet merken dat hij me aardig vond. Maar daar schrok hij weer van, het was te veel, te snel, en hij liet zijn hoofd weer zakken om zich op zijn trein te concentreren.

Zijn zusje zei helemaal niets, ze reageerde niet eens. Toen ze me in de gaten kreeg, flitste er iets over haar gezicht: ze wilde lachen, hallo zeggen en vriendelijk doen, maar ze had nu eenmaal besloten dat ze zich als een kreng zou gedragen en dat ze een driftaanval had, dus dat gaf ze niet zomaar op. Ik hoorde dat Kyle de voordeur dichtdeed en direct daarna kwam hij achter me de kamer binnen. Dat was voor het zesjarige meisje het sein om weer op tilt te slaan en haar ogen, haar gezicht en haar hele lichaam straalden van woede. Kennelijk was haar vader tegelijkertijd de reden en het mikpunt van haar woede. Hij had haar tegen de haren in gestreken en dat zou hij weten.

'Summer,' zei Kyle met opeengeklemde kaken en zo opvallend kalm dat je meteen begreep dat hij ieder moment kon ontploffen. Het was hard tegen hard en de vonken spatten ervan af. 'Wil je alsjeblieft deze kamer opruimen? Of gewoon meegaan en je eten opeten? Zeg het maar. Het is het één of het ander. Alsjeblíéft!'

'NEEEEE!' gilde ze. Ze klapte dubbel om zoveel volume te produceren dat Jaxon, Kyle en ik letterlijk achteruit deinsden.

'Ruim. Die. Kamer. Op.'

Jaxon hield op met zijn trein rond te duwen en maakte aanstalten om op te staan. 'Nee, Jaxon, ik heb het niet tegen jou,' zei Kyle, die kennelijk zag dat zijn zoon een poging wilde doen om de ruzie te sussen. 'Summer heeft die troep gemaakt, dus Summer mag het ook opruimen.' Jaxon ging zitten en richtte zijn aandacht weer op zijn trein. Hij was nog niet groot genoeg om een bemiddelingspoging te wagen.

Dat mocht ik doen, want daarom was ik binnengekomen.

'Toe nou, Summer, luister eens naar je papa,' vleide ik.

Ze draaide zich gevaarlijk langzaam naar mij toe en wierp me met vuurspuwende ogen een blik toe. 'Jij hebt niks over me te vertellen, want jij bent mijn mama niet,' zei ze op triomfantelijke toon. Ze gebruikte het ultieme wapen van een kind tegen een buitenstaander, door me erop te wijzen dat ik er niet bij hoorde. Als ze een tiener was geweest zou ze een onbeschoft getinte seksuele suggestie hebben gedaan.

De spanning in de lucht nam toe terwijl Jaxon en Kyle me allebei stonden aan te kijken en zich afvroegen of die opmerking raak was geweest en hoe ik zou reageren.

Ik keek Summer strak aan. En ik lachte. Ik lachte omdat ik precies wist wat er aan de hand was en hoe ik dat moest oplossen. Summer had behoefte aan begrip. En dat begrip kon ik opbrengen.

'Je hebt gelijk, ik ben je mama niet,' zei ik kalm. 'En over acht minuten zul je uit het diepst van je hart wensen dat ik dat wel was.'

Achter haar prachtige donkergroene ogen kon ik de radertjes zien draaien, terwijl ze zich afvroeg wat ik precies bedoelde. 'Ik ben zo terug,' zei ik en draaide me om. Ik zette mijn tas op de onderste tree van de trap en liep naar de keuken, waar ik alle kastjes doorzocht tot ik vond wat ik zocht. Daarna liep ik terug naar de speelkamer, met mijn handen op mijn rug zodat ze niet konden zien wat ik had gepakt.

'Goed, Summer, wil je weten waarom je over iets minder dan acht minuten dolgraag zou willen dat ik je mama was?'

Ze bleef me uitdagend maar nieuwsgierig aanstaren, met in haar ogen de vraag die ze niet over haar lippen kon krijgen. 'Omdat ik over ongeveer drie minuten deze ga gebruiken.' Ik zwaaide met de rol zwarte vuilniszakken die ik in de keuken had gevonden. 'Er zijn namelijk een heleboel kinderen die maar wat graag al deze dingen zouden willen hebben,' zei ik, wijzend naar de hoeveelheid speelgoed om haar heen. 'Zij hebben helemaal niets om me te spelen, en zelfs als dat wel zo is, dan is hun speelgoed niet half zo mooi als dit. Maar als ik jouw mama was, zou ik er niet over piekeren om al die dingen weg te geven, want dan had ik urenlang moeten werken om het geld ervoor te verdienen. Zij zou precies weten wat alles had gekost en ze zou ook weten hoe graag je altijd met die poppen hebt willen spelen.' Ik wees naar de felgeschilderde Russische poppenset die om haar voeten lag. 'En jouw mama zou zich ook herinneren dat je die lappenpop vroeger altijd mee naar bed nam en hoe lief je er dan uitzag met haar in je armen.' Ik wees naar de verfomfaaide groen met roze pop bij het raam. Ze had zwart wollen haar en miste een oog. 'En je mama zou ook weten hoe fijn je het vond om voorgelezen te worden uit dat boek, ook al deed je net alsof je daar veel te oud voor was.' Ik wees naar het boek met kinderrijmpjes dat kennelijk tegen de muur was gesmeten en daarna opengevallen op de vloer was beland. 'Maar aangezien ik je mama niet ben, weet ik daar niks van. Dat speelgoed zegt mij helemaal niets en ik weet ook niet wat het voor jou betekent. Ik weet niet wat het allemaal heeft gekost en dat kan me ook niets schelen. Ik weet alleen dat het hartstikke leuke dingen zijn en dat er heel wat kinderen zijn die ze wel leuk vinden. En die er dan ook heel zuinig op zouden zijn.

En aangezien het me ongeveer twee minuten heeft gekost om je dit uit te leggen, Summer, zal ik over een minuut – dat is zestig tellen van nu – op mijn knieën gaan zitten om alles in die zakken te doen. Maar goed, als alles netjes opgeruimd en weggestopt is, kan ik dat natuurlijk niet doen. Nou heb je zelf net al gezegd dat ik je mama niet ben en dat ik niets over je te vertellen heb, dus ik kan je ook niet vragen om op te ruimen. Vandaar dat ik gewoon tot zestig tel en dan begin ik alles in de zakken te doen. En als ik het goed heb uitgerekend, zal er binnen zes minuten helemaal niets meer op de vloer liggen.'

Terwijl ik aan het woord was, waren Summers ogen steeds groter geworden. Ze wist niet zeker of ik een grapje maakte, of haar op een andere manier uit haar evenwicht probeerde te brengen, of dat ik het echt meende.

'En maak je geen zorgen, ik ga echt niet hardop tellen of op mijn horloge kijken. Ik wil je niet zenuwachtig maken. Ik tel gewoon in gedachten tot zestig en dan begin ik te pakken. Goed?'

Summer keek haar vader aan, maar die leunde tegen de deurpost en was kennelijk niet van plan om tussenbeide te komen. Daarna wierp ze een snelle blik op haar broer die stond toe te kijken.

'Het is ook Jaxons speelgoed,' zei ze tegen me.

'Dat weet ik wel,' zei ik schouderophalend. 'En als ik jullie mama was, dan zou ik me zorgen maken dat Jaxon misschien wel boos op je wordt omdat jij ervoor hebt gezorgd dat hij al zijn speelgoed kwijt is, maar dat geldt niet voor mij. Ik ben je mama niet.' Ik rolde een van de vuilniszakken af en trok hem los langs de geperforeerde rand. In de gespannen stilte van de kamer leek het geluid van de muren af te spatten.

Summer reageerde door op haar knieën te vallen en haar speelgoed bij elkaar te graaien, terwijl ze tegelijkertijd een la naar zich toe trok. Ze smeet het speelgoed erin en werkte pijlsnel door, met het slaapmasker wiebelend op haar hoofd en haar gezicht vertrokken van schrik. Ze werkte zo ijverig en fanatiek door dat je al moe werd als je naar haar keek. Binnen de voorspelde acht minuten was alles opgeruimd en stond Summer naar adem te snakken, met het slaapmasker scheef op haar hoofd en een brede grijns op haar gezicht.

Ik grinnikte terug. 'Heel goed, Summer, ik ben echt trots op je,' zei ik. 'Je hebt alles keurig opgeruimd, brave meid dat je bent.' Ik spreidde mijn armen. 'En krijg ik nou een knuffel om te laten zien dat we nog steeds vriendjes zijn?' Ze vloog op me af, sloeg haar armen om me heen en knelde me stijf vast. Alle dankbaarheid die ze voelde, kwam in die knuffel naar buiten. Ze bedankte me omdat ik haar tot overgave had gedwongen zonder tegen haar te schreeuwen. Met haar vader was ze in een impasse beland, omdat geen van beiden kon toegeven zonder gezichtsverlies te lijden. Ze was het soort meisje dat altijd wilde winnen, dat tot vrijwel alles bereid was om te winnen, maar tegelijkertijd wilde ze ook dat de mensen van haar hielden. Ze wilde zich graag goed gedragen, maar dat was ontzettend moeilijk. Ik zette het slaapmasker recht voordat ik me bukte en een kus op haar kruin drukte.

'En ga je nu ook je eten opeten?' vroeg ik. Zonder te aarzelen knikte ze met haar gezicht tegen mijn maag. 'Gauw dan maar.'

Ze maakte zich los en liep naar de keuken. Jaxon stond op en liep achter haar aan. Onderweg hield ik hem tegen om hem ook even te knuffelen en een kus op zijn kruin te geven. Toen ze verdwenen waren, slaakte ik een diepe zucht en de spanning sijpelde weg uit mijn spieren. Ik had eigenlijk verwacht dat er bloed zou vloeien.

Ik draaide me om naar Kyle, die me met een mengeling van bewondering en verbazing stond aan te kijken. 'Wat een lef om het tegen Summer op te nemen,' zei hij en hij floot even. 'Je bent dapperder dan ik.'

'Ze jaagt een mens wel de stuipen op het lijf,' antwoordde ik en ik drukte mijn hand tegen mijn hart om het tot rust te brengen. 'Ik dacht echt dat ze ieder moment kon ontploffen en ik weet niet wat ik dan had moeten beginnen. Ik neem aan dat je vrouw dit soort dingen meestal regelde?'

Een plotselinge woede laaide in Kyles ogen op en om de een of andere reden ook iets van schaamte. Hij haalde achteloos zijn schouders op en zei gedempt: 'Zoiets.'

Ja hoor, dat was echt verstandig van je, Kendra, dacht ik. *Iedere keer als hij met zijn vrouw praat, draait dat uit op een knallende ruzie, en hij heeft zich om haar al een keer een enorm stuk in zijn kraag gezopen. En wat doe jij? Je begint over haar.*

'Summer was niet altijd zo,' zei hij, nog steeds tot aan zijn nek in de ellende die over hen was uitgestort vanaf het moment dat mevrouw Gadsborough de benen had genomen. 'Niet tegenover mij, in ieder geval. En niet iedere dag. Ze was een hele handvol, maar niet...' Hij maakte de zin niet af. Hij had geen woorden om te beschrijven hoe Summer was geworden. 'En Jaxon was ook niet zo stil en zo braaf. Hij was net als andere jongetjes van zijn leeftijd. Hij holde rond, hij deed spelletjes en hij praatte je de oren van het hoofd. En nu doet hij... bijna niks.'

'O,' zei ik. Dat was kennelijk het gevolg van het feit dat hun moeder er niet meer was, of – en die kans was groot – Kyle was gewoon te vaak afwezig geweest om te weten hoe zijn kinderen precies waren. Het zat er dik in dat hij ze alleen had gezien voordat ze naar bed of naar school gingen en in de weekends. Het zat er dik in dat hij niet thuis was geweest als de gekte toesloeg of als zijn zoon zich terugtrok in zijn eigen wereld. Het was heel goed mogelijk – en zelfs waarschijnlijk – dat Kyle geen flauw idee had hoe zijn kinderen werkelijk waren.

'Heb je zin om te blijven eten?' vroeg hij. 'Er is meer dan genoeg over. Het is maar pasta met een salade, maar ondanks die aanstellerij van Summer is het best eetbaar.'

Ik glimlachte tegen Kyle. 'Ja graag,' zei ik. 'Dank je wel.' Ja, ik was echt van plan geweest om de afstand te bewaren, maar ze hadden hulp nodig. Dat bleek uit de wanhopige manier waarop Summer zich aan me vastgeklampt had, uit de vriendelijke blik in Jaxons ogen toen hij erin was geslaagd om weer iets breder tegen me te lachen en uit de lichte verbijstering die doorklonk in Kyles stem. Ik wist niet zeker of ik daar wel de juiste persoon voor was, maar ik moest een poging doen om hulp te bieden.

Tien

Er zijn veel dingen die me een onbehaaglijk gevoel bezorgen: mensen die altijd aardig doen (een teken van onderdrukte woede), mensen die vinden dat komkommers geen smaak hebben (dat is namelijk wel het geval en ze zijn rechtstreeks afkomstig uit de hel), mensen die de term 'politiek correct' gebruiken alsof die ook maar enige betekenis heeft en mijn telefoon die na middernacht of voor zeven uur 's ochtends overgaat.

Toen de telefoon in de flat begon te rinkelen op het moment dat ik net naar mijn werk wilde gaan, vlogen mijn ogen naar de keukenklok. Halfzeven.

Ik wist meteen dat het de kinderen waren. *O, god, wat is er nou weer gebeurd?* Ik had ze mijn nummer gegeven zodat ze me konden bellen als zij of hun vader problemen hadden… Ik stortte me op de telefoon, rukte het toestel van de standaard en zei met een angstig stemmetje: 'Hallo?'

'Met Jaxon,' zei hij. Hij klonk zacht en aarzelend.

'Wat is er aan de hand?' vroeg ik, in plaats van geruststellend 'hoi' te roepen.

'Niets.'

'O,' zei ik. 'Nou ja, leuk dat je me even belt. Hoe gaat het ermee?'

'Best,' zei hij en hij liet het aan mij over om het gesprek op gang te houden.

'Mooi zo. En met je zusje?'

'Ook best,' antwoordde hij.

'Fijn zo. En met je vader?'

'Ook best.'

'Heel goed.'

'Je hebt niet naar Garvo gevraagd,' zei Jaxon. Zijn stem klonk een tikje beschuldigend en teleurgesteld. Garvo? Die naam hoorde ik voor het eerst. Ze hadden geen huisdieren. En vrienden van hen had ik nog niet ontmoet en ik had hen er nooit over gehoord.

'O, neem me niet kwalijk, hoor. Hoe is het met Garvo?'

'Best. Maar hij vond het ontbijt niet lekker. Papa heeft brood geroosterd.'

Had Garvo samen met hen ontbeten? Het werd steeds vreemder. 'Hij vindt het geroosterde brood van papa niet lekker. Daar zitten altijd verbrande korstjes aan. Als mama brood roostert, is het wel lekker. Dat vindt Garvo ook.' Uit vrije wil had Jaxon vier hele zinnen achter elkaar gesproken. Vier. Ik was letterlijk met stomheid geslagen. 'Summer wil met je praten,' zei hij. Ik keek opnieuw op de klok. Als ik niet binnen vijf minuten vertrok, zou ik de bus missen. En in dat geval kwam ik midden in de spits terecht. Ik zou heus niet te laat op mijn werk komen, maar dan zou ik de hele dag achter mezelf aan hollen, omdat ik niet de kans had gehad voor mijn vaste ochtendprogramma – de e-mail doornemen, plus de personeelsadvertenties in de kranten en online – voordat de telefoon begon te rinkelen. Ik begon zenuwachtig met mijn voeten te schuifelen. Ik moest er echt vandoor.

Hij gaf de telefoon aan haar over. 'Hoi, Kendie,' zei ze. Ze klonk opgewekt en uitgeslapen.

'Hoi, Summer,' antwoordde ik.

'Ik bel om je iets te vragen,' zei ze. 'Het is niet echt belangrijk, alleen maar een beetje.'

'Wat is er dan?'

'Wil jij ons morgen van school halen?'

Ik vergat prompt dat ik haast had. 'Pardon?' zei ik.

'Papa moet morgenmiddag werken. Hij zei dat hij ons naar oma Naomi zou brengen omdat we anders in de auto moesten wachten. En toen heb ik tegen hem gezegd dat jij ons wel zou ophalen. Bij oma Naomi mogen we nooit iets. Ze zegt altijd: "Blijf nou maar netjes zitten, lieverd", of: "Daar mag je niet mee spelen, dat is veels te duur". Dus jij moet ons wel halen.'

O ja? 'Het probleem is dat ik ook moet werken. En ik ben pas na zessen klaar, dus ik ben bang dat het niet gaat.'

Het bleef stil aan de andere kant van de lijn. Een gapende stilte waarin mijn slappe excuus nog na leek te galmen. 'Ik moet morgen na schooltijd naar gymnastiek en Jaxon gaat voetballen. Dus dan zijn we om… Papa, hoe laat zijn we morgen klaar?… Dat hangt op de koelkast! Wel waar!… Naast die tekening van de trein… Papa!… O, oké, we zijn om halfvijf klaar. Dus dan kun je ons op komen halen,' zei Summer alsof ik niet net had uitgelegd waarom dat niet ging. Waarom ik niet het slachtoffer wenste te worden van het feit dat haar vader moest werken.

Vergeet niet te bellen als jullie me nodig hebben. Dan sta ik meteen klaar. Dat had ik ze immers beloofd? Dat waren toch de nobele woorden die over mijn lippen waren gekomen toen ik de rol van redder op me had genomen met een gezonde dosis minachting voor hun vader die nergens voor deugde? Was ik echt zo'n volwassene die loog tegen twee kinderen met een moeder die schitterde door afwezigheid en een vader die hen nauwelijks aankon?

'Ik kijk wel of mijn bazin het goed vindt dat ik vroeger wegga om jullie op te halen. Maar als ze nee zegt, zullen jullie toch naar oma Naomi toe moeten.'

'Ze zegt geen nee, hoor,' verzekerde Summer me. 'Papa zegt dat je wel even een foto van jezelf moet brengen.'

'Een foto?'

'Ik geef je papa, hij legt het wel uit. Doei.'

Twintig minuten later was ik op weg naar mijn werk nadat ik de Gadsboroughs een foto van mezelf had gegeven voor het schoolarchief, zodat Kyle me officieel op de lijst kon laten zetten van mensen die het recht hadden om Jaxon en Summer af te halen. Na wat gehakketak had Kyle me de autosleutels van zijn vrouw gegeven, zodat ik de kinderen met de auto van school kon halen. Een zilverkleurige Mercedes die minstens tien jaar oud was, met achterin twee stoeltjes voor de kinderen. De wagen stond onder een groen zeil voor Kyles huis, ongebruikt, onbemind en ongezien sinds ze de benen had genomen. Het was een raar gevoel om de sleutels aan te pakken van een vrouw die er niet meer was. Het leek bijna alsof ze me gevraagd hadden om de plaats van een dode vrouw in te nemen. Vooral omdat ik niet begreep waarom ze die auto had laten staan.

Als ze echt midden in de nacht was vertrokken, zoals Kyle had verteld, dan had ze haar auto toch nodig gehad? Om weg te komen en iets te hebben wat ze kon verkopen als ze geld nodig had? Als ik niet had geweten dat ze samen op vakantie waren geweest en als ik er niet bij was geweest toen Kyle haar die eerste dag aan de telefoon had gehad, zou ik bijna gaan denken dat hij haar om zeep had gebracht en haar ergens had begraven. In plaats daarvan zat ik me nu af te vragen waarom ze zo wanhopig en vastbesloten was geweest om ergens alleen opnieuw te beginnen. Wat was er voor verschrikkelijks gebeurd dat ze ervandoor was gegaan en haar kinderen had achtergelaten?

Ik zei dat we best met de bus konden, maar Kyle had voet bij stuk gehouden: als ik ze op ging halen, moest ik met de auto of een taxi nemen. Dus had ik voor de auto gekozen. De auto van een verdwenen vrouw.

Gabrielle leunde achterover op haar stoel en rekte haar voluptueuze lichaam uit.

Ik had haar net gevraagd of ze het goed vond dat ik de volgende dag wat eerder wegging en haar ook verteld waarom. Nu leunde ze achterover en keek me nadenkend aan op een licht verontrustende manier. Uiteindelijk zei ze: 'Dus als ik het goed heb, wil je eerder weg om kinderen van school te halen terwijl je zelf geen kinderen hebt?'

'Daar komt het wel op neer,' antwoordde ik. Ik wist precies hoe dat klonk. Als ik mijn gesprekspartner was geweest, had ik precies zo gereageerd. Zo van: *Moet jij daar dan voor opdraaien?* 'Ik begin morgen wel wat vroeger en woensdag kan ik overwerken.'

'Ik vroeg me alleen maar af hoe hij dat soort dingen oploste voordat jij zo vriendelijk was om bij hem in de tuin te gaan wonen.'

'Gabs, ik woon echt niet in een schuurtje. En ik weet niet hoe hij dat deed,' antwoordde ik. 'Maar ik heb beloofd dat ik zou vragen of het ging, dus bij deze. Als het niet gaat, kan ik dat best begrijpen.'

Mijn bazin haalde haar schouders op. 'In al die tijd dat je voor mij hebt gewerkt, heb je er nooit de kantjes af gelopen, Kennie, dus je mag van mij best wat eerder weg als je dat wilt. Alleen... Nou ja, laat maar zitten.'

'Wat is er?' vroeg ik.

Ze schudde haar hoofd. 'Laat maar zitten.'
'Zeg op.'
'Zorg alleen dat hij je niet als een soort voetveeg gaat gebruiken.'
'Geen denken aan. En het was Summers idee, zij vroeg of ik hen wilde ophalen.'
'Ja, dat zal best, maar hij is nu waarschijnlijk voor het eerst een man alleen met twee kinderen. Hij zal altijd proberen om de gemakkelijke weg te kiezen. En zoals je ongetwijfeld ook al van je moeder hebt gehoord, je mag niet over je laten lopen.'
Gabrielle had in zekere zin natuurlijk gelijk. Kyle had het niet gemakkelijk en in plaats van zijn schouders eronder te zetten en een oplossing te zoeken, zat hij nog steeds in de put omdat zijn vrouw ervandoor was. Hij dronk zich een stuk in zijn kraag, hij maakte ruzie met zijn vrouw en raakte dan zo gedeprimeerd dat hij zijn kinderen verwaarloosde en hij lag overhoop met zijn dochter. Het verbaasde me niets dat Jaxon zijn mond nauwelijks opendeed en hem op die manier het bloed onder de nagels vandaan haalde, en ik keek er ook allerminst van op dat Summer erachter was gekomen dat een driftbui de snelste en gemakkelijkste manier was om haar vaders aandacht te trekken. Het kwam allebei op hetzelfde neer: een stille, wanhopige kreet om hulp.
Het zou veel gemakkelijker en waarschijnlijk zelfs verstandiger zijn als ik ze negeerde en het aan Kyle overliet om zijn gezinsleven op orde te brengen. Maar ik had zelf tegen Kyle gezegd dat als je je eenmaal aan een kind had gehecht, je het niet zomaar de rug kon toekeren. En dat gold ook voor mij. Ik kon het niet aan Kyle overlaten om alles op te lossen, terwijl zijn kinderen hulpeloos achter hem aan scharrelden en hunkerden naar aandacht. Als ik kon helpen, dan moest ik dat niet laten.
Dat wilde ik net aan Gabrielle uitleggen, toen de deur openging en Janene binnenkwam, oogverblindend in haar enkellange karamelkleurige suède jas, haar tas van Louis Vuitton en haar Gucci-zonnebril. Ondanks haar functie en haar lage salaris kostten de kleren die ze droeg vaak meer dan ik in zes maanden aan huur moest betalen.
'Hoi,' zei ze en ze banjerde naar haar bureau.
Dat maakte meteen een eind aan ons gesprek. Gabrielle keek op

haar horloge en wierp vervolgens een blik op Janene. 'Leuk dat je ook nog even langskomt, Janene.' Gabrielle had haar omstandig uitgelegd dat ze, als ze een baan als intercedent wilde, eerst moest bewijzen dat ze dat aankon door meer uren te gaan maken. Voor Janene hield dat in dat ze om negen uur kwam opdagen. Toen ik mijn opleiding kreeg, zat ik al om halfacht achter mijn bureau.

Janene bloosde een beetje beschaamd, maar ze besloot er niet op te reageren. 'Wil er nog iemand koffie?' vroeg ze met een opgewekte glimlach.

We schudden allebei ons hoofd.

'Prima,' zei ze. Ze liet haar jas van haar schouders glijden en liep naar de keuken.

'Kijk,' zei Gabrielle terwijl ze met een donkerrode, keurig gelakte nagel naar de deur wees waardoor Janene was verdwenen. 'Dat gebeurt er nou als mensen het idee krijgen dat jij er alleen bent om het hun gemakkelijker te maken.'

Ik boog mijn hoofd. Gabrielle had gelijk. Maar als zij die gezichtjes van Summer en Jaxon had gezien toen ze dachten dat hun vader dood was, de knuffel van Summer had gevoeld na haar driftaanval, of de bezorgde manier zag waarop Jaxon zijn vader kon aankijken... Zelfs als Kyle misbruik van me maakte, kon ik hen niet in de steek laten.

Aardbeien, bosbessen, stukjes appel, stukjes peer & een scheut yoghurt

Elf

Boodschappen doen werd een heel nieuwe ervaring voor me in de weken nadat ik Jaxon en Summer van school had gehaald. Nu gingen we altijd met ons drieën (of vieren, als je Garvo meetelde, Jaxons gefantaseerde golden retriever met één bruine poot die we nooit bij de andere honden voor de winkel mochten laten staan).

Ik had aandacht voor hen en dat was iets nieuws, zodat ze elke vrije minuut bij me probeerden te zijn. Als ik thuiskwam uit mijn werk zaten ze al op de stoep op me te wachten. Ze belden vaak om te vragen of ik ze van school kon halen, omdat hun vader moest werken. Ze rommelden in mijn spullen en namen alles mee wat van hun gading was. Als ik iets kwijt was, kon ik erop rekenen dat een van beiden het had ingepikt. Dat was geen diefstal, maar gewoon iets dat in het verlengde lag van onze vriendschap. Zoals de antieke zilveren ring met de turkooizen, bijvoorbeeld, die ik in Sydney had gekocht en die ik altijd droeg. Summer had hem op mijn eettafel zien liggen en meegenomen omdat hij haar aan mij deed denken. Ze droeg hem thuis om haar duim en verloor hem geen moment uit het oog. Ze nam hem ook absoluut niet mee naar school. Jaxon had de mobiele telefoon ingepikt die ik in Australië had gebruikt omdat Garvo (in een blaftaal die alleen Jaxon verstond) hem had verteld dat hij daarmee naar Australië kon bellen.

En als de kinderen me op zaterdag nadat we hadden ontbeten weg zagen gaan, kwamen ze naar buiten rennen om te vragen of ze mee mochten. Dan zei ik altijd ja, gewoon omdat ik ze nog steeds geen nee kon verkopen.

'Wonen jouw mama en papa wel bij elkaar in huis?' vroeg Summer toen we weer een keer boodschappen deden.

'Ja, hoor,' zei ik, terwijl ik een blikje doperwten in mijn karretje gooide. 'En dat vinden wij, mijn zusje en mijn broers en ik, nog steeds een wonder.'

'Waarom?' vroeg Jaxon.

'Omdat ze altijd kibbelen. Tsjongejonge, wat kunnen die kibbelen.'

'Net als mama en papa,' merkte Summer op. Ze klonk alsof ze de hele wereld op haar schouders torste.

'Ja, dat zal wel,' zei ik.

'Waarom is jouw mama dan niet weggegaan?' vroeg ze.

Omdat ze het veel te leuk vinden om elkaar te pesten, was het luchtige antwoord dat ik meestal aandroeg. *Omdat ze elkaar hebben gevonden toen een huwelijk nog een leven lang duurde en ze zich maar aan moesten passen,* was een wat beter doordacht antwoord. Hoe dan ook, als je al die ruzies en dodelijke stiltes aan den lijve had ondervonden, was het logisch dat wij ons dat ook wel eens hadden afgevraagd.

'Dat weet ik niet,' antwoordde ik, het eerlijkste antwoord dat ik kon geven zonder de kinderen op het verkeerde been te zetten. Een volwassene zou de fijne nuances van ons gezinsleven wel kunnen onderscheiden, kinderen zouden elk antwoord meteen op hun eigen situatie toepassen.

Summer en Jaxon keken me allebei met grote ogen aan. Kennelijk was ik niet duidelijk genoeg geweest.

'Ondanks al die ruzies wisten we toch dat onze ouders van ons hielden. Ook al vonden ze elkaar af en toe helemaal niet aardig, van ons hielden ze wel altijd.' Nu ik volwassen was en afstand kon nemen, begreep ik dat ook. Maar destijds drong dat absoluut niet tot me door. Het enige wat ik – en met mij mijn broers en zusje – zeker wisten, was dat onze ouders elkaar háátten. Pas jaren later begreep ik dat je, zelfs als je eeuwig ruzie maakte met de persoon van wie je ooit had gehouden, toch genoeg liefde kon opbrengen voor je kinderen. Je hield nog steeds van ze, ook al vergat je ze dat te laten merken. Ik wenste dat mijn ouders ons dat hadden verteld en ons dat ook hadden laten merken, maar dat was niet zo en daarom probeerde ik dat Summer en Jaxon nu wel aan hun verstand te brengen.

Summer hield haar hoofd scheef en keek me met lome belangstelling aan. 'Bedoel je dat mama en papa toch van ons houden, ook als ze alleen maar ruzie met elkaar maken?' vroeg ze.

Ik had heel stellig willen klinken, om ervoor te zorgen dat de boodschap die ik overbracht de tijd kreeg om zich rustig in hun hoofd vast te zetten en ze voortaan zouden weten dat zij, wat er ook gebeurde, voor hun ouders altijd op de eerste plaats kwamen. Maar Summer had korte metten gemaakt met al dat gelul en ronduit gezegd waar het op stond. Ik moest niet zo vaak kijken naar al die stomme praatprogramma's waarin problemen binnen de vijftig minuten keurig werden opgelost. Hun standaardoplossing – 'maar jullie houden toch van elkaar' – werkte niet in de wereld van alledag. Dat begreep zelfs een zesjarig kind. Ik knikte tegen Summer. 'Min of meer.'

'Als mama ziek was, werd papa altijd boos op haar,' zei Summer.

Ik wilde net een pakje tuinbonen in mijn karretje leggen, maar die opmerking voorkwam dat. Ik draaide me om en keek hen aan. 'Was je mama vaak ziek?'

Summer en Jaxon knikten gelijktijdig. 'Altijd. Als ze haar medicijn niet nam, werd ze alleen maar nog zieker,' legde Summer uit. 'En dan werd papa nog bozer.'

'Als mama ziek was, begon hij te schreeuwen en dan ging hij naar boven, naar zijn eigen kamer, om ervan af te zijn en te werken,' zei Jaxon rustig. Aan zijn blik was te zien dat hij helemaal terug was in het verleden. Kennelijk stond hem dat nog steeds scherp voor de geest, hoe zijn vader tegen zijn moeder had geschreeuwd en de boze voetstappen op de trap.

'Soms, als mama echt heel erg ziek was, nam hij ons mee en dan reden we uren rond in zijn auto,' vervolgde Summer.

'En dan begon mama te huilen en zei dat we niet van haar hielden omdat we haar alleen lieten. Maar dat wilden we helemaal niet.'

'Het moest gewoon van papa,' besloot Summer.

Ik keek ze een voor een aan en kreeg een onbehaaglijk gevoel. Als mijn ouders ruzie maakten, verstopten wij ons in onze kamers en wachtten tot ze weer gekalmeerd waren of tot het etenstijd was. Maar mijn vader had ons nooit het huis uit gesmokkeld om mijn moeder te pesten en mijn moeder had nooit zitten huilen en brullen dat we niet van haar hielden. Ze hadden ervoor gezorgd dat wij in een hel moesten leven, maar ik kon me niet herinneren dat ze ons ooit als wapens hadden gebruikt. Ze hadden genoeg gebreken bij elkaar gevonden.

‘Zei je nou dat je mama ziek was?’ vroeg ik.
Ze knikten allebei.
‘Wat heeft ze dan?’
Ze wierpen elkaar een blik toe en communiceerden op die geheime manier waarop identieke tweelingen dat volgens de overlevering altijd doen. Summer en Jaxon deden het ook, hoewel ze geen eeneiige tweeling waren. Ze keken mij weer aan, haalden tegelijk hun schouders op en mompelden: ‘Weet ik niet.’
‘Weet ik niet’ was wat ze zeiden, maar wat mij betrof, leek het meer op: ‘mogen we niet vertellen’. Om te voorkomen dat ik verder zou vragen, liep Summer het gangpad in en pakte een literpot bouillon op. ‘Wil je die ook?’ riep ze met de zware fles in haar handen. Vorige week had ik ook zo’n pot gekocht en dat herinnerde ze zich kennelijk.
‘Ja, alsjeblieft,’ riep ik terug. Maar in plaats van ermee naar het karretje te komen, bleef Summer staan en las wat er aan ingrediënten in zat. Haar hoofd gebogen, een tikje schuin, een nadenkend gefronst voorhoofd en getuite lippen. *Ze doet mij na,* besefte ik met een schok. Al binnen een paar weken wist ze feilloos hoe ik me tijdens het winkelen gedroeg. Ondertussen was Jaxon op zijn tenen op de metalen rand van het boodschappenkarretje gaan staan, wierp een blik op het boodschappenlijstje en rommelde voorovergebogen tussen de groente en het fruit dat ik erin gelegd had, zoals ik zelf altijd deed voordat we naar de kassa liepen. Ze hadden me de mond gesnoerd door onbewust mijn manier van doen te imiteren.
Het feit dat ze daar zo moeiteloos in slaagden, was niet alleen verbazingwekkend, maar het gaf me ook het gevoel dat ik buitengesloten werd. Het was kennelijk een groot geheim. Een geheim dat zo belangrijk en zo angstaanjagend was, dat ze meteen een muur opwierpen en zich verschansten.
Omdat ik ze inmiddels veel vaker zag, had ik van de kinderen al vrij veel over mevrouw Gadsborough gehoord.
Ik wist dat ze om de dag met haar kinderen belde en dat ze na zo’n gesprek allebei stil en nors waren en meestal naar hun eigen kamer gingen om het op hun manier te verwerken.
Ik was er ook achter gekomen dat ze niet met haar man kon praten zonder ruzie met hem te maken.

Ik had ontdekt dat ze beeldschoon en fotogeniek was. Lang, golvend honingkleurig haar omlijstte haar gezicht en viel tot op haar schouders. Haar ogen hadden dezelfde fascinerende, donkergroene tint als die van haar kinderen, maar een totaal andere vorm. Ze had dezelfde mond als haar kinderen, maar niet dezelfde neus. Op de foto's waarop ze samen met de tweeling stond, zag ze er onveranderlijk levendig en energiek uit. Altijd met opgeheven hoofd, ogen die straalden van blijdschap, blozende wangen en de armen om Jaxon en Summer geslagen alsof ze de grootste schatten waren die ze bezat. Als ze met Kyle op de foto stond, was ze iets ingetogener, maar nog even gepassioneerd. Op de foto's die nog altijd in de kamers van de kinderen hingen, stond ze vaak naar hem te kijken met een mengeling van ontzag en tederheid. Kyle keek meestal in de camera met de verlegen grijns van een verliefde vent.

Maar uit de woonkamer, de hal en de keuken waren alle foto's van hen samen weggehaald. Je kon nog vaag de omtrek van de lijsten op de muren zien. Hij had de foto's van haar met de kinderen laten hangen, maar de rest, de herinneringen aan de tijd dat ze nog samen waren, had hij in de gangkast gelegd. Summer had ze een keer tevoorschijn gehaald, bijna alsof ze me wilde laten zien hoe hun leven vroeger was geweest. Terwijl we de foto's stuk voor stuk bekeken, had Jaxon vlak bij ons gestaan, met ogen waarin de ontzetting te lezen stond, schuifelend en handenwringend als een oude vrouw die net haar enig kind naar het slagveld heeft gestuurd. Hij was doodsbang dat zijn vader binnen zou komen en ons zou betrappen.

Ik kreeg te horen dat ze grafisch ontwerpster was en als freelancer aan diverse reclamecampagnes had meegewerkt. En dat ze samen met Summer door de woonkamer danste en samen met Jaxon de tuin omspitte. En als het mooi weer was, gingen ze soms met hun drietjes in het park fietsen. Voor het slapengaan las ze een verhaaltje voor en ze bedacht spelletjes die ze in bad konden spelen.

En ik ontdekte ook dat ze niet veel had meegenomen. Op een dag toen Kyle naar een huis in aanbouw was en ik de kinderen van school had gehaald, hadden ze me meegenomen naar boven om me de rest van het huis te laten zien. We waren naar de zolder geweest en naar Kyles keurige, opgeruimde kantoor, dat de hele bovenste verdieping van het huis in beslag nam. Overal stonden en hingen maquettes, tekeningen en felgekleurde computerprints van virtuele gebouwen, maar om de leren stoel in de hoek naast de radio heerste chaos. Kranten en tijdschriften over architectuur lagen op slordige stapels naast de stoel en foto's van de kinderen waren op de wand geniet. De kamer rook naar hem en alles ademde zijn aanwezigheid. Aan de ene kant een rustige, zwijgzame man, aan de andere kant nauwelijks verhulde waanzin.

Daarna waren we naar de kamers van de kinderen en naar de ouderslaapkamer gegaan. Ik had even geaarzeld voor ik daar naar binnen wilde, omdat ik helemaal niets te maken wilde hebben met die kant van het leven van Kyle en zijn echtgenote, maar Summer had daar niet mee gezeten en me meegesleept naar de aparte kleedkamer. De kasten aan de ene kant waren leeg, met kleerhangers die als kale winterse boomtakken aan de rails hingen, maar op de grond stonden stapels dozen. Op de etiketten stond in Kyles handschrift dat ze vol zaten met kleren, schoenen, tassen, make-up, boeken, tijdschriften en foto's. Summer rommelde regelmatig in de dozen en daarin had ze ook het slaapmasker gevonden dat ze als een tiara droeg. Omdat het haar aan haar moeder herinnerde, had ze me verteld. En ze had Jaxon de zonnebril van haar moeder gegeven. Die bewaarde hij op de plank boven zijn bed. Ik snapte niet waarom Kyle de moeite had genomen om al haar bezittingen zo zorgvuldig in te pakken en vervolgens nog etiketjes op de dozen te plakken ook, en ik begreep al helemaal niet waarom ze zoveel had achtergelaten. De verklaring lag misschien in het feit dat ze 's nachts was vertrokken en niet veel had kunnen meenemen, maar ik had eerder het gevoel dat ze eigenlijk geen dingen mee had willen nemen die haar aan haar oude leven herinnerden. Ze had haar schepen achter zich verbrand.

En nu weer die ziekte. Een nieuw stukje van de legpuzzel die haar verdwijning vormde.

Toen we verder liepen door het gangpad speelden twee vragen door mijn hoofd. *Wat mankeerde mevrouw Gadsborough? En hoe kom ik daarachter zonder overdreven nieuwsgierig te lijken?*

Twaalf

'We mochten van Kendie geen hamburger kopen,' zei Summer tegen haar vader toen ze de keuken binnenstapte.

Ze liep regelrecht naar de koekjespot op het aanrecht en liet onderweg haar schooltas, haar trui en haar gymtas uit haar handen vallen. Ik liep achter haar aan en raapte de herinneringen aan haar schooldag weer op. Ondertussen viste zij twee biscuitjes uit de terracotta pot. Kyle keek op van zijn glanzende zilverkleurige laptop en wierp eerst een blik op zijn dochter en vervolgens op mij.

'Wij wilden een Happy Meal met speelgoed. Ik wou een roze horloge en Jaxon de raceauto. Maar Kendie vond dat niet goed.'

'Waarom niet?' vroeg hij haar.

'Ze is er idioot tegen,' zei Summer en stopte een van de biscuitjes in haar mond, waardoor de goudkleurige kruimeltjes over haar donkerblauwe schoolblouse rolden.

Kyle beet op zijn lippen.

'Ik ben er ideologisch tegen,' verbeterde ik met een dom gevoel.

Ze keek met een ruk om, nog steeds met het boze gezicht dat ze onderweg naar huis had gehad, samen met de over elkaar geslagen armen. Als ze een neerbuigende blik in voorraad had gehad, had ze me die toegeworpen. 'Dat zei ik toch,' antwoordde ze op een toon die duidelijk aangaf: *ik weet heel goed wat ik zei en dat bedoelde ik ook.*

'Ik ga Jaxon zijn biscuitje brengen,' zei ze nog steeds gepikeerd.

'Het deksel,' zei Kyle voordat ze de keuken uit was.

Ze slaakte een diepe zucht om aan te geven hoe zwaar ze het had, draaide zich om, deed het deksel op de pot en blies de aftocht.

'Ben je echt tegen fastfood?' vroeg Kyle.

Ik legde Summers spullen op haar stoel aan het hoofdeinde van de tafel. 'Niet per se. Ik ben eigenlijk zelfs dol op junkvoer, maar er zijn bepaalde tenten waar ik gewoon niet naar binnen wil,' legde ik uit.

'Waarom niet?' vroeg hij terwijl hij zijn computerbril af zette en opzijlegde. 'Het leven is al moeilijk genoeg om ook nog dat soort problemen te gaan maken.'

'Het komt gewoon omdat ik een probleem heb, Kyle. Ik geloof in te veel dingen. Er zijn allerlei dingen die ik uit principe niet wens te doen en ik kan mezelf er niet toe zetten om die op te geven om het leven wat simpeler te maken. Ik liep al mee in demonstraties voordat ik ging studeren. Dat hoort gewoon bij me. Ik ben tot alles bereid, als het maar voor een goed doel is. En vertel me alsjeblieft niets over bedrijven die hun personeel slecht behandelen, want dan stop ik subiet met het kopen van hun producten.'

Ergens in het huis werd de televisie aangezet met het geblèr van een tekenfilm. Het werd verdreven door het luidruchtige gepiep van een computerspelletje.

'Volgens mij is het begonnen toen we op de middelbare school tot in detail voorgekauwd kregen hoe kalfsvlees werd geproduceerd. Dat was voldoende. Niet alleen voor mij, maar ook voor mijn zusje. Ik heb er nooit een hap van genomen. En ik denk dat ik daardoor zo principieel ben geworden.' Ik besefte dat ik mezelf begon bloot te geven tegenover Kyle. Normaal gesproken zette ik de kinderen gewoon af, en zodra ik zeker wist dat ze veilig thuis waren, ging ik weer terug naar mijn werk.

Kyle hield zijn hoofd scheef en keek me voor het eerst aan alsof ik iemand anders was dan die bemoeizuchtige en lastige onderhuurster. Dat mens met wie hij krijgertje speelde over de kinderen, dat een of twee keer per week bij hen kwam eten en dat op zaterdagochtend voor het ontbijt van de kinderen zorgde zodat hij een keertje kon uitslapen. 'Ik had zelf ook allerlei principes voordat de kinderen werden geboren,' zei hij. 'Toen kreeg ik pas door hoe moeilijk het leven kan zijn en dat het veel gemakkelijker wordt als je niet voortdurend dwarsligt.'

'Ja, maar,' zei ik terwijl ik met mijn hand over de rugleuning van Summers stoel streek, 'als ik kinderen had, zou ik juist willen dat ze echt in dingen geloofden. Ik wil dat ze beseffen dat er meer is dan hun directe omgeving, ook al gaat het om andere dingen dan waarin ik geloof. En dat ze niet achterovergeleund alles maar moeten accepteren omdat dat het gemakkelijkst is, maar dat ze het volste recht hebben om te proberen daar verandering in aan te brengen. Als ik een dochter had, zou ik haar duidelijk willen maken dat ze alles kan worden wat ze wil en dat haar uiterlijk, haar kleren of haar make-up niets te maken hebben met wie ze is en dat ze die dingen ook niet nodig heeft om respect van andere mensen te krijgen. Ik zou haar aan haar verstand willen brengen dat ze alleen door haar geboorte al het recht heeft om gerespecteerd of opgemerkt te worden. Ik heb het niet over al die *girlpower*-onzin, wat ik wil zeggen is dat ze gewoon het recht heeft om fatsoenlijk behandeld te worden.'

Nu was ik niet meer te houden. 'En als ik een zoon had, zou ik hem grootbrengen met de wetenschap dat man-zijn alleen maar een kwestie is van goed in je vel zitten. Zonder al dat macho-gelul. Je hoeft je alleen maar zo lekker te voelen dat je het niet nodig hebt om andere mensen te beledigen of de grond in te trappen. Je hoeft niet met de massa mee te lopen om een echte man te zijn. Hij mag geloven wat hij wil, denken wat hij wil en zijn wat hij wil zonder zich af te hoeven vragen of hij wel mannelijk genoeg is.

En of mijn kind nu een jongen of een meisje zou zijn, ik zou er in ieder geval voor zorgen dat ze weten dat ze het niet hoeven te pikken als iemand ze slecht behandelt. Nooit. En ze hoeven ook geen dingen te doen omdat hun vrienden die zo leuk vinden. Als wij de wereld willen verbeteren, zullen we ervoor moeten zorgen dat kinderen goed in hun vel zitten en bereid zijn om anderen te helpen.'

Op Kyles gezicht verscheen een toegeeflijke glimlach die een tikje neerbuigend aandeed. 'Je hebt geen kinderen, dus je begrijpt er niets van,' zei die glimlach. Hij had de hele dag zijn handen al vol aan de opvoeding van zijn kinderen zonder ze vol te proppen met zelfrespect.

'Dus omdat jij de wereld wilt verbeteren, ben je vast van plan om niet met je kinderen naar bepaalde fastfoodrestaurants te gaan?'

Die vraag kwam aan als een stoot onder de gordel. Ik keek neer op de stoel en liet mijn vinger over het patroon in het hout glijden.

'Zeker weten,' antwoordde ik vastberaden.

'Ja hoor,' zei hij spottend. Hij was duidelijk van mening dat ik wel heel snel van gedachten zou veranderen als ik onderweg was met twee krijsende kinderen op de achterbank en in geen velden of wegen een ander restaurant in zicht.

Ik keek hem opnieuw aan. 'Ik zal nooit kinderen krijgen,' zei ik. 'Ik zou ze dolgraag willen hebben, maar dat gaat helaas niet. Ik kan geen kinderen krijgen.' Die woorden waren nooit eerder over mijn lippen gekomen, ze waren nooit als donkere wolken in de lucht blijven hangen. Nu ik het had gezegd, was het allemaal nog tastbaarder geworden. Blijvend. *Waar.* Ik had de waarheid nooit onder ogen willen zien, daarom had ik het nooit hardop gezegd.

Een geschrokken blik flitste over Kyles gezicht en maakte korte metten met alle zelfvoldaanheid. Hij zag er ineens onbehaaglijk uit. Nu wist hij hoe het voelde als een vreemde je veel te intieme bijzonderheden voorschotelde. 'O,' zei hij. Ik zag dat hij zich moest inhouden om niet naar de plek te kijken waar mijn 'bolle buikje' zou moeten zitten. Maar hij kon wel de moed opbrengen om 'waarom niet?' te vragen.

'Omdat ik ontzettend stom ben geweest en iemand ten onrechte heb vertrouwd. Uiteindelijk kreeg ik een eileiderontsteking, en omdat die niet tijdig is behandeld, kreeg ik te horen... Nou ja, waar het op neerkwam, is dat ik geen kinderen kan krijgen.'

Littekenweefsel, onherstelbare schade, momenteel valt daar nog niets aan te doen. Losse opmerkingen die door mijn hoofd tolden. Het enige wat me was bijgebleven van het gesprek met de chirurg na de kijkoperatie. Ik kan me de donkere, zwaarmoedige ogen onder het groene papieren kapje herinneren en die woorden. Verder niets.

Het medelijden straalde van Kyles gezicht af, het zat verstopt tussen zijn kraaienpootjes, in de groeven rond zijn mond en in de zwarte pupillen van zijn mahoniekleurige ogen. *Brrr.* Ik hoefde zijn medelijden niet te zien en niet te voelen ook.

'Enfin, waar het dus op neerkomt, is dat jij de flat hebt verhuurd aan een misbaksel,' zei ik in een poging om het schouderophalend af te doen. 'Maar maak je niet ongerust, het is niet besmettelijk, hoor.' Ik liep al naar de deur voordat ik uitgesproken was, in een poging om Kyles medelijden en de rest van dit gesprek te ontlopen. 'Alles is inmiddels opgelost,' vervolgde ik, toen ik bij de deur was. 'Maar nu moet ik als een haas terug naar mijn werk. Dag jongens, tot gauw!' riep ik voordat ik de benen nam.

Kyle kreeg me te pakken toen ik het portier opentrok. 'Kendra,' zei hij, terwijl hij het aan de bovenkant vastpakte om te voorkomen dat ik meteen op de vlucht sloeg. 'Heb je zin om vanavond te komen eten?'

Ik staarde naar zijn handen die het portier omklemd hielden. Grote handen met lange vingers, die me aan de handen van de kinderen deden denken, maar dan zonder inkt- of verfvlekken en met afgekloven nagels en kapotte nagelriemen.

'Ik zal de kinderen eerst te eten geven en zelf wachten tot jij thuiskomt, zodat wij aan tafel kunnen als zij naar bed zijn. Dan kunnen we daarna tv kijken, praten of gezellig naar muziek luisteren. Hou je van Sarah McLachlan?'

Ik knikte behoedzaam, nog steeds zonder hem aan te kijken. Ik wilde dat medelijden niet meer zien.

'Ik heb al haar platen, maar ik draai ze eigenlijk nooit. Ashlyn hield er niet van en de kinderen deden altijd net alsof ik ze martelde. En je vertelt ook niet zo gauw aan anderen dat je van meidenmuziek houdt. Wat denk je ervan? Ik zal zelfs koffie voor je zetten.'

Het klonk heel verleidelijk, maar vroeg hij dit nu alleen omdat hij medelijden met me had vanwege die nutteloze baarmoeder? Ik keek op, maar in plaats van naar hem, staarde ik naar de keurige rij huizen die zich naar Tennant Road in de verte slingerde.

'Het genoegen is geheel aan mijn kant, hoor,' verzekerde hij me. 'Het zal een hele opluchting zijn om eens een volwassen gesprek te kunnen voeren dat niet neerkomt op "Ja, ik kan wel een manier verzinnen om die aanbouw van zestig meter voor een tientje in uw drie meter lange achtertuin neer te zetten".'

Toen ik over Kyles schouder keek, zag ik ineens Zij van Hiernaast. Haar dunne wenkbrauwen schoten bijna van haar gezicht af toen ze zag hoe dicht Kyle en ik bij de auto naast elkaar stonden. Meteen daarna verscheen er een 'Zie je wel!'-uitdrukking om haar mond. Ze hees haar schoudertas op en schuifelde snel de straat uit. Ongetwijfeld op weg naar de buurtwinkel om iedereen te vertellen dat ik Kyle echt het hoofd op hol had gebracht. En dat terwijl hij nog maar net van zijn vrouw af was. Ze had toch gezegd dat ze vanaf het begin had geweten dat ik voor problemen zou zorgen?

'Oké,' zei ik tegen Kyle toen ik hem eindelijk aankeek. 'Ik kom naar je toe.'

Er verscheen een lieve, blije glimlach op zijn gezicht en ik vond het bijna niet erg meer dat hij me waarschijnlijk uit medelijden had uitgenodigd. 'Maar nu moet ik echt terug, voordat Gabrielle ontploft.'

'Geweldig,' zei Kyle en stapte achteruit.

Terwijl ik wegreed, zag ik dat Kyle op de stoep bleef staan en de auto nakeek tot ik aan het eind van de straat afsloeg.

Het etentje was heel gezellig.

Een prettige sfeer, lekker eten, dure wijn, boeiende gesprekspartners.

Ik was net weer met twee voeten op aarde beland na een reis richting onwerkelijkheid. Eerder op de dag was ik in het ziekenhuis geweest voor de uitslag van een laparoscopie. Ik had altijd ontzettend veel last van mijn menstruatie en zoveel pijn dat ik vaak in bed moest blijven. En omdat ze er al achter waren dat ik al jaren chlamydia had gehad zonder daarvoor behandeld te zijn, was de kijkoperatie de laatste stap om uit te vissen of ik ontstekingen in mijn buikholte had. Een week geleden hadden ze een piepklein cameraatje via een sneetje onder mijn navel ingebracht om te controleren of alles in orde was met mijn voortplantingsorganen. En eerder die dag zat ik in de spreekkamer van de chirurg, die mij tussen twee operaties door vertelde wat er aan de hand was. De uitslag: beide eileiders verstopt, een aanzienlijke hoeveelheid littekenweefsel op de eierstokken en in de baarmoeder, momenteel niets aan te doen. Volledige onvruchtbaarheid. 'Maar de medische wetenschap staat niet stil, misschien dat er in de toekomst wel een oplossing wordt gevonden.' Al die dingen wist ik alleen omdat ik de schriftelijke uitslag gelezen had. Na mijn gesprek met de dokter was ik bijna ongemerkt in een shocktoestand geraakt en had me in mezelf teruggetrokken, op een plekje waar niets aan de hand was en al die dingen niet waren gebeurd. Ik moet afscheid hebben genomen van de chirurg, mijn tas hebben gepakt en teruggegaan zijn naar mijn flat. Ik zal onderweg ook wel met mensen hebben gepraat, maar daar is me helemaal niets van bijgebleven.

Het eerste dat ik me weer herinner, is dat ik samen met Gabrielle in een taxi zat, op weg naar een etentje waarbij ik als haar partner zou optreden. Ze had me wel verteld dat zij en haar man, Ted, moeilijkheden hadden en dat ze niet meer samen uitgingen, maar het was niet tot me doorgedrongen dat dat wel heel zacht was uitgedrukt en dat een scheiding in feite onontkoombaar was. Achter in de donkere taxi werden we allebei overstelpt door de wending die ons leven had genomen, maar we hadden geen flauw idee dat we het allebei even moeilijk hadden.

En nu zat ik aan tafel en deed net alsof er niets aan de hand was. En alsof ik niet precies wist waarmee deze ellende was begonnen. Ik was altijd zo voorzichtig geweest, op het paranoïde af. Ik wilde alleen veilig vrijen, aangezien ik absoluut niet per ongeluk zwanger wilde worden, en dus had ik er áltijd voor gezorgd dat er niets kon gebeuren, behalve die ene keer dat ik chlamydia had opgelopen. Ik was maar één keer zo stom geweest, ik had maar één keer de verkeerde persoon vertrouwd...

Ik schoof mijn stoel achteruit en vluchtte naar het toilet. Ik liet koud water over mijn polsen lopen en depte mijn hals ermee om mijn kalmte te hervinden. Ik dwong mezelf om in de spiegel te kijken en mezelf diep in de ogen te staren.

Je bent ongetrouwd, zei ik tegen mijn spiegelbeeld. *Het is niet zo dat je per se zwanger wilde worden. Of dat je de man van je dromen hebt ontmoet en een kind van hem wilt. Zet het voor vanavond gewoon uit je hoofd. Leef van dag tot dag. Kijk niet vooruit. Je wilt nu alleen maar kinderen omdat iemand je heeft verteld dat je die nooit zult kunnen krijgen.* Ik draaide de kraan dicht en droogde mijn handen af. *Denk nou eens goed na. Wat zou je op dit moment met een kind moeten beginnen?*

Toen ik weer aan tafel ging zitten, nam ik een slokje wijn. Het gleed door mijn keel naar binnen en verwarmde me, waardoor de angst zijn greep op me verloor. Als ik niet verder vooruitkeek, kon ik dit best aan.

'Ik moet jullie iets vertellen,' zei onze gastvrouw ineens door het geroezemoes heen. Mijn ogen dwaalden naar haar glas... water. Ik bestudeerde haar gezicht: een rozige huid met een haast onzichtbaar groen tintje, glanzende ogen, dik, glanzend haar. *Ze is zwanger,* schoot me door het hoofd. Ineens drong tot me door dat zij iets meemaakte wat mij nooit zou overkomen. Zij zou straks een kus drukken op het zachte hoofdje van haar pasgeboren baby, zij zou zijn of haar handje vastpakken en elk rimpeltje en lijntje in haar hoofd proberen te prenten, zij zou genieten van de zachte geur van melk, huid en baby, zij zou naar haar kind kunnen kijken en denken: Kijk nou eens wat ik heb geproduceerd. Het was alsof iemand een kussen in mijn gezicht drukte en me probeerde te verstikken. Ik snakte naar zuurstof en vanbinnen kromp ik samen van verdriet, alsof mijn inwendige organen klem zaten in een bankschroef die steeds vaster werd aangedraaid. Ik kende die vriendin van Gabrielle nauwelijks, maar ik werd verteerd door jaloezie. Zij kreeg een baby.

'Ik ben in verwachting,' zei ze en samen met alle andere vrouwen aan tafel rende ik naar haar toe om haar te omhelzen en van alles te vragen. Ondanks alles was ik ontzettend blij voor haar, maar tegelijkertijd voelde ik mezelf ook ontzettend bedrogen. Het waren twee tegenstrijdige emoties die na verloop van tijd steeds sterker en nadrukkelijker werden.

En ik zag ze overal. Moeders. Dat kwam waarschijnlijk omdat ze me nu pas opvielen, maar overal waar ik kwam, zag ik vrouwen met een dikke buik, vrouwen met kinderwagens, vrouwen die met hun kinderen speelden, vrouwen die samen met hun kinderen winkelden, vrouwen die hun kroost naar school brachten, vrouwen die tegen hun kinderen tekeergingen en vrouwen die hun best deden om zich niets aan te trekken van driftaanvallen. In winkels, in het verkeer, in bussen, in treinen en op straat zag ik vrouwen die net zo waren als ik, op die ene uitzondering na. En ik werd er stapelgek van. Ik misgunde niemand het recht om kinderen te krijgen, maar het deed wel pijn. Veel erger dan ik ooit zal kunnen beschrijven. En het herinnerde me constant aan die ene fatale fout die ik had gemaakt.

Toen besloot ik om ergens anders een nieuw leven te beginnen.

En dat kon net zo goed in Australië, want daarvoor kon ik vrij gemakkelijk een visum krijgen, er werd (min of meer) Engels gesproken en ik hoefde geen wagonlading injecties te halen.

Ja, daar waren ook kinderen, maar die kende ik ten minste niet. Daar hoefde ik niet mee te maken hoe mijn vriendinnen zwanger raakten en een gezin begonnen. Ik zou niet met mijn neefjes en nichtjes hoeven te spelen in de wetenschap dat de familie van mijn kant niet uitgebreid zou worden. Als ik die stap had genomen en aan de andere kant van de wereld zat, zou ik mezelf langzaam maar zeker weer kunnen hervinden.

Maandenlang was ik zo druk in de weer met het zoeken naar een woonplaats, het vinden van een baan, het wennen aan de Australische manier van leven, te besluiten of ik iemand zou vragen om borg voor me te staan zodat ik langer dan drie maanden op dezelfde plaats kon blijven werken en de nieuwe baan die ik uiteindelijk vond, dat ik nergens meer aan dacht. Het raakte op de achtergrond. Ik kon het negeren en mijn leven weer oppakken. En toen werd ik verliefd.

Ik parkeerde de auto voorzichtig ergens achter Brockingham High Street waar ik meestal wel een plekje vond en zette de motor uit. Het zat me nog steeds dwars dat ik Kyle zoiets intiems over mezelf had verteld. Ik was er nooit eerder over begonnen. Het zijn geen dingen die je aan de grote klok hangt en mensen vragen er ook meestal niet naar.

Nou ja, besloot ik terwijl ik de auto met behulp van de afstandsbediening op slot deed, *waarschijnlijk komt het goed uit. Nu hij zoiets persoonlijks van mij weet, kan ik ook wel proberen of hij iets meer kwijt wil over zijn vrouw, zonder meteen het gevoel te krijgen dat ik me op verboden terrein bevind.*

Dertien

Ik raakte een tikje geobsedeerd over wat er nou precies mis was met mevrouw Gadsborough.

Aanvankelijk was ik tot de conclusie gekomen dat ze in de terminale fase van een nare ziekte zat en was weggegaan omdat ze zo'n nobele en zorgzame moeder was, die haar kinderen het verdriet van haar overlijden wilde besparen. Maar toen ik nog eens goed nadacht, besefte ik dat alleen achttiende-eeuwse ontdekkingsreizigers en bejaarde Eskimo's dat soort gedrag vertoonden. Bovendien wilde ze nog steeds dat de kinderen naar haar toe kwamen, waardoor ze constant met Kyle overhoop lag.

Daarna klopte ik aan bij Gabrielle, een ervaren hulpverlener die parttime een studie traumapsychologie volgde. We hadden de hele zaak doorgesproken en naar aanleiding van de minieme informatie die ik haar kon geven had ze gezegd dat het een bepaalde vorm van depressie kon zijn. Een bipolaire stoornis, wat meteen de wisselende stemmingen zou verklaren. Maar het kon ook een niet-behandelde postnatale depressie zijn, zei ze, want dat werd alleen maar erger als er niets aan gedaan werd. En dat zou ook verklaren waarom ze per se weg wilde, in ieder geval voor een tijdje. Of het was een gewone depressie waarvoor ze niet de juiste medicijnen had gekregen of die niet goed werd begeleid. Die kon ook allerlei gedragsstoornissen teweegbrengen, vooral als ze bijvoorbeeld alcohol gebruikte in combinatie met bepaalde medicijnen.

Allemaal heel plausibele theorieën, en ik had me al bijna de hele avond zitten afvragen hoe ik daar met Kyle over moest beginnen.

Hij had een pittige lamsvleesschotel gemaakt, die we aan de keukentafel opgegeten hadden. Ik had afgewassen en hij had koffie gezet voordat we in de woonkamer waren gaan zitten, waar ik mezelf in een fauteuil had genesteld met mijn benen over een van de armleuningen en mijn hoofd op de andere. Kyle had erom moeten lachen.

'Zo zitten de kinderen ook altijd,' zei hij.

'Goh,' zei ik onschuldig. Het leek me verstandig om hem maar niet te vertellen dat we niet alleen vaak zo zaten, maar ook huppelend en lachend krijgertje speelden over de banken en de fauteuils.

Ondanks de beide banken, de twee fauteuils en de stoelen die achter ons bij de eettafel stonden, gaf Kyle er de voorkeur aan om op de grond te zitten. Hij zat met zijn lange benen opgetrokken tegen zijn borst en zijn blote voeten plat op de vloer voor de bank waarop ik hem buiten westen had aangetroffen. Hij legde zijn armen op de zitting en leunde achterover met zijn hoofd.

Ik vroeg me opnieuw af wat er met al die flessen drank was gebeurd. Het was best mogelijk dat hij vroeger een zware drinker was geweest die zich weer een keertje had vergist, of het dreigement van de kinderbescherming had hem zoveel schrik aangejaagd dat hij de drank had afgezworen. Want voor zover ik wist, had hij zich niet opnieuw bedronken. Maar wat hij met die alcohol had gedaan was een raadsel.

Tot op dat moment hadden we het voornamelijk over architectuur, binnenhuisarchitectuur en huizenprijzen gehad. Hij had gevraagd wat voor werk ik deed en verteld hoe Summer en Jaxon het op school deden. En ondertussen had ik me constant zitten afvragen hoe ik over zijn vrouw zou kunnen beginnen.

Zoals beloofd had hij Sarah McLachlan opgezet, en de muziek paste perfect bij de ontspannen, vriendelijke en lome atmosfeer. Waarschijnlijk was hij inmiddels wel zover dat hij mijn vragen zou willen beantwoorden. Hij zat met gesloten ogen te luisteren, en een geschikter moment zou er niet komen.

'Eh...' begon ik.

'Goed,' zei hij op hetzelfde moment.

'O, sorry, ga verder,' zeiden we tegelijkertijd.

'Jij eerst,' zei Kyle terwijl hij naar me opkeek.

'Nee jij,' reageerde ik. *Ik kan er misschien beter straks over beginnen,* zei ik bij mezelf. *En misschien ben je gewoon een grote lafbek,* zei een ander inwendig stemmetje.

'Ik wilde alleen maar vragen of je in Australië vaak naar het strand ging,' zei Kyle.

'Nee, niet echt,' zei ik. 'Hooguit een paar keer. Ik ben zelfs maar één keer naar Bondi geweest. Ik ben eigenlijk niet zo'n strandliefhebber.'

'En toch ben je naar Australië verhuisd, een strandland bij uitstek.'

'Ik bedoel eigenlijk dat ik niet zo van zwemmen houd en ik doe ook niet aan watersport. Daardoor valt er weinig anders aan het strand te doen dan een beetje in de zon te liggen bakken of volleybal te spelen en daar hou ik ook niet van. En als ik heel eerlijk ben, vind ik het ook niet leuk om in een badpak rond te lopen.'

'Wacht even voordat je verder gaat,' viel Kyle me in de rede. 'Ik heb geen zin in zo'n domme vrouwenopmerking dat je daar te dik voor bent. Want dat is niet zo. Daar wil ik niet aan.'

'Ik denk helemaal niet dat ik te dik ben. Of te mager. Om eerlijk te zijn denk ik zelden aan dat soort dingen. Zelfs toen ik nog een stuk slanker was en maatje achtendertig had, liep ik niet graag in badpak. Ik vind het niet leuk om met mijn lichaam te koop te lopen. Een rokje net boven de knie gaat wat mij betreft ver genoeg. En zelfs dat draag ik zelden.' Mijn gewicht was nooit stabiel, maar dat interesseerde me nauwelijks. Ik was een vrouw met rondingen – erfelijk bepaalde rondingen – en ik had vrij grote borsten, een redelijk smal middel en slanke heupen. Iemand had zelfs een keer tegen me gezegd dat ik de meest volmaakte kont had die hij ooit had gezien. Maar omdat ik niet aan overgewicht leed, maakte ik me zelden dik over die dingen.

'Dan ben je wel bijzonder, want de meeste vrouwen maken zich druk over hun gewicht. Zelfs Ashlyn zat daar over in en dat is een spriet. Na de geboorte van de tweeling wilde ze zo snel mogelijk weer op haar oude gewicht komen. Ik heb haar zelfs in een telefoongesprek met haar moeder horen zeggen dat ik misschien wel genoeg van haar zou krijgen als ze niet snel weer haar oude figuur terugkreeg. Maar hoe zou ik nou genoeg kunnen krijgen van een vrouw die net mijn kinderen had gebaard, die net voor een wonder had gezorgd waardoor ik ineens vader was geworden?' Kyle schudde zijn hoofd. 'Ik zou nooit "genoeg van haar kunnen krijgen", tenminste niet op die manier.'

Dat was mijn kans, zeker omdat het onderwerp spontaan ter sprake was gekomen. Ik deed net mijn mond open, toen Kyle met een bezorgd gezicht opsprong. Het leek bijna alsof praten over zijn vrouw gedachten opriep waar hij geen behoefte aan had.

'Nog een kopje koffie?' vroeg hij.

Ik keek neer op het volle kopje in mijn handen. 'Eh... ja, doe maar.' Ik stak mijn witte mok uit en hij pakte hem aan. 'Ik help je wel even een handje,' zei ik. Als ik met hem meeliep naar de keuken konden we ons gesprek voortzetten en misschien bracht ik dan de moed op om opnieuw over haar te beginnen.

Maar door de manier waarop ik mezelf over de stoel had gedrapeerd was mijn rechterbeen gaan slapen, en toen Kyle zag dat ik worstelde om op te staan, zette hij de mokken neer. Hij hees me overeind zodat ik vlak voor hem kwam te staan.

Het werd even heel stil in de kamer toen hij op me neerkeek, recht in mijn ogen. De laatste keer dat we elkaar zo lang hadden aangekeken, was toen we aan de keukentafel hadden gezetten en ik hem de mantel uitveegde omdat hij zijn kinderen de stuipen op het lijf had gejaagd. Deze blik was veel liever. Vriendelijker. In een vrij korte tijd was er veel tussen ons veranderd.

Hij liet mijn handen los en ik glimlachte tegen hem voordat ik me omdraaide naar de deur. Ineens legde hij zijn hand onder mijn kin, boog zijn hoofd en kuste me. Zijn geur drong in mijn neus, zijn andere arm gleed om me heen en hij trok me tegen zich aan voordat zijn hand over mijn lichaam dwaalde. Zijn ogen zakten dicht en zijn tong drong in mijn mond. Het gebeurde zo snel en zo onverwacht, dat het even duurde voordat ik reageerde.

Ik zette mijn handen tegen zijn borst en duwde hem zo hard mogelijk weg.

'WAT DOE JE NOU, VERDOMME??' riep ik tegen hem terwijl hij achteruit struikelde. Ik wreef fanatiek met mijn hand over mijn mond om de afdruk die zijn lippen daarop hadden achtergelaten weg te halen.

Hij bleef een eindje van me af staan en keek me volslagen verward aan. 'Ik... ik dacht...' stamelde hij. Ineens viel me op hoe groot hij was. Hij torende zo boven me uit dat het onder deze omstandigheden zelfs een beetje dreigend aandeed. Ik deed nog een stapje achteruit, zodat ik buiten bereik was, en wierp een blik op de deur. Daar kon ik in een paar stappen zijn, als het per se moest. 'Ik... ik dacht,' stotterde hij opnieuw met een verbijsterd gezicht.

'WAT DACHT JE NOU?' schreeuwde ik, woest omdat hij niet onder woorden kon brengen waarom hij zoiets stoms had gedaan. Toen dacht ik ineens aan de kinderen die boven lagen te slapen en dempte mijn stem omdat ik hen niet bang wilde maken. 'Wat dacht je? Nou? Zeg op!'

'Ik dacht... Het was zo gezellig en we zaten met elkaar te praten...'

'Ja, te praten! Niet...' Ik wreef opnieuw over mijn mond omdat ik de smaak proefde van koffie die via zijn lippen in mijn mond terecht was gekomen. Ik hield niet van koffie. Ik dronk het nooit. Ik zei wel ja, als het me werd aangeboden, maar ik dronk het nooit op.

'Ik begrijp het niet... Ik dacht dat je wilde dat ik je kuste.'

'Wát? Waarom?'

Hij zei niets, maar bleef me verbijsterd aanstaren.

Ik haalde diep adem en probeerde kalm te blijven. 'Ik meen het, Kyle, waarom kreeg je die indruk?'

'We zaten te praten...'

'Ja, dat zei ik al. Te praten, niet te vrijen. Kus jij elke vrouw met wie je in gesprek raakt? Want in dat geval zul je bij de bank of in de supermarkt toch grote problemen krijgen.'

Kyle deed een stap vooruit en de schrik sloeg me om het hart. 'Blijf uit mijn buurt,' zei ik, terwijl ik mijn handen afwerend ophief. Hij bleef prompt staan en keek me met grote ogen aan.

'Ik snap er niets van,' zei Kyle. 'Ik dacht dat we het goed konden vinden. Je weet wel, dat we misschien... Ik snap het niet. Ik dacht dat je me aardig vond.'

Ik liep naar de deur. 'Ik vind je ook aardig, Kyle, maar ik vrij niet met elke vent die ik aardig vind. En helemaal niet als hij toevallig ook nog mijn huisbaas is en we alleen maar met elkaar hebben zitten praten. En ik in geen enkel opzicht heb laten blijken dat ik op die manier in hem geïnteresseerd ben.'

Op de achtergrond liet Sarah McLachlan haar stem zakken en begon ons hees te vertellen dat ze niet bang meer was, al haar angst was weg. Dat gold niet voor mij. Ik stond nog steeds te hijgen van schrik dat ik dit niet aan had zien komen.

Kyle wreef geërgerd over zijn hoofd. 'Het spijt me. Ik dacht dat er iets tussen ons was.'

'Dat er iets tussen ons was? Waarom dacht je dat?'

'Moet ik dat echt van a tot z uitleggen?'

'Ik ben bang van wel, Kyle, want ik heb geen flauw idee wat je bedoelt.'

Hij staarde met een troosteloze blik naar het vloerkleed. 'Je bent altijd zo behulpzaam. Je loopt in en uit, je kookt, je haalt de kinderen van school, je ruimt op...' Zijn stem ebde weg en hij keek langzaam op. 'Ik dacht...' De rest van de zin verdween weer, alsof hij niet wist hoe hij het uit moest leggen.

'Het viel me gewoon op dat je het moeilijk had, Kyle, en ik heb alleen maar geprobeerd om je te helpen, anders niet. En misschien had ik je dit wel eerder moeten vertellen, maar ik hou van iemand anders.' Ik legde even mijn hand op mijn hart voordat ik naar hem wees. 'Tussen jou en mij wordt het nooit iets. Helemaal nooit.' Hij reageerde niet. Hij was nog steeds verbijsterd, hij kon maar niet begrijpen waarom ik hem had afgewezen.

'Het lijkt me beter dat ik wegga,' zei ik, terwijl ik mijn spullen bij elkaar zocht. Mijn vest en mijn gestreepte sjaal die ik over een van de armleuningen had gegooid, mijn zwart met rode sandalen, die ik naast de bank had gezet en mijn handtasje met mijn portemonnee en mijn telefoon. Had Kyle uit het feit dat ik die dingen achteloos had uitgedaan en op mijn gemak was gaan zitten opgemaakt dat ik me voorbereidde op een avond vol passie?

'Tot ziens,' zei ik, terwijl ik met mijn spullen in mijn armen de deur uit liep. Ik nam niet eens de moeite om mijn schoenen aan te trekken, maar wipte op blote voeten het grasveld over en mijn flat binnen. Ik draaide de voordeur op slot en liep vervolgens een tikje bibberig naar boven, waar ik alles uit mijn handen liet vallen en op de bank neerplofte.

Maar ik kon niet stilzitten en sprong meteen weer op om nog steeds bibberig heen en weer te drentelen.

Hij dacht echt... Iedere keer als ik terugdacht aan de druk van zijn lippen op de mijne en zijn hand die over mijn lichaam dwaalde, welde een gevoel van misselijkheid in me op. *Hoe kon hij? Hoe kon hij?*

Ik ijsbeerde door de flat en wreef met mijn vlakke hand over mijn mond. Ik proefde nog steeds die koffiesmaak.

'Raak jij nooit gefrustreerd?' fluisterde de stem in mijn geheugen. *'Verlang jij nooit zo ontzettend naar iets dat je tot alles bereid bent om het te krijgen?'*

Ik moest van die koffiesmaak af. Ik liep naar de badkamer, pakte mijn tandenborstel en smeerde er wat tandpasta op. En zodra de borstel over mijn tanden gleed, drong de pepermuntsmaak mijn mond binnen. Ik spuugde het schuim uit.

Hij ligt leunend op zijn elleboog op me neer te kijken en wacht op antwoord. Ik kan mezelf horen ademhalen, vandaar dat ik weet dat ik nog in leven ben. Ik lig doodstil naar de haarlijnscheurtjes in het plafond te kijken, maar ik kan me niet bewegen. Ik voel niets. Maar ik hoor mezelf ademen. Met korte zuchtjes. Vandaar dat ik weet dat ik nog leef.

Ik deed opnieuw tandpasta op de tandenborstel en begon weer te poetsen. Mijn tandvlees, mijn tanden, mijn tong, mijn verhemelte en mijn lippen. Maar het hielp niet. Ik proefde nog steeds die naar koffie smakende kus. Ik legde de tandenborstel neer. Daar moest ik een eind aan maken.

Ik kleedde me snel uit en gooide al mijn kleren naast de wasmand op de vloer. Die zou ik later wel opruimen.

'Ben je nog van plan om je mond open te doen?' vraagt hij. 'Zeg iets tegen me, Kendra.' Hij steekt zijn lange vingers uit naar mijn voorhoofd, om een paar haartjes weg te strijken misschien, of om mijn voorhoofd te strelen, of gewoon alleen om me aan te raken. Ik krimp in elkaar. Uit angst. Omdat ik bang ben dat hij me pijn zal doen. Opnieuw.

Toen het warme water uit de douche mijn huid raakte, werd ik op slag kalmer. Maar ik wilde meer. Ik wilde vergetelheid. Iets dat de herinnering aan zijn lichaam tegen het mijne zou verdrijven. Mijn natte vingers glibberden over de heetwaterkraan die ik wijder open draai. De stoom sloeg af van het gloeiend hete water dat uit de douchekop stroomde. Het ranselde mijn huid, zo heet dat het me bijna verbrandde. Dat was beter. Louterend. Geruststellend. Mijn handpalmen werden rood en mijn huid begon te protesteren. Dit deed pijn. Ik werd verschroeid door de pijn van het hete water. Maar dat kon ik begrijpen. Fysieke pijn was iets dat elke andere vorm van pijn uitwiste. Iets waarop ik me kon concentreren.

Met bevende handen pakte ik het witte stuk zeep op en begon ermee over mijn lichaam te wrijven. Ik zeepte mezelf in om de paniek weg te wassen die Kyle had veroorzaakt. Dit zou vast helpen. Ik moest alle sporen verwijderen.

Maar de stem in mijn geheugen bleef fluisteren. *Ik dacht dat je dat wilde. Ik dacht dat je dat wilde.*

Veertien

'Kyle heeft me gisteravond gekust,' zei ik tegen Gabrielle.

Het had me bijna de hele ochtend gekost om genoeg moed te verzamelen om haar dat te vertellen, en nu waren we nog maar met ons tweetjes, omdat Janene een vrije dag had en Teri naar een klant toe was.

Ik zat ontzettend in over wat er was gebeurd en kon nergens anders aan denken. Het bleef maar door mijn hoofd spelen, terwijl ik mijn best deed om te begrijpen hoe hij zich zo had kunnen vergissen. In zekere zin wist ik best dat ik overdreef en dat ik me niet zo druk moest maken, maar was dat wel zo? Moest ik het niet meteen met wortel en tak uitroeien? Ik moest er gewoon met iemand over praten.

Gabrielle verstarde achter haar computer en draaide zich langzaam om. 'Ach ja, dat zat er natuurlijk dik in.'

'Wat?'

'Een gescheiden man, een aantrekkelijke alleenstaande vrouw, dan laat de seks meestal niet lang op zich wachten.'

Ik sloeg mijn armen afwerend over elkaar. 'Waarom? Omdat vrouwen nooit aan iets anders denken? Omdat ze alleen maar op zoek zijn naar een kerel?'

'Nee, helemaal niet.'

'Waarom zei je dat dan?'

'Waarschijnlijk omdat ik onwillekeurig merkte hoeveel tijd je doorbracht met Kyle en zijn gezin. En jullie raakten toch een beetje aan elkaar verknocht, dus ik ging ervan uit...'

'Dit was net zoiets als wanneer ik jou ineens zou gaan kussen.'

'Dat kun je niet met elkaar vergelijken,' zei Gabrielle.

'Hoe bedoel je?'

'Ik ben echt dol op je.'

Ze nam me niet serieus. En toch had ik verwacht dat ze het zou begrijpen, waarom weet ik niet. Gabrielle was zelden serieus. Zelfs in de aanloop naar en tijdens haar scheiding had ze grapjes gemaakt, zichzelf bespot en gelachen. In een zeldzaam moment van eerlijkheid was me wel opgevallen dat ze steeds meer make-up ging gebruiken om een gezond kleurtje te houden, dat het haar steeds meer moeite kostte om te glimlachen en dat haar ogen zo verdrietig stonden. Maar ze zat toch voornamelijk te giechelen en grapjes te maken. Alles was om te lachen. 'Want als je niet om jezelf kunt lachen,' zei ze vaak, 'wat heeft het dan nog voor zin?' Maar ik kon het niet hebben dat ze dat nu ook deed. Mijn lichaam was nog steeds gevoelig van de gloeiendhete douche die ik de avond ervoor had genomen en mijn hoofd voelde nog steeds aan alsof het als boksbal was gebruikt.

Ik richtte mijn aandacht weer op mijn computerscherm. 'Laat maar,' zei ik. 'Ik stel me aan. Ik had er niet over moeten beginnen.'

'Het spijt me, lieverd,' zei Gabrielle. 'Het was niet tot me doorgedrongen dat je er zo door van streek bent. Vertel maar wat er is gebeurd.'

'Ach, niets,' zei ik schouderophalend. 'Ik stel me gewoon aan.'

'Het was toch wel alleen maar een kus, hè?' vroeg ze plotseling ongerust. 'En verder niets?'

'Nee, verder niets. Vergeet het nou maar, ik stel me aan.'

'Heb je daarom al die kleren aan?' vroeg ze.

Al die kleren? Ik keek omlaag. Ik droeg een zwart hemdje met daarover een witte blouse, een dunne trui met een V-hals en een vest op een zwarte broek. Zo kleedde ik me altijd als ik naar mijn werk ging, elegant, maar niet in een mantelpakje. Ik trok het vest strak om me heen en sloeg mijn armen over elkaar. 'Waar heb je het over?'

'De mussen vallen van het dak en jij ziet eruit alsof het tien graden vriest.'

Ik lachte geforceerd, haalde mijn schouders op en keek weer naar mijn scherm. 'Je weet toch hoe ik ben, ik heb het altijd koud. Hoe vaak vraag ik niet of de verwarming hoger mag? Ik was vergeten hoe koud het hier kan zijn, zeker na Australië.'

'Australië,' herhaalde Gabrielle. 'Weet je dat dit de eerste keer is dat je er uit jezelf over begint? Ik zou er dolgraag iets meer over willen horen.'

'Over Australië? Ik wil niet over Australië praten,' antwoordde ik. Ik sloeg mijn adresboek open en bladerde het door op zoek naar een klant die ik zou kunnen bellen om te zien of ik wat opdrachten of een lunchafspraak los kon peuteren. Daarna pakte ik de telefoon op en begon een nummer in te toetsen. Gabrielle schoot achter haar bureau vandaan en stond in twee stappen naast me. Ze verbrak de verbinding, pakte de hoorn uit mijn hand en legde de telefoon zorgvuldig weer neer.

'Het spijt me dat ik zo luchtig deed,' zei ze. Ze was als een blad aan de boom omgedraaid. Nu klonk ze serieus en bezorgd. 'Vind je het een naar idee om vanavond naar huis te gaan en hem tegen het lijf te lopen?'

'Ik zei toch al dat ik me aanstelde.'

'Maar dat is niet zo. Als je er zo overstuur van bent, dan stel je je niet aan,' zei ze rustig. 'Vertel me nou maar wat er precies is gebeurd en waarom je daar zo ondersteboven van bent.'

Ik aarzelde. Het had al heel wat moed gekost om erover te beginnen en nu wist ik niet zeker meer of ik er nog wel over wilde praten. Maar ik moest met Kyle samenleven. Ik moest het voorval in perspectief plaatsen en dat kon ik alleen doen door erover te praten.

Langzaam en hakkelend vertelde ik haar in het kort wat er was gebeurd. 'Het was wat mij betrof een donderslag bij heldere hemel,' zei ik ten slotte. 'Ik heb hem nooit ook maar de geringste hint gegeven dat ik in hem geïnteresseerd ben. Waarom deed hij dat dan?'

'Misschien omdat hij je aardig vindt?'

'Hoezo? Hij kent me niet eens, we zijn nog nooit met elkaar uit geweest en we hebben ook nooit met elkaar geflirt. En ik ben echt niet van plan om alleen maar iets met hem te beginnen omdat we allebei vrij zijn.'

'Hij zal het vast niet slecht bedoeld hebben.'

'Dat weet ik wel, maar hoe kan ik hierna nou gewoon tegen hem doen? Nu ga ik me constant afvragen of hij het weer zal doen.'

'Ach, lieverd, we halen allemaal wel eens een stomme streek uit. Volgens mij schaamt hij zich nu dood. En als jij maar gewoon in jezelf blijft geloven, zul je instinctief weten of hij iets van plan is. We leren allemaal dat we ons beleefd en vriendelijk moeten gedragen en we willen allemaal dat iedereen ons aardig vindt, maar als je je in zijn gezelschap ook maar een tikje onbehaaglijk voelt, dan weet je dat je hem moet vermijden. Dan moet je hem als een baksteen laten vallen. Had je dat gevoel bij Kyle?'

'Ik ben daarna halsoverkop weggerend, dus ik weet niet wat ik voelde.'

'Nou ja, als je van plan bent om zo dicht bij hem in de buurt te blijven wonen, zul je wel met hem moeten praten om daar achter te komen.'

We hoorden de herrie vanaf de straat de trap naar het kantoor op komen.

Voetstappen, luid gekwebbel, dingen die vielen en kletterend op de brede trap terechtkwamen. Met iedere stap werd het lawaai groter en we verwachten half en half dat er een groep circusartiesten naar binnen zou stormen als de deur openvloog. Toen de deur daadwerkelijk openging, kwam mijn eigen circustroep binnenvallen, met Jaxon voorop. Hij droeg zijn donkergrijze broek, waar zijn blauwe overhemd half uit hing en zijn donkerblauwe das met gele en witte strepen hing scheef om het bovenste, openstaande knoopje. Zoals gewoonlijk had hij een van zijn broekspijpen in een sok gepropt en de andere sok slobberde om zijn enkel. Hij had een streep van een groene viltstift op zijn wang en groene verf op zijn vingers. Ik stond er altijd weer van te kijken dat zo'n rustig knulletje binnen korte tijd zo'n puinhoop van zichzelf kon maken.

Hij werd op de voet gevolgd door Summer. Ze had het donkergrijze plooirokje van haar schooluniform aan, met hetzelfde overhemd en dezelfde gestreepte das als Jaxon, maar zij zag er nog steeds vrij netjes uit hoewel haar haar (in twee staartjes, zoals ik Kyle zelf had geleerd) in pieken rond haar hoofd sliertte. Haar sokken hingen ook op halfelf. Ze hadden kennelijk allebei een zware dag achter de rug.

In hun kielzog volgde Kyle, met een kleurige rugzak over zijn schouder en een tweede exemplaar in zijn armen, samen met twee donkerblauwe blazers en twee donkerblauwe truien. Helemaal boven op de stapel stond een sportschoen, die kennelijk uit de rugzak aan zijn schouder was gevallen, aangezien het tweede exemplaar nog aan een schoenveter aan de tas bungelde.

Hij was bleek en zag er aarzelend uit, met een betrokken gezicht en ogen die onzeker om zich heen keken. Het duurde even voordat hij over de drempel stapte. Het was kennelijk niet zijn idee geweest om hierheen te komen.

'KENDIE!' blèrde Summer terwijl ze langs Jaxon heen stapte, naar me toe rende, haar armen om mijn middel sloeg en haar hoofd zo hard tegen mijn middenrif ramde dat ik even naar adem snakte. Ze deed alsof ze me in geen jaren had gezien in plaats van gisteravond vlak voordat ze naar bed ging. Godzijdank was het een rustige dinsdagmiddag en waren er geen uitzendkrachten of klanten op ons kantoor.

'Ik heb je gemist,' deelde ze mee toen ik haar wegtrok en me bukte om haar de kans te geven al even enthousiast haar armen om mijn nek te slaan. Jaxon bleef bij zijn vader staan tot ik hem aankeek en hem zwijgend uitnodigde om ook naar me toe te komen voor een knuffel. Hij kwam op zijn gewone schuifelende manier naar me toe, sloeg zijn arm om m'n nek en klemde me stevig vast. Ik haalde diep adem en snoof hun geur op. Ze roken naar school en een dag gevuld met schilderen, lezen, rondrennen en buitenspelen.

Na de korte knuffel van Jaxon – het was niet nodig om demonstratief te zijn, ik wist inmiddels wel dat hij me lief vond – richtte ik me op en keek waar Summer was gebleven.

Ze zat aan de andere kant van het vertrek in Gabrielles stoel met bungelende benen en de handen op de armleuningen aan Gabrielle uit te leggen dat een zwart nietapparaat altijd beter werkte dan een blauw, omdat zwarte dingen altijd beter waren. Ze klonk alsof ze nauwelijks kon geloven dat iemand van Gabrielles leeftijd daar nog altijd niet achter was gekomen. Jaxon, die zijn aan de weg timmerende zusje altijd achterna liep, sloot zich bij hen aan. Onderweg pikte hij achteloos het bordeauxrode nietapparaat mee dat op mijn bureau stond. En dus bleef ik min of meer alleen met Kyle.

Mijn hart begon drie keer zo snel te kloppen, en toen ik me omdraaide om hem aan te kijken bruiste het bloed in mijn oren alsof het de stroomversnellingen in een wildwaterrivier waren. Ik moest meteen weer aan de avond ervoor denken, aan zijn tong die mijn mond binnendrong, zijn hand tegen mijn gezicht, zijn lichaam dat veel te dichtbij was en de smaak van koffie. Ik huiverde en Kyle zag de rilling die over mijn rug liep. Hij wist waaraan ik dacht en de ongerustheid die al uit zijn ogen, zijn strakke mond en zijn stramme lichaam sprak, nam nog eens toe en werd bijna voelbaar. Ik wendde mijn ogen af omdat ik hem niet aan kon kijken.

'Eh... Summer wilde per se langskomen. Ze heeft je horloge gevonden...' Hij stond te stotteren als een schooljongetje dat zijn huiswerk niet had gemaakt. 'Dat had je volgens mij gisteravond laten liggen.'

Ik voelde gewoon dat Gabrielle met een ruk opkeek. Wij als volwassenen wisten heel goed dat die opmerking had geklonken alsof ik mijn horloge in zijn slaapkamer had achtergelaten, in plaats van na de afwas op het aanrecht. *Jezus, wat doet die man me aan?*

Kyle wierp een haastige blik op Gabrielle, zag hoe ze hem aankeek en verbleekte toen hij besefte wat hij had gezegd. Meteen daarna werd zijn gezicht vuurrood.

Nee echt, wat doet die man me aan?

Gabrielle richtte haar aandacht weer op Summer en Jaxon.

'Wie wil er een lolly?' vroeg ze om de spanning te verdrijven.

'Een ijslolly?' vroeg Summer.

'Nee, gewoon een snoeplolly,' antwoordde Gabrielle.

'Dan moet je dat wel zeggen,' merkte Summer verontwaardigd op. Ze hield niet van mensen die zich niet duidelijk uitdrukten.

'Maar in Australië noemen we snoeplolly's ook gewoon lolly's.'

Summer en Jaxon zetten grote ogen op. 'Kom jij ook uit Australië?' vroeg Summer opgewonden. 'Net als Kendie?'

'Nee, niet als Kendie. Kendie is maar een namaak-Australiër. Ik ben een echte. Ik ben daar geboren en opgegroeid. Wat zouden jullie ervan zeggen als wij eens samen een lolly gingen kopen? Dan kan ik jullie er alles over vertellen.'

'Oké,' zei Jaxon. 'Garvo wil ook wel weten hoe dat zit.' We draaiden ons alle drie – Summer, Kyle en ik – met een ruk om en keken hem aan. Hij zei nóóit iets tegen vreemden. Hij beantwoordde onze blikken alsof wij degenen waren die iets ongewoons hadden gedaan.

'Dat is toch wel goed, hè?' vroeg Gabrielle aan Kyle. 'De winkel zit maar twee deuren verderop en we komen meteen terug.'

Kyle vond kennelijk dat Gabrielle er wel betrouwbaar uitzag, want hij antwoordde: 'Ja, hoor,' en maakte een beweging alsof hij zijn portemonnee wou pakken.

'Laat maar,' zei Gabrielle. 'Ik trakteer.' Ze pakte haar imitatie Louis Vuitton-portefeuille en dreef de kinderen voor zich uit naar de deur.

Zodra die achter hen was dichtgevallen, liep ik terug naar mijn bureau. Ik had behoefte aan bescherming, iets tastbaars waarachter ik me kon verschuilen en dat ervoor zou zorgen dat er geen misverstand kon ontstaan. Tegelijkertijd deed Kyle een stapje achteruit, ten teken dat hij zich precies zo voelde.

'Kend... Mevrouw Tam...' begon hij. 'Hoor eens, het spijt me echt. Ik was... ik denk dat ik een beetje... Natuurlijk is dat geen excuus, maar ik wou alleen maar... En het was... Dat wil zeggen...'

Ik zat Kyle aan te kijken en vroeg me af of hij in de gaten had dat hij nog geen zin had afgemaakt. En dat wat hij had gezegd alleen maar geraaskal was.

'Je begrijpt toch wel wat ik bedoel, hè?' zei hij bijna snakkend naar adem na die monoloog. De behoefte aan begrip, geloof en vergiffenis straalde uit zijn ogen.

'Eerlijk gezegd, nee, want je hebt nog niets gezegd,' zei ik met een stem waarmee je een diamant had kunnen klieven.

Kyles houding veranderde. Subtiel maar duidelijk waarneembaar. Hij richtte zich iets op, zijn ogen werden wat harder en zijn stem klonk koel en afstandelijk toen hij zei: 'Ik heb de toestand gewoon verkeerd ingeschat. Maar dat had iedereen kunnen overkomen. Omdat we allebei vrij zijn, dacht ik dat we misschien... Je weet wel, samen... We geven allebei heel veel om de kinderen en er zijn wel mindere aanleidingen voor een relatie geweest.'

'Een relátie?' herhaalde ik ongelovig. 'Dus je wilde niet alleen maar... Je wilde een relátie?'

Hij haalde zijn schouders op en besloot kennelijk dat alles wat hij zei tegen hem gebruikt kon worden, dus dat het beter was om zijn mond te houden.

'Kyle, denk je niet dat je al genoeg problemen hebt met je vrouw om ook nog eens een relatie te beginnen met iemand die je helemaal niet kent?' Ik schudde vol ongeloof mijn hoofd.

'Hoor eens, Kendra,' zei hij op een toon die zonder dat hij er moeite voor hoefde te doen van kil in hard veranderde. 'Omdat ik nou toevallig een ontzettend stomme streek heb uitgehaald – en het begint me steeds duidelijker te worden hoe stom ik ben geweest – hoef je nog niet te doen alsof ik niet goed wijs ben.'

Hij had groot gelijk. Als iemand stomme streken uithaalde, betekende dat nog niet dat hij niet goed wijs was. Zelfs verstandige en nuchtere mensen konden ongelooflijke stommiteiten uithalen. Zoals ik. Waarom had ik vriendschap gesloten met het gezin Gadsborough? Vanwege Summer en Jaxon. Omdat ik dacht dat ze me nodig hadden. Omdat ik geloofde dat ik alles wat ik had gedaan weer recht zou kunnen zetten door voor hen te zorgen. Dat zou mijn boetedoening zijn, mijn eerste stap op het pad naar vergiffenis. De compensatie voor het gezin dat mede door mijn toedoen kapot was gemaakt. Als ik goed voor Summer en Jaxon zorgde, zou dat mijn verlossing zijn. Ontzettend stom, maar dat zei ik al.

'Het spijt me,' zei Kyle zacht. Het klonk bijna als een spijtige zucht. 'Echt waar. Het zal niet weer gebeuren. Maar je weet toch wel dat ik je ontzettend prettig gezelschap vind, hè? Niet alleen vanwege de kinderen. Gewoon, als vriendin. Ik heb in geen tijden een vriendin gehad, in ieder geval niet meer nadat ik trouwde. Collega's wel, maar geen vriendin. Daarom sloeg ik de plank volkomen mis. Maar ik zou graag vrienden willen blijven. Alleen maar vrienden, anders niets. Kunnen we dat niet proberen?'

Ik moest ineens denken aan wat Gabrielle had gezegd. Gaf hij me een onbehaaglijk gevoel? Ook maar een tikje? Ik wist uit ervaring dat iemands uiterlijk misleidend kan zijn en dat je niet altijd krijgt wat je ziet, maar hij joeg me absoluut geen angst aan. Niet in het minst. Ik had niet gewild dat hij me kuste, maar er was geen inwendig stemmetje en geen raar gevoel om me te waarschuwen dat ik hem niet kon vertrouwen.

'Geen gedonder meer?' vroeg ik, hoewel ik allang wist dat ik elke situatie zou vermijden waarin sprake zou kunnen zijn van 'gedonder'.

We zouden vrienden zijn, maar het zou heel lang duren voordat ik weer bereid was om alleen met hem te zijn.

'Geen denken aan,' antwoordde hij, en glimlachte. Op die manier had hij ook op de dag dat hij terugkwam van vakantie tegen me gelachen en me zover gekregen dat ik binnenkwam om samen met hen te ontbijten. De glimlach waarmee deze hele toestand in feite was begonnen.

'Oké,' zei ik. 'Ik wil best goeie maatjes met je blijven.'

Kyles glimlach werd breder en ik herkende Summer in de manier waarop hij zijn ogen dichtkneep en Jaxon in de vorm van zijn mond. Ze hadden de vorm van hun gezicht kennelijk van hun moeder geërfd, maar op dit soort momenten was het overduidelijk dat ze ook trekjes van hun vader hadden gekregen.

'Ga je met ons mee naar huis?' vroeg Summer, toen ze een paar seconden later binnenkwam. Ze hield zich vast aan de deurkruk en zwierde heen en weer, met een ongeopende zak snoepjes in haar andere hand. Jaxon en Gabrielle schuifelden langs haar heen naar binnen. Ze zagen er allemaal schuldig uit. Kennelijk was het niet bij die ene zak snoepgoed gebleven, want Jaxons tong was helemaal blauw.

'Nee, ik ben nog niet klaar.' Ik wilde ze de komende paar uur niet zien.

Kyles ogen schoten van Summer via Jaxon naar Gabrielle, die weer achter haar bureau was gaan zitten en al haar aandacht nodig had om haar portefeuille weer in haar tas te stoppen. Het drong langzaam tot hem door dat de kinderen zo vol suiker zaten dat ze de rest van de middag vast gingen stuiteren.

'Weet je zeker dat je nog niet mee kunt?' vroeg hij wanhopig.

'Heel zeker,' antwoordde ik terwijl ik een van de blazers die hij had laten vallen oppakte en weer op de stapel in zijn armen legde. Daarna liep ik naar Summer toe. 'Ik zie je straks wel,' zei ik terwijl ik de zijdezachte zwarte haarslierten uit haar gezicht streek en een kus op haar bezwete voorhoofd drukte. Daarna ging ik naar Jaxon toe. 'Ik zie je straks.' Ik drukte een kus op zijn voorhoofd. Vervolgens keek ik Kyle aan en zei: 'Tot straks.'

'Krijgt papa geen kusje van je?' vroeg Summer, waardoor Kyle weer tot aan zijn oren bloosde.

‘Nee, papa’s krijgen nooit kusjes van me,’ zei ik tegen haar en ik deed net alsof het zwijgen van de volwassenen me ontging.

Gabrielle begon theatraal te kuchen, een lawaaierige reactie waarin het woordje ‘gelul’ duidelijk hoorbaar verweven zat.

‘Kom op, jongens, dan gaan we ervandoor,’ zei Kyle. Het circus blies de aftocht terwijl Kyle ‘leuk dat ik je ontmoet heb’ tegen Gabrielle riep en ‘tot straks’ tegen mij. De deur viel achter hen dicht en hun vertrek ging met dezelfde herrie gepaard als hun aankomst.

Pas tien minuten later drong het tot me door dat ik mijn horloge niet had teruggekregen. Waaruit ik kon opmaken dat het binnen niet al te lange tijd de pols van Summer zou sieren.

Zachtgekookte eieren & bokkingen

Vijftien

'We gaan niet op zaterdag met de auto naar het centrum van Londen,' zei ik. 'Niet terwijl er een prima spoornet ligt.' Ik wees door het raam vaag in de richting van waar volgens mij het station lag.

Mijn huisbaas keek me met opgetrokken wenkbrauwen aan.

'Nou goed dan, niet zolang er een trein in die richting rijdt,' verbeterde ik. 'Als we vandaag met de auto naar Londen gaan, kunnen we net zo goed naar Hamburg vliegen, want dat gaat sneller.'

'Naar Hamburg?' herhaalde hij.

'Je weet best wat ik bedoel. Ik weet niet waarom je geen gebruik wenst te maken van het openbaar vervoer, maar dat is gewoon dom. Vooral omdat we samen met de kinderen de stad in willen. Heb je wel eens van opstoppingen gehoord? En heb je wel eens geprobeerd om daar ergens te parkeren? Je moet bijna een tweede hypotheek nemen om je die tarieven te kunnen veroorloven. Laten we nou maar gewoon de trein nemen.'

Summer en Jaxon zaten op de bank, klaar voor ons tochtje naar het British Museum. Ze hadden allebei hun kleurige rugzak om, waarin voor allebei een flesje water, fruit, een zakje chips, een sjaal, een muts, handschoenen, een regenjack, kleurboeken, viltstiften en een leesboek zaten. Jackson had de waterbak voor Garvo ook ingepakt en Summer had Huppeltje meegenomen. Hun spijkerjacks waren dichtgeknoopt. Ik was ook klaar, met een rugzak vol dingen die we nodig zouden hebben. Het was hun vader die voor vertraging zorgde. De man met de afkeer van het openbaar vervoer.

Kyle keek nadenkend en met een bezorgd gezicht naar zijn kinderen. Het was duidelijk dat hij echt problemen had met het openbaar vervoer en dat het niet alleen een kwestie van snobisme of een eigenaardig karaktertrekje was. 'Wat zou je zeggen van de gulden middenweg?' zei hij. 'Ik rijd naar een station ergens in de buurt van het centrum en dan stappen we daar op de trein.'

Het bleef behelpen, maar ik had het gevoel dat hij een enorme concessie had gedaan en een gegeven paard moet je niet in de bek kijken. 'Afgesproken.'

'Gaan we dan nu?' vroeg Summer, met een gezicht alsof ze al eerder op het punt had gestaan om een avontuur te beleven, een avontuur dat nooit was doorgegaan.

'Ja, in zekere zin wel,' antwoordde ik.

'Echt waar?' vroeg Jaxon ongelovig.

'Ja, tenzij jullie geen zin meer hebben,' zei ik.

Tegelijk, zoals Jaxon en Summer vrijwel alles samen leken te doen, sprongen ze op van de bank. 'Jawel!' riepen ze uit. 'Ja, hoor!'

'Ik ga mijn jas aantrekken,' zei Kyle.

Natuurlijk gebeurde er niets bijzonders tijdens de tocht naar Londen. Jaxon, die dol was op stoomtreinen, was al bij voorbaat opgewonden. Hij had nog nooit in een trein gezeten. Ik werd gewoon bang dat hij zou flauwvallen, omdat hij van top tot teen trilde en zich steeds bukte om van alles in Garvo's oor te fluisteren. Summer maakte zich niet druk over de treinreis, zij was al blij omdat we Brockingham achter ons lieten.

Ze zaten tegenover elkaar en staarden vol ontzag uit het raampje. Zodra we het huis uit waren, hadden de kinderen ons opgedeeld. Jaxon nam mij en Summer nam Kyle. Vandaar dat Jaxon naast mij zat en mijn hand vastpakte toen we op Charing Cross het station van de ondergrondse in gingen. Summer deed hetzelfde met haar vader. Het was mijn idee geweest om naar het British Museum te gaan, omdat ik het altijd heerlijk vond om onze geschiedenis en de prehistorie zo keurig uitgestald te zien.

Een uur of twee later waren we alle vier nog even enthousiast. We waren van de ene enorme zaal naar de andere gedwaald en hadden onze adem ingehouden bij de imposante sarcofagen met hun geschilderde gezichten en lichamen, de rijk bewerkte munten en andere voorwerpen uit het oude Afrika en het aardewerk uit het antieke Griekenland.

Daarna gingen we buiten op de deken die ik in mijn rugzak had gestopt picknicken met de boterhammen met kip en sla die ik had meegebracht. (Ik wist best dat de kinderen hoopten op een fastfoodmaaltijd omdat we een uitstapje maakten, maar daar piekerde ik niet over, net zomin als ik naar het centrum had willen rijden.)

Terwijl ik in mijn tas rommelde, op zoek naar vochtige doekjes om hun mond af te vegen, viste Kyle een camera uit zijn tas. 'Oké, jongens, hoog tijd voor een foto,' zei hij grinnikend. Summer streek meteen met twee handen haar haar glad, maar Jaxon kneep zijn lippen op elkaar en boog zijn hoofd, zodat zijn vader alleen zijn kruintje te zien kreeg.

'Vooruit, Jax, hoofd omhoog,' moedigde Kyle aan en hij gaf mij een zetje. 'Schiet op, Kendra, je bent buiten beeld. Ga eens wat dichter bij de kinderen zitten.'

'Nee,' zei ik. 'Jullie willen geen foto van mij hebben.'

'Jawel, hoor.'

'Nee, dat is echt niet nodig. Ik haat foto's van mezelf.'

Hij liet de camera zakken en keek me fronsend aan terwijl hij zich afvroeg of er misschien een reden voor mijn aversie tegen camera's was. Maar dat was niet het geval, ik vond het gewoon niet leuk om mezelf te zien, of het nu in een spiegel was of op een foto. In gedachten en in mijn verbeelding wist ik precies hoe ik eruitzag. Als ik dan mijn spiegelbeeld of een foto van mezelf zag, lag dat beeld onmiddellijk in duigen en daar wilde ik me juist aan vastklampen. En het idee dat andere mensen naar mijn foto zaten te kijken was nog erger. Ik vond het verschrikkelijk dat ze me met al mijn mankementen tot in de finesses konden bekijken terwijl ik er zelf niet bij was. Afschuwelijk gewoon.

'Zal ik een foto van jullie drieën maken?' zei ik om de aandacht van mij naar hen te verplaatsen en ik stak mijn hand uit naar de camera.

Hij gaf me het kleine, zilverkleurige toestel en ging naast zijn kinderen zitten. Summer leunde tegen haar vader en Jaxon, die ineens niet meer bang was voor de camera, ging op zijn knieën zitten, met zijn elleboog op de knie van zijn vader.

Toen ik door het kleine vierkante zoekvenstertje naar hen keek, zagen ze eruit alsof ze altijd met hun drieën waren geweest. En terwijl ik ze in diverse poses vastlegde, met de kinderen die over hun vader klauterden, vroeg ik me af of je altijd uit de film werd geknipt als je uit vrije wil verdween. Of het water zich altijd geluidloos en zonder te spetteren boven je hoofd sloot alsof je nooit had bestaan. Want terwijl ik daar foto's van de Gadsboroughs zat te nemen, kon ik me nauwelijks voorstellen dat Ashlyn, hun moeder en zijn vrouw, ooit had bestaan.

Pas in Regents Park schudden Summer en Jaxon hun verlegenheid van zich af en renden over het gras als twee jonge dieren die voor het eerst in hun natuurlijke omgeving werden vrijgelaten. Summers haar wapperde achter haar aan terwijl ze rende en de wind streek door Jaxons haren terwijl hij achter zijn zusje aan holde. Ze waren onherkenbaar, heel anders dan de kinderen die ik had leren kennen. Nu mochten ze eindelijk kind zijn, rondrennen, springen en pret maken.

Hun vader, die onderuitgezakt naast me op de bank zat, keek lachend toe. Hij was zelf ook een ander mens geworden. Zijn zorgen waren vergeten en hadden plaatsgemaakt voor het plezier waarmee hij naar zijn kinderen zat te kijken.

Summer en Jaxon liepen om het hardst van de ene boom naar de andere, hoewel het nooit een echte wedstrijd werd omdat ze even oud, even groot en even zwaar waren. Ze gaven elkaar geen centimeter toe en Kyle barstte in lachen uit toen ze alweer precies tegelijk bij een boom aankwamen. Het was een ontspannen lach die zelfs een stenen hart zou laten smelten. *Eigenlijk zou hij veel vaker moeten lachen,* dacht ik. Daardoor leek hij jaren jonger. En even vrij als zijn kinderen.

'Weet je nog die keer dat we naar Brighton gingen,' zei hij terwijl hij zich naar mij omdraaide. Hij stokte op het moment dat hij mij in het oog kreeg. Wij waren nooit samen naar Brighton geweest. Het was kennelijk een herinnering uit een blikje dat hij, afgestoft en wel, met zijn vrouw had willen openen. Met Ashlyn. En hij was een beetje teleurgesteld dat ik het was. Zijn blik gleed over mijn gezicht, van mijn zwarte ogen via mijn kleine, brede neus en mijn lippen weer terug naar mijn ogen en bleef ten slotte rusten op mijn haar. 'Je hebt een...' Hij stak zijn hand uit en plukte een grassprietje uit mijn haar, waarbij zijn vingertoppen even over mijn linkerslaap streken. Hij liet het me zien voordat hij het op de wind weg liet waaien.

'Dank je,' zei ik.

In stilte bestudeerde Kyle mijn gezicht opnieuw. Heel even leek het net alsof hij niet wist wat hij moest zeggen, nu hij zich herinnerde wie er naast hem zat. 'Wie is die vent op wie je verliefd was?' vroeg hij onverwachts. 'Dat vraag ik gewoon als vriend.' Sinds het vervelende voorval met die kus hadden we dit soort gesprekken vermeden.

'Die zit in Australië. Het was geen ideale situatie. Het verliefd zijn op zich was geen probleem, maar wel alles eromheen. Daarom ben ik ook teruggekomen. Om wat broodnodige afstand te scheppen, als je begrijpt wat ik bedoel.'

Hij knikte. Hij begreep het helemaal.

Dit was mijn kans om naar Ashlyn te vragen, als tegenwicht voor mijn persoonlijke onthulling.

'Jij zult je vrouw wel heel erg missen,' zei ik. Hij knikte kort en richtte zijn blik weer op de kinderen. 'Ik denk het wel,' zei hij, een tikje kribbig. Hij had kennelijk geen zin om over zijn vrouw te praten.

'Toen ik een tijdje geleden met de kinderen aan het winkelen was,' zei ik hardnekkig, want als ik er nu niet over begon, zou het er nooit van komen, 'vertelden ze me dat Ashlyn ziek was.'

Alle spieren in zijn lichaam spanden zich toen hij met een ruk rechtop ging zitten. Zijn gezicht werd scherper en hij ging sneller en minder diep ademen.

'Ze zeiden dat ze ziek was en dat jullie daar allebei overstuur van raakten,' drong ik aan. 'Is het iets... eh... ernstigs?'

'Dat hangt ervan af,' zei hij vlak, nog steeds gespannen en met een strak gezicht.

Ik zei niets en wachtte tot hij zou uitleggen wat hij bedoelde.

'Ashlyn is niet ziek,' vervolgde Kyle na een poosje. 'Hoewel er mensen zijn die daar anders over denken. Maar ze is niet ziek op de manier waar jij aan denkt.' Zijn stem was zacht, even broos als vlindervleugels. 'Het probleem is...' Hij leek een beetje in elkaar te zakken, alsof hij eindelijk de last erkende waaronder hij gebukt ging.

'Ashlyn is niet ziek,' zei hij rustig. 'Mijn vrouw is aan alcohol verslaafd.'

Biologische havervlokken & sojamelk

Zestien

'Dit is waarschijnlijk het slechtste idee dat je ooit hebt gehad,' zei ik tegen Gabrielle.

'Het wordt hartstikke leuk. Ik heb een artikel gelezen waarin stond dat het helemaal in is om met je vrienden te gaan kamperen,' antwoordde ze terwijl ze Tennant Road af reed.

'En waar stond dat artikel in? Heette dat maandblad soms *Hoe kom ik van mijn vrienden af?*' vroeg ik.

'Luister nou eens goed, mens, ik probeer de contacten tussen mij en mijn personeel en collega's van andere kantoren in Londen te verstevigen en jij moet nodig wat meer vrienden krijgen, personen die ouder zijn dan zes jaar en niet in scheiding liggen. Dus dit is de oplossing.'

Ik stak niet onder stoelen of banken dat ik het helemaal niet met haar eens was. Het was inderdaad heel attent van haar dat ze me onder haar vleugels nam, maar kampéren? Een weekend in een luxueus hotel waar ik lekker verwend zou worden, zou hetzelfde resultaat hebben.

'Ik verlang er echt naar om helemaal terug te gaan naar de natuur, het op te nemen tegen de elementen en voor ons eigen voedsel te zorgen,' zei ze. 'Ik ben dol op ontberingen.'

In de kofferbak van de auto stond een luxueuze mand met vier flessen Bollinger naast twee gewatteerde slaapzakken en een grote tent. Echt zwaar zouden we het niet te verduren krijgen.

'We gaan naar Wildberry Woods in Sussex, niet naar de Outback. En jagen is daar verboden, zelfs al zou het het een kwestie van overleven zijn.'

'Je kunt het voor mij niet bederven, Tamale. Dit weekend is voor mij een droom die waarheid wordt. Een echte droom.'

Bij Croydon kwamen we in een file terecht en de veelkleurige sliert auto's tot aan de horizon maakte dat Gabrielles droom even in de ijskast verdween.

'Hoor eens, Kennie,' zei ze, gemaakt luchtig. Ze was van plan om me iets te ontfutselen. Ik kon op kantoor niet meer uren draaien en ik kon haar ook geen geld lenen, want dat had ik niet, dus ik had geen idee wat ze van me wilde. 'We moeten op z'n minst nog twee uur in de auto zitten en volgens mij kunnen we die tijd maar op twee manieren doorkomen. Of je vertelt me alles over Australië, of we praten over het werk.' Ze wendde haar blik af van de blauwe Volkswagen voor ons en keek me aan. 'En omdat we geen van beiden zin hebben om over het werk te praten, blijft alleen Australië over. En dan heb ik het niet over het land. Ik wil weten waarom je zo halsoverkop terug bent gekomen. Ik wil weten wie hij is.'

De samenwerking tussen Gabrielle en mij was zo goed, dat ik die eigenlijk niet op het spel wilde zetten door haar iets te vertellen waardoor ze een slechte indruk van me zou krijgen. Maar misschien was het toch verstandiger om het wel te doen. Ik voelde al wekenlang de drang om alles te bekennen en van iemand te horen hoe schandalig ik me had gedragen. Het werd tijd dat ik op mijn vingers werd getikt. Ik had het veel te gemakkelijk gehad sinds mijn terugkomst. Zo gemakkelijk dat ik bijna was vergeten wat ik had gedaan.

'Hij was getrouwd,' zei ik, en zette mezelf schrap voor de kreet van schrik, de blik vol afschuw, de op elkaar geknepen lippen.

'Je zult me toch iets meer moeten vertellen,' zei ze, toen ik niet verder ging.

Ik keek argwanend en met samengeknepen ogen opzij. Ik had verwacht dat ze feller zou reageren. Nou ja, ze wilde gewoon het hele verhaal horen voordat ze me de waarheid zou vertellen en me met mijn hele hebben en houden naar het Siberië van de vriendschap zou verbannen.

'Ik wist dat hij getrouwd was, en de eerste keer dat ik hem ontmoette, was er niets aan de hand. Ik dacht niet eens meer aan hem. De tweede keer dat ik hem zag, was op een feestje. Ik liep de tuin in en daar stond hij. Het was een donderslag bij heldere hemel. Of misschien werd ik letterlijk geraakt door een van Cupido's pijlen. Pang!

Midden in mijn borst.' Ik stak bezwerend mijn handen omhoog. 'Ik geloof eigenlijk helemaal niet in dat soort dingen, echt niet. Maar ik kan het niet op een andere manier beschrijven. Het lag niet aan hoe hij eruitzag, het lag gewoon aan hem. Ik deed het enige wat me overbleef. Ik draaide me om en nam de benen.'

Ik draaide me om en nam de benen. Ik wurmde me langs de dronkelappen die in de tuin stonden en ging ervandoor om een plekje te vinden waar ik veilig zou zijn. Het werd uiteindelijk de keuken. Ik was bijna de hele dag bij Evangeline thuis geweest om haar te helpen met de voorbereidingen van het feest en nu scharrelde ik rond in een poging om op te ruimen en mijn zenuwen weer in bedwang te krijgen.

Toen kwam hij de keuken binnen lopen en mijn hart sloeg meteen op hol, alsof het probeerde uit mijn lichaam te springen. Het was net zo radeloos als ik en ik wist niet eens wie hij was, behalve dan gewoon iemand met wie ik een paar uurtjes in een kroeg had zitten praten over dingen die ik me niet eens kon herinneren. Desondanks werd ik stapelgek toen hij zo dichtbij kwam. En deze keer was er geen ontkomen aan.

Zijn gezicht begon te stralen toen hij naar me lachte.

Ik onderdrukte mijn angst en ging op mijn tenen staan om hem te omhelzen. 'Hallo daar,' fluisterde ik in zijn oor toen zijn armen om me heen gleden. Hij trok me tegen zich aan en onze lichamen smolten bijna samen toen hij me op zijn beurt begroette. Na een paar seconden, toen ik hem los wilde laten, besefte ik dat hij niet van plan was om me te laten gaan. Hij klemde zich aan me vast alsof ik zijn reddingsboei was. Ik wilde net toegeven om ontspannen van zijn nabijheid te genieten, toen hij me losliet en een stapje achteruit deed.

'Hoe is het met je?' vroeg hij.

'Prima. En met jou?'

'Goed.'

'Zijn je vrouw en je kinderen er ook?' vroeg ik, om ons allebei in te prenten dat er niets mocht gebeuren. Hij had er dan voor gezorgd dat er allerlei nieuwe en niet bepaald onplezierige gevoelens in me opwelden en ik had hem zonder opzet de kans gegeven om me te knuffelen, maar daar moest het bij blijven.

'Nee,' zei hij. Hij zag er een beetje onbehaaglijk uit.

'Zijn ze ook in Manly?'

Hij zweeg even, wendde zijn ogen af en keek me toen weer aan. 'Nee.'

'Ben je dan van plan om vannacht in Manly te blijven slapen of ga je terug naar huis?' Ik was vast van plan om over zijn gezin te blijven praten en het als een soort afweermechanisme te gebruiken, maar hij was even vastbesloten om daar niet aan mee te werken.

'Een vriend van me woont hier vlakbij en ik kon bij hem logeren.'

'O,' zei ik. 'Waarom ben je dan niet...'

'Wat is dit?' viel Will me in de rede, om te voorkomen dat ik mijn vraag af zou maken. Ik draaide me om en hij kwam iets dichter bij me staan, terwijl hij naar de pan op het vuur keek.

'Dat is mijn barbecuesaus,' zei ik. 'Helemaal zelf gemaakt.'

'Mag ik een hapje?' vroeg hij.

'Ja natuurlijk,' antwoordde ik en pakte een houten lepel om een beetje van de dikke, rode, met uien gevulde saus uit de pan te scheppen. Daarna hield ik hem de lepel voor, met mijn vrije hand eronder om te voorkomen dat er druppels af vielen. Hij bukte zich iets, pakte mijn hand vast en proefde de saus. Zijn ogen bleven in de mijne rusten en in mijn hart welde die plezierige paniek weer op.

'Lekker, hè?' zei ik abrupt, terwijl ik de lepel terugtrok.

'Heerlijk,' zei hij met een lome grijns.

'Ja, ik hoef van jou niet te verwachten dat je zegt dat het rotzooi is, hè?' zei ik terwijl ik met de lepel naar het aanrecht liep.

Toen ik me weer omdraaide, kwam er een andere man naar me toe. Zijn ogen dwaalden snel over me heen, van de bruine suède rok die zoals gewoonlijk mijn benen bedekte naar mijn volle borsten in het oranje shirtje dat steeds van mijn linkerschouder zakte. 'Ben jij Kendra?' vroeg hij.

'Zeker weten.'

'Ze hebben tegen me gezegd dat jij me wel een rondleiding door het huis zou willen geven.'

Evangeline en haar man hadden hun huis net laten verbouwen

en ze had er inmiddels genoeg van om het aan iedere nieuwe bezoeker te laten zien. Vandaar dat ik die taak had overgenomen. Om Evangeline een plezier te doen, deed ik vaak alsof ik de binnenhuisarchitecte was geweest. 'Wie heeft je dat verteld?' vroeg ik.

'Een van je vele bewonderaars,' zei hij met een ondeugende glimlach.

'O, hou op,' zei ik.

Hij grinnikte en keek me met opgetrokken wenkbrauwen aan. 'Nou, wat zou je ervan...'

Ineens stond Will naast me. 'Eigenlijk stond ze net op het punt om mij rond te leiden, maat. Dat heeft ze me al tijden geleden beloofd.'

'O ja?' Ik wist van niets.

'Nou ja, maar aangezien we oude vrienden zijn, vind ik dat ik als eerste recht heb op een rondleiding.'

'Oude vrienden? We hebben een avondje naast elkaar gezeten in een kroeg.'

'Maar je hebt me de hele avond beledigingen naar mijn hoofd geslingerd. Dat schept een band.'

'Nee hoor, je hebt gewoon veel gebreken.'

'Ja, dat ook.'

Toen ik omkeek naar de andere man was die alweer verdwenen. Hij had kennelijk begrepen dat hij het onderspit zou delven.

Terwijl ik Will het huis liet zien, kon ik hem als het ware voelen. Zijn warme lichaam. Zijn voetstappen. Zijn ritmische ademhaling. Met iedere stap werd mijn mond droger en ging mijn hart sneller kloppen.

Uiteindelijk belandden we bij de serre, die Evangeline meestal op slot hield als ze een feestje gaf, maar ik had een sleutel gekregen om mensen te laten rondkijken, als ik daarna de deur maar weer afsloot. Evangeline was ontzettend trots op de uitbouw waarbij gebruik was gemaakt van het feit dat het huis op een heuvel lag. Drie van de wanden en het plafond waren van glas en vanuit de serre keek je uit over de zee. Daarachter lag Nieuw-Zeeland.

Ik liet de deur op een kier staan, zodat ik het licht of de buitenverlichting niet aan hoefde te doen, want dat bedierf 's avonds het hele effect.

'En dit is het pièce de résistance,' zei ik. Vanaf deze plek kon je uitkijken over de zwarte zee die constant in beweging was, maar ik keek het liefst omhoog naar de fluwelen blauwzwarte hemel bezaaid met twinkelende sterretjes. Het was een blik op de oneindigheid.

'Dit vertrek doet me altijd aan Londense architectuur denken,' zei ik tegen Will, die links achter me stond en vol ontzag naar de horizon staarde.

'Wat bedoel je daarmee?' vroeg hij.

Ik draaide me naar hem om en zei: 'Je ziet het mooiste pas als je omhoog kijkt.'

Hij legde zijn hoofd in zijn nek, waardoor hij zijn hele hals blootgaf en ik hunkerde ernaar om mijn vingers over die gladde, blanke huid te laten glijden. Om op mijn tenen te gaan staan en mijn lippen tegen dat zachte plekje te drukken waar al zijn woorden ontstonden. In plaats daarvan keek ik glimlachend toe hoe verrukt zijn gezicht werd toen hij besefte dat hij binnen en toch buiten was, dat hij in de oneindige verte van het heelal kon kijken. 'Wat schitterend,' fluisterde hij en keek mij weer aan. 'Dit is echt schitterend.'

Ho, waarschuwde ik mezelf. Tot hier en niet verder. 'Hoe komt het dat je vrouw vanavond niet is meegekomen?' vroeg ik om haar vastberaden weer tussen ons in te zetten. Ik deed een paar passen achteruit en ging op de rugleuning van de bank zitten die midden in de serre stond, precies in de baan van het licht dat uit de gang naar binnen viel.

Hij keek omlaag en schuifelde met de neus van zijn schoen over de grond. 'Wil je het officiële antwoord of de echte reden?'

'Wat je zelf aan een wildvreemde kwijt wilt.'

'Oké, wildvreemde, mijn vrouw is vier jaar geleden een keer vreemdgegaan. We hebben een zoontje van drie, en toen hij vorig jaar ernstig ziek werd en we echt dachten dat hij het niet zou halen, heeft ze me alles bekend, omdat ze dacht dat het haar straf was voor wat ze had gedaan. Hij is absoluut mijn zoon en zelfs als dat biologisch niet het geval was, zou hij nog altijd mijn zoon zijn. Maar sindsdien kunnen we niet meer normaal met elkaar omgaan. Daarom is ze niet meegekomen. We hebben problemen.'

'Juist,' zei ik.

'Ja, zo zou ik ook reageren als ik jou was.'

Ik zei niets. Hij hield op met dat geschuifel en staarde me aan in een poging om mijn verweer te breken en een beroep te doen op mijn gevoelens. En wat het ergste was, het lukte ook nog.

'Waarom zei je niet gewoon: "Mijn vrouw begrijpt me niet," om ervan af te zijn?' vroeg ik.

'Omdat dat niet waar is. Mijn vrouw begrijpt me wel en ik begrijp mijn vrouw. We kunnen alleen niet meer normaal met elkaar omgaan.'

'Ben je daarom hier op uit?' vroeg ik, terwijl ik eerst op hem en toen op mezelf wees. 'Uit wraak?'

'Ik wou dat het waar was,' zei hij. 'Als dat zo was, zou ik ook weten hoe ik me voelde. Dat zou betekenen dat ik de schok verwerkt had. Ik verkeer nu al bijna een jaar in een shocktoestand. Het zou fijn zijn om me weer eens anders te voelen. Om genoeg emotie te kunnen ophoesten om wraakplannen te bedenken.'

Hij kwam stapje voor stapje naar me toe en ik keek naar zijn afgetrapte bruine suède schoenen die steeds dichterbij kwamen, tot de neuzen de lange puntige tenen van mijn zwarte laarzen raakten. Ik durfde mijn hoofd niet op te tillen, omdat ik bang was dat mijn gezicht me zou verraden en klemde me vast aan de rugleuning van de bank. Ik snapte niet waarom ik nu zo naar hem verlangde, terwijl dat de eerste keer dat ik hem had ontmoet helemaal niet zo was geweest. Waarom ik die gevoelens die door me heen raasden geen halt kon toeroepen. Ik raakte nooit ondersteboven van een man. Ik had mezelf altijd in de hand. En ik bleef altijd – al dan niet bewust – gereserveerd. En die Will gaf me het gevoel dat ik achter het stuur zat van een voertuig waarvoor ik geen rijbewijs had en dat ik ieder moment over de rand van een afgrond vol zaligheid kon stuiteren.

'Toen ik die avond dat we elkaar hebben leren kennen wegging, liep ik naar mijn auto toe,' vervolgde hij. 'En die stond helemaal aan de andere kant van de stad. Maar ik besloot dat ik toch je telefoonnummer wilde hebben, want het was tijden geleden dat ik zo gelachen had. Ik wilde je weer ontmoeten. Pas toen ik boven aan de trap stond, besefte ik wat ik van plan was. En dat ik daar helemaal niet mee door kon gaan, omdat ik niet vrij was en jij waarschijnlijk ook niet. En van vriendschap kon geen sprake zijn. Ik wilde niet alleen maar bevriend met je zijn. Dus ben ik weer weggegaan.'

Mijn eigen ademhaling ruiste in mijn oren. Ik klemde de bank nog steviger vast en kneep mijn ogen dicht om me te verbergen. Omdat dit voertuig inderdaad over de rand van de afgrond was geschoten en nu alleen nog maar aan een hoekje van de kentekenplaat bungelde. Eén onverwachte beweging en ik zou omlaag storten.

'Op het moment dat ik vanavond je gezicht zag, toen je de tuin in kwam lopen en meteen weer rechtsomkeert maakte, drong het tot me door dat jij precies hetzelfde voelde. Dat het niet maar van één kant kwam.'

Hij drukte voorzichtig zijn voorhoofd tegen het mijne. Ik had mijn ogen nog steeds dicht, maar mijn hele lichaam verslapte. 'En voor het geval je dat niet had begrepen,' fluisterde hij, 'dit is aantrekkingskracht.' Hij liet zijn hoofd nog verder zakken en wreef zacht met zijn neus tegen de mijne. 'Pure aantrekkingskracht.' Ik tilde mijn hoofd op en heel langzaam en voorzichtig streken zijn lippen over mijn mond. Ik snakte naar adem. Langzaam maar zeker nam de druk van zijn lippen toe en vlijde zijn hand zich tegen mijn gezicht. En ik liet me gaan. Ik stapte over de rand van de afgrond, liet de bank los, sloeg mijn armen om hem heen en liet mijn vingers over de zachte stoppeltjes in zijn nek glijden terwijl hij me kuste. En ik kuste hem terug. We stonden elkaar daar onder de sterren te kussen alsof we daar het volste recht toe hadden.

Daarna zijn we naar het huis van zijn vriend gegaan, niet ver van de plek waar Evangeline woonde.

Terwijl hij rondliep om het licht aan te doen, zat ik op de bank en vroeg me af wat er in vredesnaam met me aan de hand was. Dit soort dingen deed ik nooit. Ik ging nooit met iemand mee die ik nauwelijks kende. Maar ik voelde me bij hem zo op mijn gemak dat het leek alsof ik hem mijn hele leven had gekend. Hij bracht me een biertje en vroeg of ik er een glas bij wilde hebben. 'Was het je nog niet opgevallen dat ik geen type voor glazen ben?' vroeg ik. Hij lachte, trok het koude, met condensdruppeltjes bedekte blikje open en gaf het aan mij.

Dat kleine, onbeduidende gebaar veranderde alles voor mij. Het was een van de aardigste dingen die iemand ooit voor me had gedaan. Door gewoon dat blikje open te trekken bewees hij dat hij aan me dacht.

We pasten perfect bij elkaar. Zijn warme en stevige lichaam bood me genoeg plaats om mezelf tegen hem aan te nestelen, mijn bovenlichaam paste precies in zijn gebogen arm en zijn hoofd was gemaakt voor de tot dan lege ruimte tussen mijn schouder en mijn kaak.

We gingen niet met elkaar naar bed en we vrijden niet met elkaar. We trokken onze kleren niet uit. We lagen alleen maar op de dekens te praten. Af en toe kusten we elkaar lang en hartstochtelijk, maar het bleef toch voornamelijk bij praten.

'Die andere keren dat we elkaar ontmoetten, zijn we ook niet met elkaar naar bed geweest,' zei ik tegen Gabrielle. 'En we hebben elkaar niet eens zo vaak ontmoet, alles bij elkaar maar zes keer. Ik heb het echt geprobeerd, maar ik kon er niet mee stoppen. Soms hadden we maandenlang geen contact met elkaar en dan dacht ik echt niet meer iedere dag aan hem. Maar dan gebeurde er ineens iets, of ik las een boek, of zag iets op tv of zo, wat ik hem meteen wilde vertellen. Dan schreef ik een e-mail, maar die verstuurde ik nooit.' Ik had honderden e-mails die ik aan Will had geschreven en nooit had verstuurd. Samen vormden ze een soort dagboek van dingen die ik had willen doen.

Ik staarde naar de weg en naar de auto's die op een slakkengangetje voor ons reden.

'Als we een paar maanden geen contact met elkaar hadden gehad, ging één van ons beiden weer door de knieën. Meestal ik. Dan stuurde ik een kort berichtje en dan begon alles weer van voren af aan. De dagelijkse e-mails, af en toe een bericht. De fantasieën. De schuldgevoelens. De intense, aanhoudende schuldgevoelens. En toen, ongeveer anderhalf jaar later, kwam zijn vrouw erachter.'

Ze ontdekte het door een e-mail.

Het was niet eens zó'n e-mail. Op dat moment stuurden we elkaar al niet meer van die berichten die dropen van seks, verlangen en fantasietjes. En de paar die we hadden uitgewisseld had hij inmiddels allang gewist. Waarin we hadden gesuggereerd dat we inderdaad een seksuele relatie hadden. Maar de meeste berichten waren oppervlakkig en gewoon geweest. Omdat we geen gezamenlijk verleden hadden en zeker geen gezamenlijke toekomst, hadden we het voornamelijk over het heden gehad. We vertelden elkaar alleen wat er op dat moment gebeurde. En trouwens, we hadden zelden regelmatig contact. Dat hielden we geen van beiden langer dan een paar dagen vol. Het had toch geen zin, want we zouden nooit voorgoed bij elkaar kunnen blijven.

In de e-mail die ze las, stond:

En vertel me nu maar eens het fijnste wat je vandaag is overkomen.

Dat was alles. Uit die paar woordjes kon ze opmaken dat ze de genegenheid van haar man met iemand anders moest delen. Dat begreep ze meteen toen ze die e-mail las. Ik heb geen flauw idee wat dat voor uitwerking op haar had. Wat ze daarna deed. Of ze de computer uit zette, of ze inwendig begon te gillen of tegen het scherm begon te schreeuwen en in tranen uitbarstte, of dat ze meteen plannen begon te maken om wraak te nemen. Ik weet wel dat ze hem niet heeft opgebeld om te zeggen dat hij onmiddellijk thuis moest komen. Ze begon niet tegen hem te krijsen op het moment dat hij over de drempel stapte. Ze wachtte tot ze gegeten hadden en de kinderen in bed lagen. Ze wachtte tot ze allebei met een glas wijn op de bank zaten. Pas toen kon ze het opbrengen om hem te vertellen dat die e-mail die ik weken daarvoor gedachteloos had zitten tikken alles had verraden. Will en zijn vrouw hadden al wekenlang – en misschien wel maandenlang of zelfs jarenlang – geen fatsoenlijk gesprek meer gevoerd. Het was maanden geleden dat zij de moeite had genomen om hem te vragen of hij een fijne dag had gehad en vice versa, maar iemand anders, een vrouw over wie hij het nooit had gehad, een vrouw die zij nooit had ontmoet, gaf genoeg om hem om die vraag te stellen. Een andere vrouw die niet dag in dag uit voor het huishouden moest zorgen, kinderen moest opvoeden of allerlei kleine gezinsdrama's met hem moest delen. Vandaar dat ze het meteen doorhad, ook al had ze niets anders dan die ene e-mail om haar vermoedens op te baseren.

'Heb je een verhouding met iemand anders?' vroeg ze terwijl ze hem over haar wijnglas aankeek.

'Nee,' antwoordde hij zonder te aarzelen. Het was de waarheid, hij had geen verhouding met iemand anders en ook niet gehad. 'Absoluut niet.'

Dat moet haar angst hebben aangejaagd. Ze moet doodsbang zijn geweest, want meteen daarna vroeg ze: 'Ben je verliefd op iemand anders?' Waarschijnlijk heeft ze die woorden gefluisterd en haar adem ingehouden terwijl ze wachtte op het antwoord dat haar hele leven zou veranderen. Een antwoord dat ze nooit zou krijgen.

Will wilde niet tegen zijn vrouw liegen door nee te zeggen en hij wou haar geen verdriet doen door ja te zeggen. Omdat hij als geen ander in staat was om dingen te negeren die hem slecht uitkwamen, had Will nog niet geaccepteerd dat hij haar had bedrogen door iemand anders in zijn hart te sluiten. En dat hij dat alleen had kunnen doen omdat hij verliefd was. Dus hield hij zijn mond en wendde zijn blik af.

'Waarom kun jij toch nooit iets goed doen?' zei ze. 'Als je wraak wilde nemen, had je gewoon iemand moeten pakken in plaats van voor haar te vallen.' En meteen daarna vroeg ze: 'Hoe lang al?'

'Te lang,' zei hij. 'Zelfs één dag is al te lang. Het spijt me.'

'Heb je het gedaan om het mij betaald te zetten?' vroeg ze.

'Ik denk het niet,' antwoordde hij. 'Ik was helemaal niet op zoek naar iemand anders. Toen ik erachter kwam wat er was gebeurd kon ik niet meer tegen je praten zonder te schreeuwen. En dat wilde ik niet, vandaar dat het gemakkelijker was om alles op te kroppen. En deze toestand is alleen maar ontstaan omdat ik niet oplette. Omdat ik me niet voldoende concentreerde op mijn pogingen om alles tussen ons weer goed te maken.'

'Wil je dat dan?' vroeg ze.

'Niets liever dan dat,' antwoordde hij. Hij probeerde haar hand te pakken, maar ze week achteruit en wilde niet dat hij haar aanraakte. Toen hij me dat vertelde, was hij helemaal overstuur. *Wat had jij dan gedacht,* had ik hem willen vragen. *Dacht je soms dat ze haar armen om je heen zou slaan en zeggen dat het niet uitmaakte? Je hebt haar zo'n beetje het ergste aangedaan wat je kon doen, met uitzondering van het mishandelen van je kinderen. Dacht je nou echt dat ze zich in je armen zou storten?*

'Je mag haar niet meer ontmoeten,' zei ze tegen hem.

'Ik zie haar nooit. Ik spreek haar ook nooit. We sturen elkaar alleen af en toe een e-mail."

Will dacht dat hij haar dat best kon vertellen. Dat ze op die manier gerustgesteld zou zijn. Maar het tegendeel was het geval. Wat hij in feite had gezegd, was: 'Ook al heb ik geen contact met haar, ik blijf toch constant aan haar denken. Ze is altijd bij me, ze stapt 's avonds samen met ons in bed. Als wij met elkaar vrijen is ze erbij. In mijn verbeelding is ze altijd bij me.' Wat hij had moeten zeggen was: 'Het is allang voorbij. Ik heb er een eind aan gemaakt omdat ze niet bij jou in de schaduw kon staan. Ik ben nooit met haar naar bed geweest en er is niets meer aan de hand. Ik snap niet waarom ze me nog steeds e-mails stuurt.' Maar omdat ze een vrouw was, had ze meteen de vinger op de zere plek gelegd. Hij had niet gezegd dat het voorbij was. Dat was haar ongetwijfeld opgevallen en dat had ze zich goed in het hoofd geprent. Waarschijnlijk was het een van de redenen waarom ze op een bepaalde manier reageerde.

'We gaan naar een relatietherapeut,' zei ze. 'We maken meteen een afspraak. Ik weet wel dat je dat niet wou, maar nu kan het niet anders. Als je echt wilt dat het tussen ons weer in orde komt, moet je ook bereid zijn om alles te doen om dat te bereiken.'

'Ik wil er ook alles voor doen,' zei hij.

Een week later was Will naar de eerste afspraak bij de therapeut gegaan. Ze sliepen nog steeds in hetzelfde bed en ze hadden gedaan alsof er niets aan de hand was, terwijl ze op zoek gingen naar een therapeut en een afspraak maakten.

Hij zat al twintig minuten te wachten voordat het tot hem doordrong dat ze niet zou komen. Hij betaalde de therapeut en belde zijn vrouw. Maar ze nam niet op. Niet thuis, niet op haar werk en niet op haar mobiel. Toen hij halsoverkop naar huis ging, was hij bang dat er iets met haar gebeurd was.

En die angst was terecht. Er was inderdaad iets met haar gebeurd. Hij had haar gekwetst en dat betaalde ze hem nu met rente terug.

Ze had besloten om gedurende de tijd dat hij bij die therapeut zat al zijn spullen voor de deur te zetten. En de sloten te laten veranderen. Bovendien lag buiten een brief van een advocaat te wachten waarin ze hem meedeelde dat ze van plan was om een scheiding aan te vragen zodra dat juridisch mogelijk was.

Wills vrouw kon het hem niet vergeven. Hij was niet met iemand anders naar bed geweest, zoals zij dat wel had gedaan. Waarschijnlijk was ze daar wel overheen gekomen. Maar wat hij had gedaan was een aanslag op alles wat ze samen hadden opgebouwd. Wat Will zich niet realiseerde was dat je nooit mocht toegeven – zelfs niet door te zwijgen – dat je op iemand anders verliefd was geworden. Niet als je je huwelijk wilde redden. Zo werkt liefde niet.

‘Zo is het dus in Australië gegaan. Je wilde het weten, dus veeg me nu de mantel maar uit. Precies zoals de paar vrienden die ik had al eerder hebben gedaan. Ik ben stom geweest. En egoïstisch. Kom maar op.’ Ik klonk luchtig omdat ik mezelf schrap zette voor de preek waarin ik te horen zou krijgen dat ik stom was om me daar iets van aan te trekken, dat hij toch een klootzak was en dat ik de beste jaren van mijn leven vergooide door te blijven wachten op een man die misbruik van me had gemaakt. Dat had ik allemaal al eerder gehoord en iedere keer had het me een vriendschap gekost en me diep gekwetst omdat niemand het begreep. Niemand snapte wat hij voor me betekende en waarom hij zo bijzonder was. En ik kon het ook niet uitleggen.

Gabrielle wierp een blik in de achteruitkijkspiegel, keek in haar buitenspiegel en zette haar knipperlicht aan, om vervolgens een aantal verkeersregels te overtreden en onder het geloei van een groot aantal claxons naar de oprit te rijden van een benzinestation dat een stukje verderop lag.

O Jezus, ze is echt van plan om me de les te lezen, dacht ik met een blik op de zachte welving van haar kaak, die nu hard en vierkant was, terwijl ze recht voor zich uit staarde. Zij was ook getrouwd geweest. Ze had me nooit verteld waarom ze van Ted was gescheiden. Waarschijnlijk vanwege iemand als ik. Een andere vrouw die hun relatie had verbroken. Misschien zei ze wel tegen me dat ik uit moest stappen en maar verder naar Sussex of terug naar huis moest lopen. Hoe dan ook, ze wilde niet langer met mij in één auto zitten. *O, Jezus, Jezus, ik kan me niet veroorloven om mijn baan te verliezen,* dacht ik toen ze over de parkeerplaats reed op zoek naar een plekje. *Ik krijg nooit meer zo'n functie, niet zo vlak bij huis en niet met hetzelfde salaris. Dit is het noodlot: een vergooid leven voor een leven dat je hebt verpest.*

Zonder iets te zeggen zette Gabrielle de auto op een lege plek en draaide het sleuteltje om. Ik hoorde hoe ze haar veiligheidsriem losmaakte, sloot mijn ogen en telde tot tien toen ze ging verzitten, wachtend op de klap in mijn gezicht.

'Het doet me echt pijn dat je denkt dat ik jou ooit zou veroordelen,' zei Gabrielle rustig.

Verbijsterd door die woorden en door haar stem die echt gekwetst klonk, deed ik mijn ogen open en staarde door de voorruit. Dit had ik niet verwacht.

'We zijn vriendinnen, Kennie, en dat betekent dat ik je ken. Ik weet hoe integer je bent en dat je altijd bereid bent om je in te zetten voor een goed doel, of het nu haalbaar is of niet. Dus ik weet ook dat je jezelf naar aanleiding van deze toestand al ontzettend gepijnigd hebt. Hij moet echt heel bijzonder zijn geweest als jij bereid was om voor hem al je principes te laten varen. In al die tijd dat ik je heb gekend, heb ik je nog nooit zo over een man horen praten. Waarom zou ik daar geen rekening mee houden? Omdat hij getrouwd is? Wat jij voelt, is belangrijker dan dat. En nee, ik wil niet beweren dat het een ideale situatie of een geweldig idee was. Maar jij bent niet iemand die er alleen maar op uit is om met getrouwde kerels op stap te gaan. En als ik afga op wat jij over hem vertelde, lijkt hij mij ook geen doortrapte versierder. Trouwens, al was dat wel het geval, dan schiet ik er nog niets mee op om jou op je duvel te geven. Dan zou je alleen maar dichtslaan. En als je er niet over kunt praten, ga je de gekste dingen doen. Ik ben getrouwd geweest, lieverd, ik weet hoe gecompliceerd alles kan zijn als je in de problemen zit. Had hij er met zijn vrouw over moeten praten? Ja. Zou het feit dat jij uit de buurt bleef het voor hen gemakkelijker hebben gemaakt om erover te praten en misschien alles weer goed te maken? Ja. Maar zo is het niet gelopen. En als ik naga hoe jij je hebt gedragen sinds je terug bent, weet ik wel zeker dat je ontzettend diep in de put zit. Je hebt mij niet nodig om je een ellendig gevoel te bezorgen, ik weet zeker dat je dat zelf ook heel goed kunt.'

Ik deed opnieuw mijn ogen dicht en zette me schrap. Een vloedgolf van gevoelens die ik de afgelopen twee jaar had onderdrukt welde in me op. Ik had mezelf niet meer in de hand. Ik probeerde het wel, ik deed ontzettend mijn best, maar ik kon het niet tegenhouden. Alles kwam er ineens uit, in een ongecontroleerde stortvloed, en ik jankte mijn ogen uit.

Niets werkt beter dan een beetje begrip om je diep in de ellende te storten.

Geroosterd brood met boter & gembermarmelade

Zeventien

Duisternis heeft een heleboel schakeringen, dacht Kyle terwijl hij volledig gekleed op zijn bed lag, tussen zijn zoon en dochter in. Hij had zijn armen over zijn borst gekruist, met de handpalmen plat op zijn schouders. Zo lag hij ook altijd toen hij nog een jongetje was. Hij was niet bepaald dol geweest op de nacht. 's Nachts gebeurden altijd allerlei akelige dingen, had hij destijds gedacht. In zijn donkere slaapkamer kon hij nog net allerlei vormen onderscheiden, meubels, deuren, de gordijnen. Aan weerszijden naast hem lagen zijn kinderen, opgekruld als warme, levende boekensteuntjes.

Hij was nog helemaal niet moe, het was pas negen uur 's avonds, maar hij moest in bed blijven liggen. Ze wilden niet zonder hem gaan slapen omdat Kendra weg was. Het ging maar om één nachtje, maar in hun ogen stond de doodsangst dat ze niet meer terug zou komen duidelijk te lezen. Toen ze op het punt stond om samen met de lollymevrouw te vertrekken, had Summer op de stoep gestaan en Kendra herhaaldelijk laten beloven dat ze echt terug zou komen. Jaxon had gewoon achter in de gang met zijn trein zitten spelen alsof er niets aan de hand was. Toen Kendra iets tegen hem probeerde te zeggen, deed hij net alsof hij haar niet hoorde. Ze had hem alleen maar zover gekregen dat hij iets tegen haar zei door zogenaamd met Garvo te praten. Daarna was ze weer naar buiten gegaan en opnieuw in de 'beloof je echt dat je terugkomt?'-fuik van Summer gelopen. Het hele gedoe had zeker een kwartier gekost.

Toen Summer net in bed lag, had ze hem gevraagd om Kendra te bellen. Hij had haar eraan herinnerd dat Kendra ging kamperen, dat ze vannacht onder de blote hemel sliep en dat ze morgen weer terug zou komen. Summer had hem aangekeken alsof hij niet goed wijs was. Alsof ze het er helemaal niet mee eens was en niet begreep waarom Kyle het had laten gebeuren.

De enige manier om ze allebei tot rust te krijgen was door voor te stellen dat zij in zijn slaapkamer zouden gaan kamperen, zodat ze morgen aan Kendra konden vertellen dat zij ook in een tent hadden geslapen. Ze hadden lakens opgehangen en hij had ze met behulp van een zaklantaarn een verhaaltje voorgelezen. Het was maar een zielige vertoning omdat hij geen tijd had gehad om alles goed voor te bereiden, maar het werkte en ze waren uiteindelijk in slaap gevallen, met Kyle tussen hen in. De laatste twee keer dat hij had geprobeerd om op te staan, had een van beiden hem steeds zwijgend aangestaard met de vraag waar hij naartoe ging. Ze losten elkaar af als het ging om de bewaking. Maar hij begreep hoe ze zich voelden. Hij had er zelf ook last van: dat vleugje angst dat Kendra uit hun leven zou verdwijnen. Het sloeg nergens op, maar het was er wel degelijk.

Terwijl hij nota bene de afgelopen paar dagen, nadat ze had gevraagd wat Ashlyn mankeerde, helemaal niet aardig tegen haar had gedaan. En het was niet eens haar schuld geweest. Nadat hij het hardop tegen Kendra had gezegd, realiseerde Kyle zich pas hoeveel macht er in woorden school. Ze konden je niet alleen vrij maken, maar je ook ketenen of je terugdrijven naar iets wat alleen maar als een hel kon worden getypeerd. Hij had er moeite mee gehad om Kendra aan te kijken nadat hij haar zijn geheim had verteld en was maar gauw met de kinderen gaan spelen.

En nu, een week later, lag hij hier in het donker, gegijzeld door zijn kinderen die bang waren om in de steek gelaten te worden, en vroeg zich af of ze wel terug zou komen. Kendra. Of Ashlyn. Een van beiden. Of allebei. Maar wilde hij Ashlyn wel terug hebben? Echt?

Hij dwong zichzelf met geweld om die gedachten uit zijn hoofd te zetten en weer te denken aan het rapport dat hij moest schrijven en de presentatie waarvoor nog de laatste puntjes op de i moesten worden gezet. Het was niet bepaald een hemelbestormend project – dat gold momenteel trouwens voor het merendeel van zijn werk – maar het was een klus die goed betaalde, zodat hij gewoon vanuit huis kon blijven werken.

Toen hij binnenkwam, lag ze op de bank.

Languit en slank, met halfgesloten ogen op de tv gericht, waarvan ze waarschijnlijk nauwelijks iets oppikte. Hij bukte zich om haar een kus te geven en wachtte zoals gewoonlijk heel even toen de lucht van alcohol in zijn neus drong. *Ze zou wel een paar glaasjes wijn bij het eten hebben genomen,* zei hij bij zichzelf en negeerde, opnieuw zoals gewoonlijk, het feit dat haar onaangeraakte etensbord naast de bank op de grond stond.

Kyle drukte een kus op haar voorhoofd en ze lachte loom en dromerig.

'Hallo, liefste,' zei ze. Hij maakte zichzelf wijs dat ze slaperig klonk. Ze was in slaap gesukkeld omdat ze op hem had zitten wachten. Zoals gewoonlijk had hij weer overgewerkt. 'Ik dacht dat je nooit thuis zou komen.'

'Waar moet ik anders heen?' zei hij. Vroeger zei hij altijd: 'Er is geen plek waar ik liever naartoe zou gaan,' maar dat was inmiddels veranderd.

Hoewel hij het vreselijk vond om te doen, liep hij in de keuken toch naar de grote chroomkleurige afvalbak om te kijken hoeveel flessen erin lagen. Twee. Twee flessen goedkope rode wijn. Een op tafel, twee in de afvalbak. Hij bleef naar de flessen staren, met zijn voet op het zwarte pedaal, starend naar wat zijn vrouw deed als hij niet thuis was. Ze had een nieuwe minnaar gevonden en die lag hem daar tussen het andere afval spottend aan te kijken. *Het gaat wel weer voorbij,* dacht hij. *Het komt wel weer in orde.* Hij negeerde de lege literfles tonic die ook in de bak lag, net als het halvemaantje van haar lipstick op het glas dat op de tafel stond. Hij deed net alsof hij niet wist dat ze nooit zonder lipstick op het huis uit ging, wat betekende dat ze samen met de kinderen een kilometer verderop de wijn en de gin was gaan kopen die ze samen met de tonic had opgedronken. Of ze had de kinderen alleen gelaten. Maar dat zou ze nooit doen. Nooit.

In bed rook hij die typische warme nestgeur die ze uitstraalde. Een geur die hij overal zou herkennen en die hardnekkig zijn neus binnendrong. Ze lagen elk aan een kant van het bed. Hij wist niet precies sinds wanneer dat zo was, maar ze sliepen niet langer als lepeltjes, lekker warm tegen elkaar aan gekropen. Nu leken ze meer op een stel bevriende vreemden, mensen die elkaar goed genoeg kenden om een bed te delen, maar niet stijf tegen elkaar aan.

Hij lag in het donker om het probleem heen te draaien. Hij vroeg zich niet af wanneer ze weer zoveel was gaan drinken, maar bedacht dat hij zich altijd zorgen had gemaakt over de hoeveelheid drank die Ashlyn kon verstouwen – meer dan de meeste andere vrouwen en mannen, hijzelf inbegrepen. Maar hij waagde zich niet aan de vraag waarom ze weer was begonnen.

In plaats daarvan besloot hij om zich te concentreren op de grote presentatie van de dag daarna. Hij was vandaag op een redelijke tijd naar huis gekomen, omdat de presentatie waar hij de afgelopen zes maanden zo ontzettend hard aan had gewerkt morgen zou plaatsvinden. Vandaar dat hij – en iedereen die er samen met hem aan had gewerkt – vanavond vrij vroeg naar huis was gegaan, om een nachtje goed te slapen, zich te scheren en zich netjes aan te kleden voor de cliënt.

Kyle sloot zijn ogen. Alles waarvoor hij zich had afgebeuld zou morgen beloond worden. Alles waaraan hij zijn leven had gegeven en waaraan hij zijn gezin had opgeofferd, omdat het de moeite waard zou zijn. En als alles voorbij was, als de cliënt de maquettes had bekeken, de tekeningen, de blauwdrukken en de computerpresentatie, als ze het bijbehorende verhaaltje hadden afgedraaid, zou hij zich eindelijk kunnen ontspannen. Een tijdje vrij nemen. En met Ashlyn praten.

Echt praten.

En iets aan haar probleem doen. Hun probleem. Want hij was er net zo goed bij betrokken. Het was hún probleem. In voor- en tegenspoed, had hij haar beloofd. En hoewel je niet echt van 'tegenspoed' kon spreken, was alles al een hele tijd ook niet echt voorspoedig geweest. Maar dat zou veranderen. Nu hij tijd had, zou dat allemaal anders worden. *Het lost zich vanzelf wel weer op,* maakte hij zichzelf wijs. *Alles komt weer goed.*

Die ontkenning, het feit dat hij niet onder ogen had willen zien wat er werkelijk aan de hand was, zat hem het meest dwars.

Het vrat aan hem, het schuldgevoel dat diep vanbinnen zijn hart in de greep hield als een python die zijn prooi wurgt. Hij had iets moeten doen. Als hij eerder zijn mond had opengedaan en zijn vrouw de waarheid voor de voeten had gegooid, misschien, heel misschien, was dat met Summer dan ook niet gebeurd.

'Niet huilen, papa, alles is in orde.' Kyle schrok op van Summers stem. Haar ogen leken in het donker op die van een wijze, oude uil. Het was niet tot hem doorgedrongen dat ze wakker was en naar hem had liggen kijken. En evenmin dat hij lag te huilen. Ze klopte op zijn arm. 'Alles is in orde, hoor.'

'Ik voel me prima,' fluisterde hij en hij wreef haastig over zijn ogen. 'Ik heb alleen iets in mijn oog.'

'Komt wel goed, papa,' mompelde ze terwijl haar ogen dichtvielen en meteen daarna weer opengesperd werden. 'Wij passen wel op je.' Daarna viel ze als een blok in slaap en waarschijnlijk zou ze zich de volgende ochtend niets van het gesprek kunnen herinneren. Hij wreef opnieuw in zijn ogen om er zeker van te zijn dat ze droog waren en kruiste toen zijn armen weer over zijn borst om zijn hart te beschermen tegen de monsters die in de verschillende schakeringen van de nacht leefden. Daar was hij altijd bang voor toen hij nog klein was. Dat er iets zou komen om zijn borst open te klieven en zijn hart eruit te rukken. Het zou hem waarschijnlijk niet doden, maar hij zou achterblijven met een groot gapend gat midden in zijn borst.

Achttien

Vanwege het ongeplande oponthoud op de parkeerplaats kwamen Gabrielle en ik als laatsten op de camping aan.

Het was allemaal ontzettend vernederend en het ergste was dat ik haar nog lang niet alles had verteld. Waarom ik absoluut weg moest, waarom ik voordat ik vertrok het contact met Will volledig verbroken had en zijn telefoontjes niet meer aannam, zijn e-mailadres had geblokkeerd en een paar dagen in een hotel was gaan zitten om hem te ontlopen. Ik had haar ook niet verteld waarom ik zijn brief niet had opengemaakt of waarom het angstzweet me uitbrak als ik aan hem dacht. Nee, ik had het ergste nog niet eens verteld en tóch had ik tranen met tuiten zitten huilen.

We reden de parkeerplaats op van Wildberry Woods, de boscamping, waar overal plaatsen waren vrijgemaakt om een tent op te zetten. Onze plek was helemaal links in het bos, en toen we op weg gingen, begon ik toch iets van opwinding te voelen. Ik was sinds mijn terugkomst nog niet uit geweest en Gabrielle had gelijk, ik had in mijn vrije tijd af en toe behoefte aan volwassen gesprekspartners.

En sinds Kyle me had verteld wat er mis was met Ashlyn, had hij me niet bepaald vriendschappelijk behandeld. Dat snapte ik best. Als mensen bepaalde dingen over mij ontdekten, was ik de eerste om alle vriendschapsbanden meteen te verbreken. Hij had het me helemaal niet willen vertellen en waarschijnlijk vond hij het verschrikkelijk dat ik het nu wist.

Ergens diep in het bos vonden we de anderen, die hun tenten al hadden opgezet. Ze hadden net als Gabrielle en ik een spijkerbroek aan met een T-shirt en een fleecejack. De twee vrouwen die ik niet kende, stonden aan het hoofd van de kantoren van Office Wonders in Middlesex en Zuidwest-Londen. Ze waren allebei in de dertig, de een met rood en de ander met blond haar. Gabrielle stelde ze voor als Moira en Lindsay. Moira had een oogverblindende glimlach en een slordige rode paardenstaart. Lindsay was heel klein en heel knap, met lachende ogen en kortgeknipt haar met een rechte pony. De derde kampeerster was Janene. Teri had ook mee zullen gaan, maar ze had geen oppas voor de kinderen kunnen krijgen. Dat zou ze vast niet erg vinden, dacht ik, want ze had me vorige week al verteld dat ze helemaal geen zin had om te gaan kamperen.

Lindsay, een ervaren kampeerster, hielp ons met het opzetten van de tent. In theorie was dat heel simpel. In theorie had Gabrielle het ook al een paar keer gedaan. Maar in werkelijkheid duurde het tijden. En ondertussen zaten Janene en Moira zich te verlekkeren over de inhoud van Gabrielles picknickmand, want uiteraard zouden we zware ontberingen moeten doorstaan.

'Goed,' zei Gabrielle nadat we onze luxueuze slaapzakken achter in de tent hadden gelegd, 'ik heb twee vrijwilligers nodig die naar de receptie van de camping aan de andere kant van het bos gaan om ons in te schrijven en onze portie stookhout op te halen.' Ze zweeg een seconde en vervolgde toen: 'Kendra en Janene, wat lief van jullie om dat aan te bieden. Alsjeblieft, hier is de bevestiging van de boeking, hier is de kaart en een van jullie beiden moet maar net doen alsof ze mij is. Tot straks.'

Ik kreeg niet eens de kans om 'pardon?' te zeggen, voordat ze ons al met een stevige duw in de rug op pad stuurde. Janene leek al net zo blij met de opdracht als ik.

Ik keek achterom en voegde Gabrielle een geluidloos 'kreng' toe.

Ze gaf me een handkusje.

We sjokten door de bossen langs de rechte lijn die op de kaart stond aangegeven. Het was er schitterend. Tussen de bomen door kon je de hemelsblauwe lucht zien, met hier en daar wolkjes die op suikerspinnen leken.

'Kom jij oorspronkelijk uit Brockingham?' vroeg ik aan Janene. Gabrielle wilde dat er een band tussen ons ontstond, dus zou ik mijn uiterste best doen.

'Nou, ik dacht het niet,' zei ze spottend. 'Ik kom uit West-Londen.'

'O ja? Ik ook,' zei ik. 'Ik ben in Ealing opgegroeid en daarna ben ik in Leeds gaan studeren. Waar woonde jij dan?'

'Ik heb het over het echte West-Londen,' zei ze, weer op die spottende toon. 'West-Kensington.'

Oké, die zit, dacht ik.

De stilte in het bos werkte rustgevend, maar was tegelijkertijd zenuwslopend. Het enige wat we hoorden, waren de brekende takjes en de gevallen bladeren onder onze voeten en af en toe de roep van een vogel.

'Heb jij momenteel een vriend?' vroeg ik.

'Ik heb nog steeds verkering met mijn studievriend. Hij neemt het serieuzer dan ik. Hij wil trouwen en daar zal het uiteindelijk wel van komen, maar ik weet zeker dat ik wel iets beters kan vinden. Hij is best aardig en hij is tot over zijn oren verliefd op me, maar we zullen wel zien.'

Oké, twee-nul.

'Heb je al een leuke vakantiebestemming voor dit jaar uitgekozen?' vroeg ik als laatste redmiddel.

'Ja, ja, jij mag dan in Australië hebben gewoond, maar dat hoef je mij niet onder de neus te wrijven. Ik zou daar nog niet naartoe willen als ik geld toe kreeg.'

Drie-nul. Einduitslag.

We liepen naar de receptie, schreven ons in, haalden ons hout op en liepen vervolgens weer terug zonder nog een woord tegen elkaar te zeggen.

'Hoe vonden jullie dat, schatten?' vroeg Gabrielle die met een plastic champagneflûte in de hand op een geblokte plaid zat, naast de lege stenen kuil waarin we een vuur moesten aanleggen.

Janene lachte flauw.

'Ik vond het een voorbeeld van teambuilding,' zei ik tegen Gabrielle. Janene sloeg haar ogen ten hemel en liep naar haar tent, waarschijnlijk om haar make-up bij te werken.

'Janene en ik,' zei ik terwijl ik mijn armen zo wijd mogelijk spreidde, 'zijn echt als twee handen op één buik.'

Negentien

Terwijl de gedachten aan de belangrijke presentatie de volgende dag en het feit dat hij eindelijk de kans zou hebben om iets aan zijn gezinsleven te doen door zijn hoofd speelden, zakte Kyle langzaam maar zeker weg. Hij sliep al bijna toen hij hoorde dat de slaapkamerdeur opengeduwd werd en kleine voetjes de kamer binnenliepen.

Toen hij zijn ogen opendeed, zag hij Summer in de deuropening staan. Ze had de lappenpop die ze Winter noemde in haar armen geklemd alsof het een reddingsboei was en staarde naar haar ouders, kennelijk wachtend tot een van hen wakker zou worden.

Kyle hees zich op zijn ellebogen. Ashlyn lag met opgetrokken knieën aan de andere kant van het bed, met haar gezicht naar het raam en volledig uitgeteld.

'Wat is er, Sum?' fluisterde Kyle.

'Er zit een monster in mijn bed, papa,' zei Summer stellig. *In het mijne ook,* dacht Kyle ondanks zichzelf.

'Vast niet,' antwoordde hij hardop. Hij had nog nooit met dit bijltje gehakt. Ashlyn was degene die 's nachts altijd opstond en de driejarige tweeling weer naar hun bedjes loodste. Kyle sliep meestal dwars door alles heen.

Summer kreeg een koppige blik in haar ogen. Hoe kwam die man erbij om haar te vertellen wat er wel of niet in haar bed zat? Natuurlijk zat er wel een monster in, ze had het zelf gehoord. En gevoeld. En ze zou het ook gezien hebben als ze om had durven kijken voordat ze uit bed sprong en haar heil zocht in de slaapkamer van haar ouders. Misschien had het haar dan wel gegrepen.

'Wel waar, papa,' zei Summer met al het geduld dat ze speciaal voor grote mensen had gereserveerd. Ze keek haar vader strak aan en knikte. 'Echt waar.'

Kyle besefte ineens dat hij in het gezicht van zijn vrouw keek. Met die grimmige overtuiging die van haar gezicht en haar houding af straalde in de tijd dat ze nog met elkaar praatten en hij het lef had om het niet met haar eens te zijn. Dan veranderde haar gezicht in een stenen masker, met ogen als een stel kille smaragden die zijn afwijkende mening weliswaar tolereerden, maar niet gedoogden. Summer deed nu precies hetzelfde en Kyle besefte dat het oerstom zou zijn om in discussie te gaan.

Hij zuchtte en sloeg de dekens terug. 'Oké,' zei hij terwijl hij op wilde staan. 'Ik ga wel mee om het weg te jagen.'

'Niet oké,' zei Summer terwijl ze naar haar vader toe liep. 'Ik kom bij jou slapen, papa. Stout monster gaat morgen weer weg.'

Kyle wilde protesteren, maar hield zich in en keek naar het kleine meisje dat hij de afgelopen weken nauwelijks had gezien. Dat was een van de vervelende bijverschijnselen van het project geweest. Hij was bijna vergeten hoe zijn kinderen eruitzagen. Trouwens, als zijn driejarige dochter had besloten dat ze bij hem kwam slapen, dan viel daar niets tegen in te brengen. Monster of geen monster.

Jaxon was weliswaar veel stiller dan Summer, maar hij kwam zelden naar hen toe. Hij was een onafhankelijke geest. Dat was vanaf het begin het verschil tussen hen tweeën geweest. Als baby sliep Jaxon overal, in de armen van een vreemde, in zijn bedje of in zijn autostoeltje. Maar Summer protesteerde luidkeels als haar moeder, of later ook haar vader, haar niet vasthield. Ze werd pas stil als ze zeker wist dat een van haar ouders in de buurt was.

Hij zwaaide zijn benen uit het bed en stond een beetje wankel op, hij had toch vaster geslapen dan hij dacht. Daarna tilde hij Summer met een zwaai op en stond er opnieuw van te kijken dat iemand die zich zo moeiteloos een plaatsje in zijn bed had verworven zo licht kon zijn. Hij legde haar midden in het bed, naast Ashlyn, die alleen een paar keer hoestte, en ging naast haar liggen. Terwijl hij de dekens weer optrok, overtuigde hij zich ervan dat zij de helft van het kussen had.

'Goed,' zei Kyle zacht tegen zijn dochter, 'papa moet morgenochtend al heel vroeg opstaan, dus we moeten meteen gaan slapen.'

Summer lachte en knikte. 'Oké,' zei ze. 'Ik heb een fee gezien, papa.'

'Echt waar?' mompelde Kyle versuft. Hij moest echt slapen en wel meteen. Zijn hoofd liep om van alles wat hij morgen tijdens de presentatie moest zeggen. En hij moest ervoor zorgen dat hij morgen als eerste bij de repro was, om nog een paar posterformaat afdrukken van de plannen te laten maken.

'Ze is oranje,' verklaarde Summer. 'Haar haar is blauw met oranje. Enne oranje jurk. Enne oranje schoenen. Enne oranje vleugels.'

'Dat is een heleboel oranje,' mompelde Kyle slaperig.

'Papa kan haar niet zien,' zei Summer alsof Kyle had geprobeerd haar tegen te spreken.

'Dat klopt, schattebout,' zei Kyle met een gevoel alsof hij op zijn vingers was getikt.

Summer sloot haar ogen en leek instinctief wat meer naar haar moeder te kruipen. Als ze sliep, wilde ze zo dicht mogelijk bij Ashlyn liggen. Kyle keek toe hoe ze zich op het randje van haar moeders kussen nestelde, centimeters verwijderd van de plek waar hij vroeger altijd sliep. Ashlyn leek te merken dat er iets was veranderd, hikte, schraapte haar keel en draaide zich toen om, met haar gezicht naar haar man en dochter, nog steeds diep in haar door alcohol opgeroepen dromenland.

Kyle voelde een vleugje jaloezie. Als hij er niet was geweest, zou Summer nog steeds in de deuropening staan te wachten tot iemand haar opmerkte. Hij sloot zijn ogen en prentte zich in dat hij geen tijd had om jaloers te zijn, dat hij moest slapen. Om morgen bij de presentatie zo fris en zo alert mogelijk te zijn.

Hij hoorde het toen hij zichzelf eindelijk toestond om in slaap te sukkelen. Het snelle geluid van iemand die geen lucht meer krijgt en bijna stikt. Het was te luid en te zwaar om van een kind te zijn. Kyles ogen vlogen open en hij hees zichzelf moeizaam overeind, net op tijd om te zien wat er gebeurde. Ashlyn, die snakkend naar adem rechtop was gaan zitten, met een lichaam dat bij iedere ademhaling schokte, terwijl ze probeerde om wat er in haar keel zat los te kuchen. Ze bleef hoesten en kokhalzen tot het haar eindelijk lukte. Tot alles wat ze had gegeten en gedronken naar buiten kwam. Een slijmerige rode vloeibare nachtmerrie die over Summer werd uitgekotst.

Kyle kon er niets aan doen. Hij was te laat wakker geworden en hij reageerde niet snel genoeg omdat hij niet had begrepen wat er zou gebeuren. Hoe dan ook, hij kon niet voorkomen dat de rode zondvloed op zijn dochter terechtkwam.

Summer werd gillend wakker. Ze wist niet wat er op haar huid spetterde en tegen haar haar klotste, maar ze was doodsbang. 'Mama!' gilde ze. Haar kreet maakte Jaxon, die aan de andere kant van de muur lag, wakker en hij begon ook te gillen. Terwijl Summer allerlei woorden krijste, was het gegil van Jaxon één lange angstkreet.

En het hield niet op. De purperrode nachtmerrie bleef maar in golven uit het gapende gat van Ashlyns mond komen, tot ze haar hand ervoor hield, zodat het braaksel haar bolle wangen bezorgde en tussen haar vingers doorsijpelde. Summer staarde met grote ogen van ontzetting naar haar moeder, terwijl ze nog steeds een vreselijke herrie maakte.

Kyle was slap en machteloos, niet in staat zich te bewegen of iets te doen. Ashlyn gooide met haar vrije hand de dekens van zich af en vluchtte de aangrenzende badkamer in, met haar hand voor haar mond en haar magere bovenlijf schokkend in haar veel te grote T-shirt. Ze sloeg de deur achter zich dicht zonder die op slot te doen en het toiletdeksel werd met een klap opengezet voordat ze opnieuw begon te braken boven de WC-pot, een luid en martelend geluid, een geluid dat voortkwam uit pure ellende. Het vermengde zich met de herrie die Summer en Jaxon veroorzaakten. Summers gekrijs van afschuw en Jaxons heftige snikken, die voortvloeiden uit angst en verwarring over het gegil en omdat niemand kwam kijken wat er met hem aan de hand was.

Toen kwam Kyle in beweging. Hij griste Summer op en drukte haar tegen zich aan, ondanks de vieze lucht van het gegiste braaksel dat over de huid en het haar van zijn dochter was uitgekotst. Inmiddels stonk de hele kamer. 'Niets aan de hand, Summer,' fluisterde Kyle tegen haar oor en streek met zijn hand over het kleverige haar dat aan haar gezicht plakte. 'Alles is in orde.' Hij wiegde haar in zijn armen en hield haar stijf tegen zich aan om haar te kalmeren voordat hij haar meenam naar de badkamer. Voordat hij naar Jaxon ging om hem gerust te stellen. 'Alles is goed,' zei hij. 'Alles is in orde. Papa houdt je vast. En ik laat je niet los.'

Haar gekrijs nam langzaam maar zeker af en veranderde in een onophoudelijk gejammer.

In de aangrenzende badkamer was alles stil. Ashlyn zat niet langer te braken, maar ze was ook niet teruggekomen naar de plaats des onheils. Ze verstopte zich. Misschien was ze buiten westen. Of stikte ze in haar eigen braaksel. Kyle wist het niet en het kon hem ook niets schelen. Op dat moment had het hem ijskoud gelaten als hij haar nooit weer onder ogen zou krijgen.

De stank, die met de minuut smeriger werd en door zijn huid naar binnen leek te sijpelen, was niet meer te harden. Hij moest Summer in bad stoppen en alle sporen van deze onvoorstelbare daad van haar afspoelen. Zijn ogen dwaalden naar de rode vlekken in de lakens, een haast bloederige herinnering aan wat Ashlyn had gedaan. Aan wat ze al veel te lang had gedaan.

Hij gleed langzaam van het bed om het trillende en jammerende kind niet nog banger te maken. Met Summer in zijn armen liep hij de kamer uit. Hij fluisterde dat er niets met haar kon gebeuren, dat ze veilig was. In de gang bleef hij staan omdat hij niet wist wat hij moest doen. Of hij meteen naar Jaxon toe moest lopen, of dat de aanblik van Summer, vol rode smurrie en slap in zijn armen, hem nog meer schrik aan zou jagen. Hij zat heftig te snikken in zijn kamer, waarschijnlijk in een hoekje van zijn bed. Hij had ook iemand nodig, hij moest ook gerustgesteld worden.

Verdomme, was het enige wat Kyle kon denken.

Hij liep naar Jaxons kamer en duwde de witte deur voorzichtig met zijn blote voet open voordat hij over de drempel stapte. Jaxon zat in elkaar gedoken in een hoekje op zijn bed, met grote ogen van schrik en een natbehuild gezichtje. 'Hé, knul, alles is goed, papa is bij je,' zei Kyle zacht, in een poging om door het volume en de toon van zijn stem zijn angstige zoontje te kalmeren. 'Alles is goed, ik ben bij je. Oké? Ik ben bij je.' Kyle liep naar hem toe. Jaxon bleef huilen. 'We moeten gauw naar de badkamer toe. Ga je mee?' Jaxon slaakte een diepe zucht en hield op met huilen. 'Ja?'

Jaxon knikte.

'Fijn, goed zo. Kom maar gauw.' Kyle legde Summer tegen zijn schouder en veegde het rode slijm af aan zijn pyjamabroek voordat hij zijn hand uitstak naar zijn zoon. Hij werd nog steeds kotsmisselijk van die lucht, maar hij liet niets merken, anders zou zijn zoon nog banger worden. 'Kom op, kerel, dan gaan we een bad nemen.' Jaxon gleed voorzichtig van zijn bed en stopte zijn hand in die van zijn vader. In de badkamer, aan de overkant van de gang, moest Kyle Jaxons hand loslaten om het licht aan te trekken. Bij het plotselinge felle schijnsel wreef Jaxon zich in de ogen. Terwijl hij Summer nog steeds op zijn arm had, deed Kyle met zijn vrije hand de stop in het bad en draaide de kranen open. Het geluid van stromend water vulde de ruimte.

Jaxon liep door de badkamer en klemde zich aan zijn vaders been vast. Hij was niet van hem af te slaan. Hij begreep niet wat er aan de hand was. Waarom Summer rood was. Waarom ze midden in de nacht in bad gingen. Waarom hij wakker was geworden van dat afschuwelijke geluid. Het enige wat hij begreep, was zijn vader. Zijn vader was tastbaar, kalm en aanwezig. Hij liet hem niet los.

Toen het bad halfvol was, draaide Kyle de kranen dicht, kleedde Summer voorzichtig uit en liet haar in het water zakken. Ze verzette zich toen hij probeerde haar armen van zijn nek te trekken, dus bleef hij gebogen over het bad staan, met Summers armen om zijn nek en Jaxon op de vloer, stijf tegen hem aan, met zijn duim in zijn mond en wrijvend in zijn ogen.

Toen het water was afgekoeld was Summer inmiddels zo moe dat ze hem losliet. Jaxon was op de grond tegen zijn been in slaap gevallen. Kyle spoelde snel het rode slijm van zijn dochter en waste het uit haar haar. Daarna wist hij Summer zover te krijgen dat ze opstond zodat hij een handdoek om haar heen kon slaan en pakte haar op. Vervolgens maakte hij voorzichtig Jaxon wakker en tilde hem op met zijn andere arm.

Langzaam liep hij de badkamer uit. Hij liet het rode water in het bad staan en Summers smerige kleren op de grond liggen terwijl hij terugging naar Jaxons kamer. Daar legde hij eerst zijn zoon en vervolgens zijn dochter op het bed. Bijna automatisch rommelde Kyle in de laden tot hij een van Jaxons pyjama's vond – die met Spiderman. Dat zou Jaxon vast niet erg vinden, dacht hij.

Jaxon, die alweer onder zeil was, protesteerde niet toen Kyle Summer naast hem legde, nadat hij haar haar had gedroogd. Kyle was inmiddels doodmoe. Hij voelde het tot in zijn botten. Hij moest rusten. Toen hij zeker wist dat ze allebei sliepen, holde hij de trap af, griste de kussens van de bank, pakte de geblokte plaid uit de speelkamer en holde weer naar boven.

Hij legde de kussens voor het bed op de vloer, zodat Summer zacht terechtkwam als ze zich omdraaide en per ongeluk uit bed viel. Daarna ging hij in de fauteuil bij Jaxons raam zitten, trok de deken over zich heen en probeerde te slapen.

Toen Ashlyn de volgende ochtend eindelijk kwam opdagen was Kyle aan zijn vijfde kop inktzwarte koffie toe. Ondanks het feit dat hij bekaf was geweest, had hij niet kunnen slapen. Hij was af en toe een paar minuutjes in slaap gesukkeld, maar ieder geluidje, zelfs de wind tegen het raam of het gekraak van de vloeren, deed hem weer wakker schrikken. Omdat hij verschrikkelijk bang was dat het weer zou gebeuren. Dat er opnieuw iets vlak voor zijn neus met zijn dochter of zoon zou gebeuren en hij niet in staat zou zijn om het tegen te houden.

'Hoe laat is het?' vroeg ze schor, terwijl ze in haar ogen wreef. Ze had zichzelf niet eens fatsoenlijk gewassen. Ze had andere kleren aangetrokken, maar de lucht van braaksel hing nog steeds om haar heen, haar haar was een verwarde puinhoop en ze had het motief van de badkamertegels in haar linkerwang staan. Ze was daar kennelijk weer buiten westen geraakt en had er de rest van de nacht doorgebracht. *Geslapen.* Ze was gedesoriënteerd en haar ogen stonden wazig. Misschien was ze nog steeds bezopen, wist hij veel. Kyle keek haar vol walging aan. Niet omdat ze er zo uitzag, maar omdat ze zich in deze toestand vertoonde zonder zich te schamen, berouw te tonen of zich te verontschuldigen.

Hij draaide haar de rug toe en liep naar het aanrecht, waar hij naar de gootsteen staarde. Hij had alles schoongemaakt. Hier en boven, in de badkamer. Zelf droeg hij nog steeds de pyjamabroek met de rode smeer op de rechterpijp, omdat hij het niet had kunnen opbrengen om naar de badkamer te gaan.

'O, god, het is al negen uur. Had jij niet allang op je werk moeten zijn?' vroeg Ashlyn.

Kyle keek op en vroeg zich bijna achteloos af hoeveel lawaai de mok zou maken als hij die tegen de metalen spatplaat achter de kraan zou smijten. Frustratie, boosheid en blinde woede welden in hem op en het zou niet lang meer duren voordat ze naar buiten kwamen, dat wist hij zeker. Als hij die kop niet kapot smeet, zou hij een deur inslaan of een heel vervelende opmerking maken tegen zijn vrouw. Iets waar hij volkomen achter stond en dat hij niet terug zou willen nemen, zelfs als hij dat zou kunnen.

'Waar zijn de kinderen?' Eindelijk. Pas op de derde plaats had ze naar de kinderen gevraagd.

Hij haalde diep adem en ademde langzaam uit om weer kalm te worden. 'Die slapen nog. Ze zijn tot diep in de nacht wakker geweest.'

Stilte. Achter hem bleef het een hele tijd stil en toen hield ze plotseling haar adem in, omdat ze zich ineens herinnerde wat er was gebeurd. 'O god,' fluisterde Ashlyn. 'Ik was zo ziek als een hond.'

'Je was dronken,' antwoordde Kyle.

'Ik had een paar glazen op, wat ik waarschijnlijk beter niet had kunnen doen, omdat ik me niet lekker voelde. Was Summer erbij toen ik overgaf?'

Een vlaag van woede sloeg door hem heen en hij draaide zich om. 'Je was zo zat als een Maleier. En Summer was er niet alleen bij, ze heeft het ook aan den lijve ondervonden. Want je hebt haar helemaal ondergekotst. Zoals je heel goed weet.'

'Het spijt me,' zei Ashlyn. Ze had zich écht niet lekker gevoeld. Haar maag had de hele dag opgespeeld, dus die drie of vier glaasjes had ze beter niet kunnen drinken. Maar soms knapte ze echt op van een paar borreltjes. Als ze een paar glaasjes op had, voelde ze zich vaak niet ziek meer.

Kyle schudde zijn hoofd. 'Ik ben niet degene aan wie je je verontschuldigingen moet aanbieden.'

'Waarschijnlijk herinnert ze zich er niets van,' dacht Ashlyn hardop. 'Ze is pas drie.'

'Voel je je wel goed? Dus omdat ze zich er niets van zal herinneren, hoef jij je niet te verontschuldigen? Ze was doodsbang, Ashlyn. En ze gilde zo dat Jaxon er wakker van werd en het ook doodsbenauwd kreeg. Ze zijn allebei vannacht een paar keer huilend en nat van het zweet wakker geworden. En ze wisten niet eens waarom. Zelfs als ze zich niet precies herinneren wat er is gebeurd, zullen ze die doodsangst nooit kwijtraken.' Kyle liep met grote passen langs haar heen, omdat hij geen moment langer met haar in één kamer wilde zitten. 'O ja, en weet je waarom ik niet op mijn werk ben? Ik durfde de kinderen hier niet met jou alleen te laten. Ik wist niet in wat voor toestand jij je zou bevinden. Dit is de belangrijkste dag van mijn carrière, de dag waarop we dat winkelcentrum presenteren waaraan we zes maanden lang gewerkt hebben, en ik zal er niet bij zijn. Ook al is het mijn project, het zal door iemand anders gepresenteerd worden. En die zal het waarschijnlijk ook tijdens de bouw mogen begeleiden.'

'Ik heb al gezegd dat het me speet,' zei Ashlyn terwijl het het huilen haar nader stond dan het lachen.

'Ja, dat klopt. Maar deze keer ben ik niet bereid om je excuus te aanvaarden.' Hij beende de keuken uit en liet Ashlyn alleen achter.

Vanaf die dag was zijn leven in twee opzichten onherroepelijk veranderd. Kyle werd officieus in rang verlaagd en kreeg nooit meer de leiding over een groot project, ook al hadden ze de opdracht voor het winkelcentrum gekregen. En het was het begin van de ruzies.

Twintig

Het vuur was zalig.

Lindsay, de ervaren kampeerster, had het aangestoken, en we lagen er op plaids omheen en warmden ons aan de flikkerende oranje gloed. Met overal om ons heen insectenwerende lampen om te voorkomen dat we levend opgegeten zouden worden door de muggen, hadden we zitten lachen en praten terwijl we allerlei kampvuurspelletjes deden. Ik voelde me op mijn gemak met de andere vrouwen. Ontspannen. Voor het eerst in maanden maakte ik me nergens zorgen over. Ik moest wel aan de kinderen denken, maar ik wist dat ze goed verzorgd werden. Waarschijnlijk merkten ze niet eens dat ik weg was. In dit toevluchtsoord in de bossen had ik het gevoel dat er geen kwaad bestond. Nu niet en nooit. Op dit moment was alles volmaakt.

Maar natuurlijk werd dat gevoel verpest door Janene, die zoals gewoonlijk het hoogste woord had, ondanks het feit dat ze eigenlijk te dom was om voor de duvel te dansen. Nu begon ze over een vriendin die overstuur was na een afspraakje met een bepaalde vent.

'O, ze vond hem zeker leuk en hij heeft haar niet meer gebeld,' zei Moira verveeld. Ze was getrouwd, had twee kinderen, en had kennelijk geen zin meer om een verhaal aan te horen dat eens te meer bewees dat kerels allemaal klootzakken waren. En dat gold voor ons allemaal.

'O, nee, nee, daar ging het helemaal niet om,' zei Janene. 'Dat zijn de verhalen waar ze meestal mee aankomt. Nee, nadat ze uit was geweest met die vent waar ze al eeuwen over zeurt dat hij zo leuk is en er zo goed uitziet, begon ze hem van alles te verwijten.'

Ik had het gevoel dat er ijswater door mijn aderen stroomde. *Je bent heel bijzonder voor me,* fluisterde de stem uit het verleden. *Hou op met je te verzetten, je bent niet zomaar iemand.*

Ik schoot overeind, trok mijn knieën op en sloeg mijn armen eromheen. Ik had het ineens koud. Het vuur gaf niet genoeg warmte en ik had me niet dik genoeg aangekleed. Ik was vanbinnen helemaal verkild. Zo koud, dat niets me meer warm kon krijgen.

'Wat bedoel je daarmee?' vroeg Lindsay.

'Nou,' Janene pauzeerde even om heel dramatisch een slokje champagne te nemen, 'volgens haar zijn ze na afloop naar zijn huis gegaan om nog een kopje koffie te drinken, en van het een kwam het ander... Maar ze zei dat ze dat helemaal niet wilde of dat ze van gedachten veranderd was, weet ik veel. En ik had zoiets van: wat had jij dan verwacht? Ik bedoel maar, waarom is ze dan met hem meegegaan als ze dat niet wilde?'

'Om een kopje koffie te drinken, misschien?' suggereerde Gabrielle.

'Ja, dat zal wel, maar iedereen weet dat als je met iemand mee naar huis gaat dat altijd op seks uitloopt,' zei Janene.

'Sjonge! Daar kijk ik toch echt van op,' zei Lindsay. 'In al die tijd dat ik ging stappen, ben ik me daar nooit bewust van geweest. Als ik met iemand meega om koffie te drinken, dan gaat het volgens mij alleen om koffie. Als hij een poging doet om mij over te halen met hem naar bed te gaan en ik zeg ja, nou, dan belanden we in bed. Maar als ik nee zeg, dan bedoel ik ook nee.'

'Maar je kunt een kerel toch niet aanmoedigen...' stelde Janene, een beetje in de war omdat het gesprek niet verliep zoals ze verwacht had.

'Wacht eens heel even, dame, hoezo "een kerel aanmoedigen"?' onderbrak Gabrielle haar. 'Wat betekent dat nou weer, verdomme? Leven we nog in de middeleeuwen? Hij is zelf verantwoordelijk voor wat hij doet. Niemand wordt aangemoedigd. En als dat bij wijze van uitzondering toch is gebeurd, moet hij nog steeds ophouden als hem dat gevraagd wordt.'

Janene sloeg haar ogen ten hemel, terwijl de oranje en gele vlammen haar gezicht een duivelse uitdrukking gaven. 'Jullie zijn allemaal zo politiek correct,' zei ze met een zucht.

Ik moest de neiging onderdrukken om een van de brandende houtblokken op te pakken en haar daarmee op het hoofd te timmeren. Ze was echt zo'n figuur die in plaats van je ronduit te beledigen altijd op die twee woordjes terugviel om je aan je verstand te brengen dat je het bij het verkeerde eind had.

'Maar politiek correct of niet, de volgende keer dat ze met iemand uitgaat, weet ze wat ze kan verwachten,' vervolgde Janene.

'Ja, dat ze zich nooit meer veilig zal voelen.' Dat was mijn stem. Ik klonk zacht maar vastberaden. Ik had bij nader inzien besloten om haar niet met een stuk brandend hout te bewerken, maar haar uit te leggen wat dit werkelijk inhield. 'Ze zal verwachten dat ze altijd om moet kijken als ze over straat loopt, uit angst dat er iemand achter haar aan komt. Ze zal verwachten dat ze nooit meer iemand zal kunnen vertrouwen, ook al is hij nog zo aardig. En natuurlijk zal ze ook verwachten dat ze nooit meer iemand in vertrouwen zal kunnen nemen, na de reactie die ze van jou heeft gekregen.'

Het werd stil om me heen. Het enige wat je hoorde, was het geknetter en het gekraak van het vuur, waarin het hout in as en houtskool veranderde. Iedereen zat me strak aan te kijken en zich af te vragen wat mijn reactie had veroorzaakt en waarom mijn stem zo klonk. Iedereen behalve Janene, die absoluut het laatste woord wilde hebben. 'Wat jij kennelijk niet begrijpt, Kendra, is dat je het leven van een man kunt ruïneren als je hem van iets dergelijks beschuldigt.'

Mijn stem bleef zo hard als staal. 'Wat jij kennelijk niet begrijpt, Janene, is dat het leven van een vrouw altíjd geruïneerd is, als haar iets dergelijks overkomt,' antwoordde ik. Daarna bleef ik even stil, omdat ik besefte dat ik op het punt stond om een preek af te steken en dit was niet het moment om op de kansel te klimmen.

Ik krabbelde moeizaam overeind en sloeg mijn armen over elkaar, waardoor mijn fleecejack strak om mijn lichaam sloot. Ik stapte over de dozen met etenswaren, de plastic glazen en het plastic bestek en liep langs het vuur. 'Ik ga even een sigaret roken,' zei ik.

'Maar je rookt helemaal niet,' zei Gabrielle.

Aan de rand van ons terrein, waar de lichtkring van de citronellalampen eindigde, bleef ik staan omdat ik nog één ding kwijt wilde. 'Ik hoop dat jou nooit zoiets zal overkomen, Janene. Dat jij die angst nooit zult leren kennen. En ook niet de minachting die erop volgt.' Ik pakte een lantaarn op en liep tussen de bomen door het bos in.

Woede bruiste met de snelheid van het licht door mijn aderen. Mijn hele lichaam gloeide ervan.

Iedere keer als ik dacht aan wat Janene had gezegd, kreeg ik de behoefte om iets kapot te slaan. Iedere keer als ik dat soort onzin te horen kreeg, werd ik daar kregel van. Het was koren op de molen voor de activist in mij. Ik meende wat ik had gezegd, ik hoopte echt dat haar nooit zoiets zou overkomen. Dat wenste ik niemand toe. Misschien was het maar beter dat ze er zo over dacht, want ze snapte er niets van. Ze was nog onschuldig. En je kon maar beter onschuldig zijn dan een slachtoffer dat er alles van af wist.

Terwijl de woede langzaam wegebde, besefte ik ineens waar ik was. Ik stond in het donker midden in een bos waar allerlei insecten zich de bek aflikten en ervan droomden zich te goed te doen aan mijn vlees en wilde dieren de oren spitsten bij het geluid van een biefstuk van zo'n kilootje of vierenzestig die recht naar hun etensbak toe kwam lopen. Niet zo best.

Een eindje verder zag ik een omgevallen boom waarvan het kale hout wit oplichtte in het schijnsel van de volle maan. De volle maan. Weerwolven. Geweldig. Ik had mezelf bijna drie jaar in leven weten te houden in een land vol haaien, krokodillen en giftige spinnen, dus het lag voor de hand dat ik in Sussex uiteengereten zou worden door een bovennatuurlijk wezen dat half mens half beest was.

Ik zakte vermoeid neer op de omgevallen boom, zette de lantaarn op de grond naast mijn voeten en wreef met mijn handen over mijn gezicht voordat ik ze door mijn haren haalde. Jezus, ik begon een beetje genoeg te krijgen van die principes van mij. En van het feit dat ik altijd moest reageren op de vuige ideeën die mensen als Janene probeerden te verspreiden. Af en toe wilde ik dat ik het gewoon achterovergeleund zou kunnen accepteren. Zonder op te merken wanneer iemand onzin begon uit te kramen. Moreel ongevoelig – of voor mijn part moreel corrupt – zodat ik gewoon alle merken chocola kon eten, elke winkel kon binnenlopen, alle merkkleding kon kopen en bepaalde theorieën gewoon zwijgend kon aanhoren.

En op momenten als deze wenste ik ook altijd dat ik rookte.

Krak! Ik schrok op van het geluid van een brekend takje en verstarde, terwijl ik me afvroeg of ik toch wat beter had moeten opletten bij die oude zwart-wit griezelfilms. Hoe moest je een weerwolf eigenlijk doden? Met zilveren kogels? Of een zilveren staak door het hart?

Maar aan de lichte voetstappen te horen was het geen beest. 'O shit,' hoorde ik iemand zacht vloeken.

Geen weerwolf, maar de enige persoon die de moeite zou nemen om achter me aan te komen.

'Ondanks al die insecten en andere enge dingen hier, wilde ik toch met mijn eigen ogen zien of je echt bent gaan roken,' zei Gabrielle toen ze voor me bleef staan.

Ik lachte flauw. Ze ging ook op de omgevallen boom zitten en viste een verfrommeld pakje sigaretten uit de zak van haar donkerblauwe jack. Uit de andere zak kwam een smalle, zilverkleurige aansteker tevoorschijn. Ze stopte een sigaret tussen haar roze lippen en hield de aansteker erbij. 'Goed,' zei ze. 'Ik ben acht jaar geleden gestopt met roken, maar om jou gezelschap te houden ben ik wel bereid er weer mee te beginnen.'

'Hou op met die onzin,' zei ik, terwijl ik haar de sigaret en de aansteker afpakte.

Daarna bleef het een hele tijd stil tussen ons.

'Ik heb je nooit op zo'n manier zien reageren,' zei ze. 'En ik heb ook nooit meegemaakt dat je iemand zo aanpakte. Wil je erover praten?'

'Ze zat te raaskallen,' zei ik, helemaal in de trant van Kennie, de activist. 'Ze kraamt altijd onzin uit, maar niemand zegt er ooit iets van omdat "Janene nog zo jong is". "Janene weet niet beter." Wat een gelul. Ik ben zelf ook jong geweest en ik heb nooit dat soort onzin uitgekraamd. En wij zijn nog erger, omdat we er niets aan doen. Wij laten al die onzin maar over ons heen gaan. En door toe te staan dat ze die vuige taal uitslaat, geven we er ook aan toe.'

Gabrielle pakte een nieuwe sigaret en begon ermee te spelen. 'Wil je erover praten?' vroeg ze.

'Het... Dát is ook iemand die ik ken overkomen. Heel lang geleden, toen we nog studeerden. En zij had er niet om gevraagd, zoals Janene insinueerde, ze had hem niet aangemoedigd. Die vent heeft haar echt ontzettend diep gekwetst. Zij vertrouwde hem en hij maakte daar misbruik van. En weet je waar ik echt gek van word? Dat er zoveel mensen – zelfs vrouwen – zijn die er net zo over denken als

Janene. Dat is gewoon beangstigend. Daarom houden vrouwen dat soort dingen ook voor zich.'

Gabrielle keek naar de sigaret tussen haar vingers. Ze bleef een poosje stil en vroeg toen zonder me aan te kijken: 'Hoe is het met die vriendin van je afgelopen?'

'Ze heeft haar leven weer opgepakt en ervoor gezorgd dat ze die fout nooit meer maakte,' zei ik.

'Echt waar?' zei Gabrielle. Ik zag vanuit mijn ooghoeken dat ze me aan zat te kijken.

Ik knikte. 'Voor zover ik weet, tenminste. We hebben geen contact meer, maar het laatste wat ik heb gehoord is dat het goed met haar gaat. Heel goed.'

'O ja?' Gabrielle bleef me aankijken tot ik mijn ogen op haar gezicht richtte,

'Ja,' antwoordde ik.

'Ik ben blij dat te horen.' Om haar onopgemaakte lippen verscheen een glimlach en haar lieve blauwe ogen die me aan de lucht van vandaag deden denken leken dwars me heen te kijken. En alles te begrijpen. Ik kromp in elkaar. Ze zat kennelijk conclusies te trekken die nergens op sloegen. 'Iedereen heeft het recht om succes te hebben en heel gelukkig te zijn. Vind je ook niet?'

Ik knikte en wendde mijn gezicht af.

'Mooi. Nou, ik heb er intussen wel genoeg van om hier rond te blijven hangen. Zullen we teruggaan naar ons fijne veilige kampvuur?'

'Bedoel je die verlichte plek die als een soort baken voor hongerige wilde dieren fungeert?'

'Eh, ja, precies.'

'Nee.'

Gabrielle keek me met grote ogen aan, alsof ze niet zeker wist of ik nou een grapje maakte of niet.

'Ik kan het niet, Gabs. Als ik Janene weer onder ogen krijg, begin ik vast weer tegen haar te foeteren. Ik wacht tot jullie allemaal slapen, dan kom ik terug. Ik ga wel in jouw auto liggen.'

'Als je de benen neemt, zal het net lijken alsof je weet dat je onzin uitsloeg en dat Janene gelijk had.'

'Hmmm...'

'Hoor eens, als je die kleine taart het genoegen doet om haar te laten denken dat ze gelijk heeft, draai ik je de nek om. Dus je moet wel mee terug, Kendra, alleen al om te voorkomen dat ik die "zie je nou wel"-blik van Janenes gezicht moet krabben.'

'Maar ik ben bang dat ik weer tegen haar tekeer zal gaan,' zei ik ernstig.

'Maak je daar nou maar niet druk over, lieverd.' Gabrielle stond op. 'Ik sta achter je.'

'Voel je je weer een beetje beter?' vroeg Janene toen ik weer bij het kampvuur ging zitten. Ze klonk bezorgd, maar er was toch ook een spoortje sarcasme in haar stem te horen.

'Prima, dank je wel,' zei ik zonder haar aan te kijken.

In plaats daarvan pakte ik de zak marshmallows op die ik van Jaxon en Summer had gekregen, pakte er een witte uit en prikte die aan een lange barbecuevork die ik vervolgens in het vuur hield.

'O, Janene, dat was ik nog vergeten tegen je te zeggen,' zei Gabrielle terwijl ze mijn voorbeeld volgde, 'de komende maand werk je fulltime. En als je ook maar één keer te laat komt, krijg je een officiële waarschuwing.'

'Maar...' protesteerde ze.

'Ja, lieverd?' zei Gabrielle met een glimlach die beelden van de Noordpool opriep.

'Niets,' zei Janene en ze hield chagrijnig haar mond.

Een hele tijd later betrapte ik haar erop dat ze me woedend zat aan te kijken, met een blik die zei dat ze me dat betaald zou zetten.

Ik beantwoordde de blik en dacht: *Je doet maar.*

Eenentwintig

Janenes ogen rolden bijna uit haar hoofd toen de deur van ons kantoor openging en een aantrekkelijke man van achter in de dertig met kort donker haar, verrassend bruine ogen en een zenuwachtig gezicht naar binnen stapte. Dit was precies waar ze haar hoop op had gevestigd, wat ze had bedoeld met 'ik weet zeker dat ik iets beters kan vinden' toen ze het over haar vriendje had.

Ze schoot achter haar bureau vandaan, trok haar strakke chocoladebruine broekpak glad over haar rondingen en richtte zich in haar volle lengte op. Maar zelfs op haar naaldhakken was ze niet zo lang als de onbekende man. 'Hallo, ik ben Janene, waarmee kan ik je van dienst zijn?'

Doorgaans werden bezoekers niet zo uitbundig begroet. De meeste potentiële uitzendkrachten werden bij binnenkomst getrakteerd op een variatie van: 'Wil je je hier inschrijven? En wat heb ik daarmee te maken?' En hoe aantrekkelijker ze waren, des te grover de ontvangst.

De man leek ervan te schrikken en week een stapje achteruit. Hij had deze begroeting niet verwacht en eerlijk gezegd vond hij het gewoon eng. Hij werd zenuwachtig van de manier waarop ze haar borsten naar voren duwde en haar tong over haar lippen liet glijden. Dat stond op zijn gezicht te lezen. Hij keek naar rechts, naar Gabrielle, die hem herkende en lachte. Vervolgens keek hij mij aan en deinsde nog verder terug voor de enge kantoorjuf. 'Ik kom voor Kendra,' zei hij.

'O já?' zei Janene. 'Hoezo? Eh, juist. Mag ik uw naam hebben?'

'Waarom? Heb je zelf geen naam?' vroeg Kyle terwijl hij langs haar heen liep en bij mijn bureau kwam staan. 'Ik vroeg me af of je tijd had om mee te gaan lunchen.'

Het was twaalf uur geweest en ik had me voorgenomen om te gaan winkelen. Maar dat kon best wachten. 'Ja hoor.' Ik pakte mijn spullen bij elkaar en liep zonder op of om te kijken voor hem uit naar buiten.

Buiten regende het. Een druilerig buitje dat alle kleur wegzoog uit Brockingham en het een grauwer tintje gaf dan het in werkelijkheid had. Kyle zette de kraag van zijn regenjas op en ik viste mijn paraplu uit mijn tas voordat we de straat op liepen.

'Had je een bepaalde tent in gedachten?' vroeg ik.

'Nee, niet echt. Zou je het erg vinden om zomaar een eindje te gaan lopen?'

'Nee hoor.'

We wandelden over de natte kinderkopjes van het autovrije winkelcentrum en liepen in de richting van het park. Naast elkaar, met mijn paraplu ongeveer ter hoogte van Kyles hoofd. Het was vrij warm ondanks de regen, maar ik had toch de neiging om mijn rode regenjas strak om me heen te trekken.

'Volgens mij moet ik me verontschuldigen,' zei Kyle terwijl we de hoek omsloegen om bij het park te komen. 'Ik heb je de laatste paar weken gemeden.'

'O ja?' zei ik. 'Dat was me niet opgevallen.'

Ik voelde dat hij naar me keek om te zien of ik hem voor de gek hield, en aangezien dat ook zo was, lachte ik maar.

'Ik weet gewoon niet hoe ik erover moet praten. Dat heb ik nooit eerder gedaan. Ik had tot nu toe alleen nog maar tegen Ashlyn zelf gezegd dat ze een alcoholiste was. Sommige dingen zijn gemakkelijker om mee te leven als je ze niet onder woorden brengt.'

Dat was inderdaad waar.

'Ik weet niet wanneer het begon. Waarschijnlijk schiet ik daar ook niets mee op. De dag dat jij me op de bank vond, was de eerste keer in drie jaar dat ik een druppel alcohol had aangeraakt. Waarschijnlijk is het daarom ook zo verkeerd gevallen. En die flessen waren van Ashlyn. Een poosje geleden is ze gestopt met drinken, maar ik wist dat ze niet al haar flessen had opgeruimd.' Kyle frunnikte aan de nagels van zijn linkerhand. 'Toen ik door de telefoon ruzie met haar had gehad was ik echt woedend, des duivels gewoon. Ze klinkt tegenwoordig zo redelijk dat het me moeite kost om me te herinneren hoe ze kon zijn. En wat een duffe ellende het altijd was. Vandaar dat ik op zoek ging naar de flessen die ze overal in huis verstopt had. Het was inderdaad het geheugensteuntje dat ik nodig had. Ze lagen overal. En niet alleen volle, maar ook lege flessen.'

Kyle bleef midden op straat staan en keek me aan. Hij begon al behoorlijk nat te worden, dus tilde ik mijn paraplu op en hield die boven zijn hoofd. 'Mijn hart brak gewoon toen je me vertelde dat de kinderen die flessen in je flat hadden verstopt. Dat zullen ze wel afgekeken hebben van hun moeder. Die verstopte de lege flessen liever dan ze in de vuilnisbak te gooien, omdat ik altijd kwaad werd als ik ze zag. Ze dachten waarschijnlijk dat jij boos op me zou worden als je zag wat ik had gedronken.'

We liepen weer verder nadat Kyle de paraplu van me had overgenomen, zodat we er allebei onder konden. Er stond een licht windje, maar over het algemeen was het best uit te houden. 'Haar drankgebruik heeft ons een boel gekost. Dat we de flat moesten verhuren was niet omdat ze was vertrokken, maar omdat ze gestopt was met werken. Het duurde even voordat ik dat in de gaten kreeg... Ze zat constant in haar studio en ik dacht dat ze een paar projecten onder handen had. En dat ze de rekeningen betaalde met het geld dat ze verdiende. Maar toen ontdekte ik dat dat niet zo was. Ze was de meesten van haar cliënten kwijtgeraakt omdat ze slonzig werk afleverde of veel te laat was. Ze had bijna al haar spaargeld opgemaakt en kon niet meer verbergen dat ze stapels schulden had. Ik was in functie teruggezet, en toen ik de kans kreeg om van huis uit te gaan werken heb ik die meteen aangepakt. Vandaar dat ik ook minder verdiende dan daarvoor, dus toen heb ik tegen haar gezegd dat we de flat moesten verhuren. De enige andere optie was dat we geld van haar moeder zouden lenen, en dat zou ze nooit willen.

De reden waarom ik niet wil dat de kinderen gebruik maken van het openbaar vervoer is omdat iemand een keer vreselijk tegen ze tekeer is gegaan toen ze op weg naar huis waren. Ashlyn wilde er geen woord over kwijt en had tegen ze gezegd dat ze het mij niet mochten vertellen omdat ik er alleen maar overstuur van zou raken. Ze had bij de repetities voor het kerstspel op school tegen het meisje dat Maria speelde gezegd dat ze een trol was vergeleken bij Summer. Natuurlijk was ze dronken. Maar na de repetities kwam de moeder van het meisje iedere keer achter hen aan en ging dan ontzettend tekeer tegen de kinderen. Ze moesten wel met de bus, want ik had Ashlyn haar autosleutels afgepakt omdat ze constant dronken achter het stuur zat. Ik kwam er alleen achter omdat de buurvrouw een keer zag wat er gebeurde en er een opmerking over maakte.'

We kwamen bij de rand van het park en liepen het pad op dat door het smaragdgroene gazon liep. Samen wandelden we langzaam verder, waarbij ik mijn best deed om niet te zwaar te ademen omdat Kyles stem af en toe zo zacht werd dat ik hem bijna niet kon verstaan.

'Ik moest je dit gewoon allemaal vertellen, zodat je zou begrijpen waarom ik bepaalde dingen doe. En waarom de kinderen zo aan je gehecht zijn. Ze hebben buiten ons drieën niet veel vrienden of mensen die ze kunnen vertrouwen, vandaar dat ze zich aan jou vastklampen.'

'Wou je daarmee zeggen dat het niet aan mijn briljante geest en mijn adembenemende persoonlijkheid ligt?'

Kyles lach bezorgde me een warm gevoel vanbinnen. We konden nog steeds grapjes maken. Dat was heel belangrijk. 'Nee, helaas niet,' zei hij.

'Nou, dan moet ik daar maar gauw iets aan doen.'

'De kinderen zijn dol op je en ik ben je ontzettend dankbaar voor alles wat je doet.'

'Dat valt me niet echt zwaar, hoor, het is een stel fantastische kinderen. En jij bent een geweldige vader.'

Kyle zei niets, maar keek me op dezelfde manier aan als in Regents Park, toen hij me eindelijk had verteld wat er mis was met Ashlyn. Hij bestudeerde mijn gezicht alsof hij me binnenstebuiten wilde keren. En ik wendde mijn ogen af, uit angst dat hij iets zou zien.

'Is hij goed genoeg voor je?' vroeg hij.

'Over wie hebben we het nu?' vroeg ik een beetje verward.

'Die vent in Australië.'

Ik haalde mijn schouders op. 'Volgens mij wel. Maar ja, het is logisch dat ik er zo over denk, hè?'

Hij hield nog steeds de paraplu vast, waardoor mijn oog ineens op zijn horloge viel. 'Ach, verdorie. Ik moet terug, Kyle, als je het niet erg vindt.'

'Helemaal niet,' zei Kyle en hij maakte meteen rechtsomkeert. Hij leek enorm opgelucht dat hij me alles had verteld, er was kennelijk een last van zijn schouders gevallen.

'En wat je me net hebt verteld blijft gewoon tussen ons, hoor.'

'Dat zou ik heel prettig vinden,' antwoordde hij lachend. 'Zeker weten.'

Daarna kreeg ik nog meer verhalen te horen over Ashlyn, de beeldschone vrouw met het honingkleurige haar, de stralende ogen, de artistieke gaven en een drankprobleem.

Kyle vertelde me ook over het voorval waarbij ze Summer had ondergekotst. En over de keer dat ze vergeten was dat Jaxon naar de dokter moest. Omdat ze er pas op het allerlaatste moment aan dacht, had ze ondanks het feit dat ze had gedronken toch besloten om de auto te nemen. Ze was de macht over het stuur verloren en had een boom geraakt, maar volgens haar was ze aangereden door iemand die er vervolgens zonder te stoppen vandoor was gegaan. Kyle hoorde de ware toedracht van Jaxon. Ik kreeg te horen dat ze op een avond toen de kinderen in bed lagen buiten westen was geraakt. Kyle moest overwerken en er stond nog een pan op het vuur. Gelukkig was hij thuisgekomen voordat de boel in brand vloog. Ik ontdekte ook dat ze de kinderen altijd allerlei uitstapjes beloofde als ze dronken was en dat weer volkomen vergeten was als de drank was uitgewerkt. Ik hoorde dat de kinderen een aantal keren vergeefs hadden geprobeerd om haar uit haar roes te laten ontwaken.

Kortom, nadat hij me de waarheid had verteld was er geen houden meer aan. Uit al die verhalen over allerlei dingen die fout gingen, bleek overigens duidelijk dat ze niet constant dronken rondwaggelde en ook nict altijd liep te schreeuwen en ruzie liep te maken. Maar ze zorgde er wel voortdurend voor dat alles in het honderd liep.

Kyle vertelde me ook waarom ze had besloten om te stoppen met drinken.

'Weet je wat de druppel was die de emmer deed overlopen? Niet die aanrijding met Jaxon in de auto, niet dat ze Summer had ondergekotst en ook niet het feit dat ze tijdens ons personeelsfeestje op tafel stond te dansen. Niet omdat ze in slaap was gevallen terwijl er nog een pan op het vuur stond of omdat ik op mijn werk werd opgebeld of ik de kinderen kon ophalen omdat Ashlyn thuis haar roes lag uit te slapen en vergeten was de kinderen van school te halen. Maar op een dag kwam ik onverwachts de keuken binnen en hoorde haar tegen Summer zeggen dat ze haar mond moest houden.'

Tweeëntwintig

Ashlyn had een fikse kater en ze voelde zich beroerd.

Niemand begreep ooit hoe beroerd ze zich kon voelen, het leek wel alsof ze langzaam maar zeker werd gefileerd. Kyle kon zien dat ze zich niet lekker voelde. Haar gezicht was pafferig, haar huid had een groenige tint, haar donkergroene ogen stonden dof en glazig en haar haar, dat ze al een paar dagen niet had gewassen, hing in vettige slierten langs haar gezicht. Tijdens het ontbijt had iedereen zijn mond gehouden, omdat Ashlyn zich niet goed voelde. De kinderen waren weliswaar pas vijf, maar ze wisten dat ze 's ochtends maar beter hun mond konden houden.

Kyle had niets te zeggen tegen de slonzige vrouw tegenover hem en Ashlyn zelf kon geen woord uitbrengen, ook al had ze dat gewild. Na het ontbijt pakte Kyle zijn halfvolle mok met koffie op en vluchtte naar zijn kantoor boven.

Hij had geen project om aan te werken, na het fiasco tijdens het grote project hadden ze hem geen belangrijke opdrachten meer gegeven, maar hij had behoefte aan eenzaamheid. Toen hij ongeveer een uur later weer naar beneden liep, vertelde de stilte in het huis hem dat Ashlyn nog steeds problemen had en dat de kinderen waarschijnlijk uit haar buurt bleven. Op het moment dat hij naar de keuken liep, hoorde hij Summers heldere stemmetje praten, babbelen en vragen stellen. Hij kon niet ontkennen dat Summer een vermoeiend kind was. Ze hield van praten en ze stond erop dat ze antwoord kreeg. Het ergste wat iemand Summer kon aandoen was haar negeren.

Ashlyn stond bij de gootsteen, met haar rug naar Summer toe en haar handen in een bak zeepsop. Ze was bezig met het afsoppen van een stapel borden. Waarom ze de moeite nam, wist Kyle niet. *Waarschijnlijk om iets te hebben waarover ze zich kon beklagen,* dacht hij. Daarom dronk ze ook. Alles was zo akelig dat ze wel moest drinken. Dat akelige gold ook voor hem. Voorál voor hem. Maar dat wist hij toen natuurlijk nog niet. Hij dacht dat het aan haar lag. Of misschien aan hem, maar dat was dan haar schuld.

'Maar waarom is het gras dan groen, mama?' vroeg Summer.

'Door het chlorofyl,' zei Ashlyn schor. Ze werd doodzenuwachtig van die eeuwige vragen van haar dochter. 'Dat maakt het gras groen.'

'Maar waarom groen, mama? Waarom niet blauw, net als de lucht? Of geel, zoals de zon. Of roze, zoals mijn feestjurk?'

Ashlyn slaakte een geërgerde zucht. 'Ik zou het niet weten,' antwoordde ze op een toon die duidelijk aangaf dat ze zich er ook niet druk over wenste te maken.

'Maar, mama...'

Dat deed de deur dicht. Ashlyn had er genoeg van. 'Hou je mond, Summer,' snauwde ze. Ze smeet het bord dat ze stond af te wassen weer in de bak, waardoor het vuile afwaswater over de rand van de gootsteen gutste en via haar suède rok en katoenen topje op de grond plensde. 'Kijk nou eens! Dat is jouw schuld!' Ze wees naar haar kletsnatte shirt en de bevlekte rok. 'Hou op met dat gezeur over gras. Of over de zee. Of over weet ik veel. Hou gewoon je mond!'

Ze draaide zich om naar haar dochter en wierp een wazige blik op het meisje dat aan de tafel zat, voordat ze haar natte hand opstak en een slaande beweging maakte om aan te geven dat ze het echt meende. 'Hou je mond.'

Summer verstarde. Ze herkende de toon van haar moeders stem. Ze wist dat het nu twee kanten op kon gaan. Soms begon mama te schreeuwen. Maar soms pakte ze haar bij haar arm en rammelde haar door elkaar voordat ze haar naar haar slaapkamer sleepte en haar daar opsloot tot ze gehoorzaam was. Summer wist dat ze stil moest zijn als mama haar zo aankeek en op die toon tegen haar sprak. Heel stil. En dat ze uit de buurt moest blijven.

Ashlyn wierp een woedende blik op haar dochter en daagde haar bijna uit om ongehoorzaam te zijn.

Summer zoog op haar onderlip en zette haar tanden erin. Ze wilde helemaal niet stout zijn. Ze wilde mama niet kwaad maken. Ze wilde alleen maar weten hoe het nou zat met kleuren. Papa was er nooit, dus die kon ze het niet vragen, en mama wist alles. Jaxon. Ze besloot dat ze maar eens met Jaxon moest gaan praten om erachter te komen waarom mama altijd boos op haar werd en lang niet zo vaak op hem. Ze pakte Huppeltje op, het konijn dat de plaats had ingenomen van Winter, de oude lappenpop die het leven had gelaten in een stortvloed van rood braaksel, en gleed van haar stoel af om de tuin in te lopen. Daar was Jaxon ook en die zou wel met haar willen spelen. Misschien kon hij haar ook vertellen waarom ze altijd zo stout was.

Ashlyn keek Summer na die de keuken uit liep en Kyle, die ongemerkt in de deuropening was verschenen, keek naar Ashlyn. Hij had zijn hele jeugd van zijn vader te horen gekregen dat hij zijn mond moest houden en hij was opgegroeid met de angst dat hij iets verkeerds zou zeggen. Dat zou Summer niet overkomen. Ook al was ze nog zo vervelend, ze had het recht om haar mond open te doen. Altijd.

Hij liep de keuken in en de sfeer werd meteen gespannen toen Ashlyn hem in het oog kreeg. Ze zag er ook een beetje ongerust uit terwijl ze zich afvroeg of hij alles gehoord, maar dat gevoel veranderde al snel in verontwaardiging. Wat zou het? Ze had niets misdaan.

'Hier moet een eind aan komen,' zei Kyle met een zachte, boze stem. Hij wist niet waar de kinderen uithingen en hij wilde ze geen angst aanjagen door tegen Ashlyn te gaan schreeuwen.

'Waaraan?' zei ze minachtend, meteen in de verdediging gedrongen.

'Je hoeft je niet van den domme te houden,' zei Kyle, nog steeds met die zachte stem. 'Er moet een einde komen aan dit gedonder. Ik wil dat je er meteen mee ophoudt.'

'Waarmee?'

'Je hebt Summer net de stuipen op het lijf gejaagd.'

Ashlyn keek hem spottend aan. 'Sinds wanneer weet jij hoe een vijfjarig kind denkt?'

'Ik weet alleen dat jij ons allemaal terroriseert met je drankmisbruik en dat ik daar genoeg van heb. Daar moet een eind aan komen.'

'O, dus ík ben degene die dit gezin terroriseert?' Ashlyn gedroeg zich alsof ze haar oren niet kon geloven. 'Maar ik ben tenminste thuis,' snauwde ze er meteen overheen. 'Ik verstop me niet op mijn werk of op mijn kantoor.'

'Ja, jij bent thuis, zodat je dronken met de auto tegen een boom op kunt knallen terwijl onze zoon op de achterbank zit. Jij bent thuis, zodat je onze dochter midden in de nacht onder kunt kotsen zonder je daar zelfs maar voor te verontschuldigen. Ja, jij bent thuis, Ashlyn, en wat zijn we je daar toch dankbaar voor.'

Ashlyns verontwaardiging maakte plaats voor ongeloof en woede. 'Ik heb me wel verontschuldigd,' siste ze. 'En nu voel je je zeker een echte vent, hè Kyle? Door mij elk foutje wat ik ooit heb gemaakt onder de neus te wrijven?'

Geeft drank jou dan het gevoel dat je een echte vrouw bent? had Kyle haar bijna naar het hoofd geslingerd, maar hij kon zich nog net inhouden. 'Als je er echt spijt van had, Ashlyn, zou je stoppen met drinken.'

Ze sloeg haar ogen ten hemel en Kyle had haar het liefst door elkaar gerammeld om haar te vertellen dat ze zich niet meer als een onnozele tiener moest gedragen en eindelijk eens serieus moest worden.

'Ik drink helemaal niet veel,' zei ze. 'Niet meer dan andere normale mensen.'

'Normáál?' zei Kyle iets luider. Hij pakte Ashlyn bij haar arm en sleepte haar mee naar de keukendeur, zonder op haar geschrokken gezicht te letten en zonder zich iets aan te trekken van het feit dat ze verstijfde. Hij trok de keukendeur open en trok haar mee naar buiten. Dat ze begon te hijgen en naar adem snakte toen ze in het felle daglicht stond, kon hem kennelijk ook niets schelen. Hij liep naar het speelhuisje van Summer dat hij voor haar had gebouwd en wees naar het bloembed erachter, dat beplant was met struiken en viooltjes. 'Dus dat vind jij normaal?' snauwde hij.

Tussen de groene struiken stonden vijf groene flessen. Vijf groene bierflessen die daar zorgvuldig zo waren neergezet dat ze niet opvielen tussen de bladeren.

Ashlyns hart begon sneller te kloppen. Hoe had hij die gevonden? Die had ze er nog maar net neergezet. Ze kon ze niet bij de lege flessen zetten, want dan zou Kyle ze zien. En om dezelfde reden kon ze ze ook niet in de vuilnisbak gooien. Hij zou er niets van begrijpen. Hij begreep er helemaal niets van. Hij wist niet hoe het was en hij hield haar zo scherp in de gaten dat ze de bewijzen wel moest verstoppen. Zelfs de studio was geen goede plek, want ze vermoedde dat hij daar ook regelmatig rondkeek. Dit was een tijdelijke oplossing en je zag ze niet eens, tenzij je ernaar op zoek was. En waarom zou hij ernaar op zoek zijn? Waarom hield hij haar altijd in de gaten? Om haar een rotgevoel te bezorgen. Alsof ze iets deed wat niet mocht.

'Dus het is normaal om flessen te verstoppen?' herhaalde Kyle.

'Als jij niet zo'n moraalridder was, zou ik ze niet hoeven te verstoppen,' zei Ashlyn beschuldigend. 'Je zit me meteen op de huid als ik maar naar een borrel kijk, dus moet ik ze wel verstoppen. Als jij anders was, zou ik dat niet hoeven te doen.'

Ze bracht Kyle even aan het wankelen en hij vroeg zich af of ze gelijk had. Als hij het niet altijd meteen in de gaten zou hebben als ze dronk, zou ze dan de flessen ook verbergen en nog steeds stiekem in haar studio blijven hijsen? Als hij inbond, zou zij dan hetzelfde doen? *Ach, hou nou toch op,* zei hij bij zichzelf. Ze dronk gewoon veel te veel. Normale mensen hielden het na een paar borreltjes voor gezien. Normale mensen konden het best een paar dagen zonder alcohol uithouden. Normale mensen hadden geen borrel nódig. Normale mensen brengen hun beminden en hun eigen principes niet in gevaar als ze onder invloed zijn of langzaam weer nuchter worden. *Om vervolgens weer van voren af aan te beginnen.* Kyles vrouw was verslaafd aan alcohol.

Iedere keer als die gedachte door zijn hoofd ging, zag hij in gedachten een oude man voor zich, die met een vies gezicht en in kleren die stijf stonden van het vuil op een stoeprand zat, lebberend aan een blikje bier. Maar in werkelijkheid was de alcoholist zijn intelligente, levenslustige vrouw. Dezelfde vrouw die een kamer vol mensen aan haar voeten kon krijgen door alleen maar binnen te komen, die gewoon in een trainingsbroek en een slonzig T-shirtje naar de supermarkt kon en die het leven had geschonken aan zijn beide kinderen.

De vrouw van wie Kyle hield, was verslaafd aan alcohol. Dat moest hij onder ogen zien. En hetzelfde gold voor haar. En hij moest haar zo ver zien te krijgen dat ze dat accepteerde. Dit was het moment waarop hij in moest grijpen. Het had geen zin meer om net te doen alsof hun leven de afgelopen paar jaar op rolletjes had gelopen. Dat was hij niet alleen verplicht tegenover Jaxon en Summer, maar ook tegenover zichzelf en Ashlyn.

'Je kunt het niet op mij afschuiven,' merkte Kyle op terwijl hij zichzelf schrap zette. 'Het is mijn schuld niet. Je bent verslaafd aan alcohol, Ashlyn.'

Ze sloeg haar ogen ten hemel en schudde haar hoofd.

'Je bent verslaafd,' zei hij nog een keer. 'Je moet hulp zoeken.'

'Doe even normaal,' snauwde ze terwijl ze zich omdraaide en met grote stappen terugliep naar huis. Kyle keek haar na. Hij wist niet goed hoe hij dit moest aanpakken. Hij wilde geen ruzie met haar maken, maar nu hij deze weg was ingeslagen moest hij wel doorzetten.

Ze was weer aan het afwassen geslagen. Ze pakte weer een bord en begon het vlijtig schoon te poetsen.

'Ashlyn...'

'Ik wil er geen woord meer over horen,' viel ze hem in de rede. 'Je hebt kennelijk een probleem en dat probeer je nu op mij af te wentelen.'

'Als jij geen hulp zoekt, wil ik dat je het huis uit gaat,' zei Kyle nauwelijks hoorbaar. Hij wilde gewoon weten hoe het klonk als hij het hardop zei. Tot nu toe was het iets geweest dat af en toe door zijn hoofd schoot, iets vluchtigs en onberekenbaars. Hij had er nooit echt over nagedacht, maar nu wilde hij vertrouwd raken met het idee en weten wat het precies inhield.

Vandaar dat hij op gedempte toon sprak, maar ze hoorde het toch en snakte naar adem. Ashlyn gooide het bord terug in het sop, draaide zich met een ruk om en staarde haar man aan. Hij stond stokstijf achter haar, de voeten stevig op de gelakte houten vloer en de armen over elkaar geslagen. Ze zag ineens dat hij mager was geworden. Het was al maanden geleden dat ze hem echt goed had bekeken. Waarom zou ze die moeite nemen als hij er toch altijd was? Hij was een onderdeel van haar leven, een vorm, een gestalte die antwoord gaf als zij iets vroeg of andersom, maar aan wie ze niet veel aandacht hoefde te schenken. Ze had iedere nacht naast deze man geslapen en hij was veranderd. Kyle was afgevallen zonder dat zij daar iets van had gemerkt. Zijn gezicht was smaller, hij had kringen onder zijn ogen en zijn haar was korter, niet gesneden maar geknipt. En er ontbrak iets. Zijn zelfvertrouwen? Zijn ontspannen houding? De twinkeling in zijn ogen? Wat het ook was, datgene wat Kyle zo bijzonder maakte, was verdwenen. Was dat van de ene op de andere dag gebeurd of gewoon langzaam maar zeker weggesijpeld in de afgelopen paar maanden toen zij niet oplette? De verontrustende gedachte schoot door haar heen dat het misschien wel aan haar lag. Aan iets wat zij had gedaan. Nee, dat was onzin. Het was haar schuld niet. Als Kyle was veranderd, dan lag dat alleen aan hem. En het was helemaal niet aardig van hem om haar te laten denken dat het aan haar lag. Ja, hij was echt veranderd, want hij had haar een rotgevoel bezorgd. En dat deed hij constant. Vroeger had hij er altijd voor gezorgd dat ze zich zalig voelde, hij was echt een verlengstuk van haar geweest. Toen had ze het gevoel gehad dat ze dood zou gaan zonder hem. Nu maakte hij alleen maar dat ze zich ellendig voelde. Dan was het toch ook geen wonder dat ze af en toe behoefte had aan een borrel? Als die vent haar dat aandeed?

'Wat zei je daar?' fluisterde ze.

'Ik zei...' Kyle aarzelde. Kon hij het wel opbrengen om het nog een keer te zeggen? Maar hij moest wel. 'Ik zei dat ik wil dat je het huis uit gaat als je geen hulp zoekt. Dit wil ik de kinderen niet langer aandoen. Ik wil het mezelf niet langer aandoen. Ga hulp zoeken of ga weg.'

'Dacht je nou echt dat ik de kinderen bij jou achterlaat? Je zou binnen een minuut stapelgek zijn.'

'Daar vinden we wel een oplossing voor. Je moet echt hulp gaan zoeken, Ashlyn. Ik wil niet dat je weggaat, ik wil dat je hulp zoekt. Maar als je dat niet doet, moet je het huis uit.'

'Je krijgt de kinderen toch niet,' zei ze.

'Er is geen hond die jou de voogdij zou geven, niet na al die stommiteiten die je onder invloed hebt uitgehaald.'

'Dat heet tegenwoordig ouderlijk gezag,' snauwde ze. 'En hoe zou ik dat weten, denk je? Omdat ik erover heb gedacht om bij je weg te gaan. Toen ik alles in mijn eentje moest opknappen en jij nooit thuis was. Toen heb ik me afgevraagd of het niet beter zou zijn als jij voorgoed zou oprotten. Maar ik kon het niet opbrengen, omdat ik jou geen verdriet wilde doen. In tegenstelling tot jou, want jij vindt het kennelijk geen enkel bezwaar om mij verdriet te doen.'

Kyle knipperde niet eens met zijn ogen. Hij bleef daar als een zoutpilaar staan. Wat ze zei, drong niet eens tot hem door. Ze vroeg zich niet voor het eerst af wat ze zou moeten doen om tot hem door te dringen. Het kon hem allemaal geen barst schelen. Hij gaf gewoon niets om haar. Was dat ooit anders geweest?

'En ze zouden toch aan mij toegekend worden, Kyle, omdat ik er altijd voor hen ben. Ik werk aan huis, ik werk de halve nacht om overdag voor hen te kunnen zorgen. Ik geef ze te eten, ik pak ze op als ze vallen. Ik ben er altijd als ze naar bed gaan. Ik hou van ze. Natuurlijk krijg ik de kinderen, want ik ben hun móéder.'

'Waarom gedraag je je daar dan niet naar? Denk voor de verandering eens eerst aan hen.' Kyle draaide zich om en liep weg.

Ze wist het vast niet. Ze wist vast niet dat hij bijna had gezegd dat hij er niets van meende. Dat hij niet zonder haar en de kinderen kon leven. Dat hij niets was zonder haar. Ze wist vast niet dat hij de gedachte niet kon verdragen dat ze bij hem weg zou gaan. Op de dagen dat ze samen met Jaxon en Summer bij haar moeder op bezoek ging, werd hij gek van de stilte in het huis, en dan dwaalde hij van de ene naar de andere kamer om op hun bed te gaan zitten, hun speelgoed op te pakken en te denken aan de gesprekken die ze hadden gevoerd. Ze wist vast niet dat hij het nooit zou kunnen opbrengen om haar het huis uit te zetten, of ze nou hulp ging zoeken of niet.

'Daarna ging het verrassend genoeg een tijdje goed. Ik weet niet waarom, maar ik dacht dat alles als bij toverslag voorbij zou zijn. Je weet wel, dat ze gewoon op zou houden met drinken, waardoor al onze problemen opgelost waren.

Maar zo ging het niet bepaald. Ze was constant chagrijnig, het leek alsof ze gewoon één lange kater had. Maar in ieder geval dronk ze niet meer. We kregen steeds vaker ruzie, maar in ieder geval liepen we niet meer langs elkaar heen.'

Kyle keek omhoog naar de lucht, alsof hij zich beter op zijn gemak zou voelen tussen de wolken dan hier beneden, bij mij en de kinderen. 'En toen beging ik een flater.' Hij zuchtte. 'Tsjonge, wat was dat stom van me. Ze vroeg of ik samen met haar een paar bijeenkomsten wilde bijwonen. Maar...' Zijn stem ebde weg en ik keek hem aan. Hij had het er kennelijk nog steeds moeilijk mee. 'Ik kon het niet opbrengen, Kendra. Het idee dat ik daar moest zitten luisteren naar mensen die vertelden waarom ze dronken. Dat wilde ik helemaal niet horen. Ik wilde niet dat iemand me naast haar zag zitten en zou denken dat het allemaal aan mij lag.'

'Volgens mij werkt het niet zo,' zei ik. 'Ze dringen niemand de schuld op.'

'Nee, dat zal wel niet. Maar ik wilde dat niet aan den lijve ondervinden. Ik nam mezelf al kwalijk dat ik er niet eerder over was begonnen. Ik had mezelf al veroordeeld, dat hoefde een ander niet meer te doen.'

'En het was ook een manier om ervoor te zorgen dat ze haar terechte straf kreeg,' zei ik. 'Door haar naar die bijeenkomsten te sturen in de vrees dat ze alles kwijt zou raken als ze niet ging.'

Kyle keek me verward aan.

'Nee, ik veroordeel je niet,' zei ik. 'Wat ik bedoel, is dat zij je een hoop ellende had bezorgd, Kyle, dus is het alleen maar menselijk dat je kwaad op haar was. En dat je niet direct stond te trappelen van verlangen om haar te helpen, zelfs al zou ze daardoor sneller genezen. Ze was op eigen houtje aan de drank verslaafd geraakt, dus waarom kon ze dan niet in haar eentje afkicken? En als je je daarnaast ook nog eens schuldig voelde, verbaast het me niets dat je niet mee wilde.'

'Ik wilde dat ze erin zou slagen. En ik hielp haar zo goed als ik kon.

Ik dronk niet, ik vroeg hoe de bijenkomsten waren en ik vroeg hoe ze zich voelde. Maar wat ze van me vroeg, kon ik niet opbrengen. Op die manier kon ik haar niet helpen. En toen ik weigerde, voelde Ashlyn zich in de steek gelaten. Op een nacht kwam ze niet naar bed. De volgende nacht en de nacht daarna ook niet. Ik geloof dat het Summer was die vroeg waarom ze niet meer in het grote bed sliep – ik verdomde het gewoon om erover te beginnen – en toen zei ze dat ze de hele nacht had zitten werken en in de studio in slaap was gevallen. Ik zei niets en daarna trok ze min of meer permanent in de studio. Vandaar dat de kinderen de deur open kunnen krijgen en constant voor je voeten lopen. Het werd de gewoonte dat ze daar 's ochtends naar toe gingen om haar op te zoeken. En toen was ze op een ochtend verdwenen. Ze was weggegaan. Midden in de nacht. Alleen Jaxon had haar nog gezien. Hij had naar gedroomd en was wakker geweest toen ze naar zijn kamer kwam om afscheid te nemen. Summer lag in ons bed te slapen, dus van haar heeft ze geen afscheid genomen. Maar Jaxon slaapt liever in zijn eigen bed en was wakker. Toen heeft ze hem verteld dat hij niets mocht zeggen. Dat heeft hij letterlijk opgevat en hij hield op met praten. Twee dagen later belde ze dat ze de kinderen wilde zien. Niet mij, alleen de kinderen. Die heb ik toen bij haar moeder afgeleverd, omdat ze niet wilde dat ik zou weten waar ze zat. Ik heb haar pas een paar weken later teruggezien, toen we naar New York gingen.' Hij slaakte een diepe zucht. 'Als ik alles over zou kunnen doen, zou ik gewoon met haar meegaan naar die bijeenkomsten.'

'Misschien zou het geen enkel verschil hebben gemaakt,' zei ik.

'Maar dan zou ik dat tenminste zeker weten.'

'Dat is waar. En als je haar, als ze terugkomt, nu eens vertelt dat je bereid bent om met haar mee te gaan?'

Hij keek me aan. 'Daar is het nu te laat voor.'

'Zelfs als je gescheiden was, zou het nog niet te laat zijn. Als je het tenminste weer goed wilt maken. Als je bereid bent om alles te proberen om het weer goed te maken.'

Ik kon zien dat hij erover na zat te denken. Ondertussen keek ik naar de kinderen die naar ons toe kwamen rennen. Verbeeldde ik me dat nou, of waren ze de afgelopen paar dagen een paar meter gegroeid? Nou ja, meters was natuurlijk een beetje overdreven, maar ze leken allebei langer en gingen kennelijk hun vader achterna. Jaxon was het eerst bij ons en stortte zich languit op zijn vader. Daar had Kyle helemaal niet op gerekend en hij snakte naar adem. Vervolgens wierp Summer zich ook op hem en lag hij lachend onder zijn kinderen te spartelen. Over een paar uur zou Ashlyn weer bellen. Dan zouden ze als een blad aan de boom omslaan en zich in hun kamers verstoppen, helemaal kapot van het feit dat hun mama niet bij hen was.

Kyle was het echt aan hen verplicht om er alles aan te doen om het weer goed te maken. En als dat betekende dat hij met zijn vrouw mee moest naar haar bijeenkomsten, nou, dan deed hij dat maar. Dat was toch wat in voor- en tegenspoed betekende?

Spaanse omelet

Drieëntwintig

'O, Kendra, ik moet je nog een boodschap doorgeven,' zei Janene. Ze klonk gewoon, alsof ze het tegen Gabrielle of Teri had, waardoor ik meteen argwanend werd. Ons kampeerweekendje was al eeuwen geleden en ze had het onuitgesproken dreigement om zich te wreken nog niet uitgevoerd.

'Toen je op het toilet zat, gingen je telefoons, dus ik heb maar opgenomen. Ik was vergeten het aan je door te geven.' Ik was al zeker een uur geleden naar het toilet gegaan. Het zou wel een belangrijke cliënt zijn die had verwacht dat ik binnen een kwartier zou terugbellen. Dit was dus haar wraak, om te proberen me bij mijn werk dwars te zitten.

Ze gaf me het briefje met een glimlachend gezicht, alleen was die boodschap niet doorgedrongen tot haar uitdrukkingsloze kraaloogjes.

Mevrouw Chelner, stond er op het briefje, plus een mobiel nummer. Ze had er ook DRINGEND bij gezet, drie keer onderstreept, en stond me met opgetrokken wenkbrauwen aan te kijken, wachtend tot ik mijn zelfbeheersing zou verliezen en de telefoon weg zou grissen. Ons werk was gebaseerd op goede contacten en een efficiënte dienstverlening. Wie dit ook mocht zijn, een niet beantwoord telefoontje zou geen goede indruk maken. *Kreng.*

'Hartelijk bedankt,' zei ik met een vriendelijke glimlach terwijl ik het gele briefje op mijn bureau plakte. Ik was niet van plan om haar het genoegen te doen uit mijn vel te springen. Ik was die opdracht waarschijnlijk toch kwijt, en ik wilde Janene geen greintje voldoening schenken.

Ze draaide zich tandenknarsend om op haar LK Bennett-hakken en beende terug naar haar bureau. Vanachter haar bureau had Gabrielle alles gadegeslagen, ook al leek het net alsof ze ijverig zat door te werken. Ze had me een keer bekend dat ze Janene eigenlijk helemaal niet aardig vond, maar ze wilde het meisje een kans geven. Ze dacht dat ze van Janene met behulp van wat begrip en een degelijke opleiding toch wel een goede kracht zou kunnen maken. Teri's mond viel open van verbazing bij het onbeschaamde gedrag van Janene. Ze had me verteld dat ze Janene helemaal niet mocht, maar dat ze toch probeerde om goede maatjes met haar te blijven om de sfeer op kantoor niet te verpesten. We vergoelijkten Janenes slechte gedrag allemaal, als toegeeflijke ouders die om de vrede te bewaren een kleine lastpak haar zin maar gaven. Dat ergerde me ontzettend, omdat ik het niet kon uitstaan dat mensen zich ongestraft onbehoorlijk konden gedragen.

Mevrouw Chelner. De naam kwam me bekend voor, maar ik wist even niet meer waarom. Terwijl ik daar mijn hersens over brak, herinnerde ik me plotseling wat Janene letterlijk had gezegd.

'Zei je nou dat mijn telefóóns overgingen?' vroeg ik.

'Ja,' zei Janene. 'Je mobiel bleef maar rinkelen, dus die heb ik uitgezet en in je bovenste la gelegd.'

Ik laat me door jou niet op de kast jagen, dacht ik, *want dat is precies wat je wilt.* Ik had daar al meer dan een uur gezeten met een uitgeschakelde mobiele telefoon. Dat zou niet zo erg zijn geweest als ik het zelf had gedaan, maar iemand anders... Ik trok de la open en pakte mijn zilverkleurige telefoon op. Zonder te laten merken hoe geïrriteerd ik was, zette ik het toestel aan en belde mijn voicemail.

Ik had zes berichten. Zés. Ze hadden kennelijk constant vergeefs geprobeerd om contact met me te krijgen. Ik haalde diep adem, onderdrukte de neiging om Janene een draai om de oren te geven en luisterde het eerste bericht af.

Mevrouw Chelner klonk heel geruststellend, echt zo iemand die 'stressbestendig' op haar cv zou mogen zetten omdat ze nooit in paniek raakte. En terecht, want ze had me al acht keer gebeld om me te vertellen dat Jaxon een ongeluk had gehad en naar het ziekenhuis werd gebracht. En of ik daar alsjeblieft naartoe zou kunnen gaan, omdat ze Kyle niet had kunnen bereiken, evenmin als Ashlyn of zijn grootmoeder, en ik als vierde op de lijst stond.

Nee, natuurlijk kon je Kyle niet te pakken krijgen, want die zit bij de bank om te proberen een lening los te krijgen. Dus die heeft ongetwijfeld zijn mobiel uitgezet, dacht ik terwijl ik de verbinding verbrak en de telefoon in mijn tas stopte. *En je kon Ashlyn niet bereiken omdat ze in New York zit. En Naomi is op vakantie in de Algarve,* vertelde ik mevrouw Chelner in gedachten. *En ik was niet bereikbaar omdat iemand zo nodig wraak op me wilde nemen en mijn telefoon heeft uitgezet zonder door te geven dat je had gebeld.*

'Gabrielle,' zei ik. Mijn stem klonk mezelf heel ijl in de oren, zo geschrokken en zo bang dat er geen ruimte meer overbleef voor andere emoties. 'Vind je het goed dat ik de rest van de dag vrij neem? Jaxon heeft een ongeluk gehad en ik moet naar het ziekenhuis. Ze zeiden er niet bij of alles in orde was of dat het iets ernstigs was, maar ze krijgen Kyle niet te pakken en er is niemand anders. Ik denk dat Summer behoorlijk overstuur zal zijn.'

Gabrielle werd lijkbleek. Zelfs haar lippen werden wit. Met Teri gebeurde precies hetzelfde, ook al had ze hen nooit ontmoet. Ik wist wat ze dachten. En hoe bang ze waren. Dat hoefde niet, want ik was al bang genoeg voor ons drieën samen. 'Doe hem de groeten,' fluisterde Gabrielle.

'Ik hoop dat dat lukt,' zei ik effen.

Ik keek niet eens naar Janene toen ik wegliep.

De laatste keer dat ik Will zag, was hem hetzelfde overkomen, dacht ik terwijl ik door de winkelstraat naar de hoofdstraat liep, waar ik een taxi zou kunnen aanhouden. Hij was op weg naar het ziekenhuis, zonder te weten wat hij daar zou aantreffen.

Nadat zijn vrouw bij hem was weggegaan, was hij niet halsoverkop naar mij toe gekomen. Integendeel. Ik had drie maanden lang niets meer van hem gehoord, maar dat was niets nieuws. Omdat we constant probeerden om bij elkaar uit de buurt te blijven, was het niet zo vreemd dat hij maandenlang niets van zich liet horen. Ik kwam er pas achter dat zijn vrouw bij hem weg was toen ik een brief van een advocaat kreeg.

Toen ik de brief openmaakte, bleek het de mededeling te zijn dat mevrouw Craigwood een verzoek tot echtscheiding had ingediend en dat ze van plan was om mij als medeplichtige te laten dagvaarden. Ze was van plan om Jan en alleman te vertellen dat ik de sloerie was die met haar man naar bed was geweest en haar huwelijk – en in het verlengde daarvan ook haar leven – kapot had gemaakt.

Dat komt ervan als je met een getrouwde kerel scharrelt, wilde ze met die brief zeggen. *Dat komt ervan als je met mijn man naar bed gaat.*

Alleen was ik helemaal niet met haar man naar bed geweest en ik scharrelde ook niet met hem. Niet op die manier, tenminste. Ik had een paar uur naast hem op een bed gelegen, maar ik had niet met hem gevrijd. In achttien maanden tijd had ik hem al met al drie keer gekust. We waren eerder vrienden dan iets anders.

Een paar uur later dook Will op in mijn appartement. Hij was nog nooit bij me geweest, maar hij was er kennelijk net als zijn vrouw achter gekomen waar ik woonde.

'Wat is er aan de hand?' vroeg ik aan hem toen hij op mijn bank ging zitten.

Pas toen kreeg ik te horen wat er was gebeurd. Dat zijn vrouw een e-mail had gevonden en dat hij nu bij zijn zus logeerde. Hij was niet naar mij toe gekomen, omdat hij mij erbuiten wilde houden. Dat hij nu wel was gekomen, was omdat zijn vrouw hem had gebeld en hem had verteld wat ze had gedaan. Hij had gehoopt dat hij mij te pakken zou krijgen voordat ik de brief ontving.

'Maar waarom heb je haar niet verteld dat wij niet met elkaar naar bed gingen?' vroeg ik.

'Dat heb ik gedaan,' antwoordde hij. 'Ik heb gezegd dat ik met niemand anders naar bed ging.'

'Waarom heeft ze het dan op mij voorzien?' zei ik terwijl ik naar de brief keek. 'Ze schijnt me echt te haten. En al haar vrienden – jouw vrienden – zullen me ook gaan haten. Evangeline is nu al zo pissig, dat hou je niet voor mogelijk. Als ze dit hoort, wordt ze gek.'

'Mijn vrienden zullen je helemaal niet haten. En Sarie haat je ook niet.'

'Weet je dat wel zeker?' Ik duwde hem het keurig in drieën gevouwen A4-tje onder zijn neus. 'Weet je dat wel zeker?'

De vlammen leken me ineens uit te slaan, een brandend gevoel dat in mijn wangen begon. Ik drukte mijn platte handen ertegen om ze af te laten koelen.

'Het spijt me, Kendra. Dit verdien je niet.'

Will zag er zo ontzettend moe uit met die stoppeltjes op zijn gezicht, zijn verwarde zwarte haar en zijn gekreukelde pak. Hij had kennelijk een ellendige tijd achter de rug.

Mijn armen glipten om hem heen en trokken hem tegen me aan tot ik zijn hart voelde kloppen. 'Je hoeft je niet te verontschuldigen. Ik bedoel maar, waar zou het allemaal op uitgedraaid zijn? Ik wilde niet dat jij bij je gezin zou weggaan en dat wilde je zelf ook niet. Het was helemaal niet zo dat we toekomstplannen maakten of in het heden met elkaar naar bed gingen,' zei ik. 'Maar het was ook geen pure vriendschap, en dat moeten we erkennen. We balanceerden op een heel smal koordje en dit is het resultaat.'

Zijn adem gleed over mijn hals toen hij zuchtte en zoals gewoonlijk reageerde mijn lichaam daar onmiddellijk op. Het schrok wakker. Mijn hart begon sneller te kloppen, ik haalde dieper adem, mijn knieën knikten en vanbinnen welde een gloeiend heet verlangen op. Hij was de enige man die ooit dit soort gevoelens bij me had opgewekt. Die maakte dat mijn lichaam ernaar hunkerde om te worden aangeraakt. Meestal – eigenlijk was dat altijd het geval – hield ik het niet uit als iemand zo dicht bij me was. Dan moest ik mijn walging onderdrukken en net doen alsof ik die lichamelijke intimiteit leuk vond. Dat was gemakkelijker dan uit te leggen dat ik liever met rust gelaten wilde worden.

Zijn lichaam begon op het mijne te reageren. Ik kon voelen dat zijn hart sneller ging kloppen terwijl zijn hand langzaam over mijn rondingen gleed. Ik sloot mijn ogen, ademde hem in en nam hem helemaal in me op. Ik was ineens gewoon dronken van hem. Volkomen beneveld van verlangen. Ik stond op, pakte zijn hand en trok hem mee naar mijn slaapkamer. Hij stribbelde niet tegen en protesteerde ook niet. Het mocht nu, want hij was immers weer vrijgezel? En iedereen dacht toch dat we het allang hadden gedaan. Bovendien wilde ik het gewoon. Ik hunkerde naar hem. Voor het eerst van mijn leven kon ik niet meer wachten.

Zijn mond drukte op de mijne, mijn handen gleden over zijn borst. Ik trok zijn colbertje uit, hij plukte mijn topje af. Terwijl we elkaar innig bleven kussen knoopte ik zijn overhemd open en maakte hij mijn beha los. De hele kamer leek vergeven van zijn geur, mijn lichaam snakte naar hem. En toch...

'Ik kan het niet,' zei hij ineens en hij deed een stap achteruit.

'Ik ook niet,' reageerde ik. Ik drukte mijn beha tegen mijn borst terwijl een golf van opluchting door me heen sloeg. Ik hunkerde naar hem, ik verlangde naar hem, maar ik kon het niet. 'Ik heb nog steeds het gevoel dat je getrouwd bent.'

'Dat is ook zo,' zei hij terwijl hij zijn duimen over mijn kaken liet glijden. 'We zijn wel een stel mafketels, hè?'

Ik schoot in de lach, want dat was een woord dat ik al tijden niet meer had gehoord. 'Volgens mij zijn we eerder een stel minkukels.' Hij lachte ook.

We gingen op het bed liggen. Will sloeg zijn armen om me heen en legde zijn hoofd op mijn borst. 'Ik wil naar je hart luisteren,' zei hij. 'Ik wil horen hoe je je voelt.'

Ik liet mijn vingers door zijn haar glijden. 'Luister dan maar goed wat het je heeft te vertellen.'

Will bleef even stil en tilde toen zijn hoofd met een ruk op. 'Het spijt me, maar ik moet u meedelen, mevrouw Tamale, dat uw hart ronduit gore taal uitslaat! De dingen die ik te horen krijg...'

Ik begon te lachen, tot hij zijn duim over mijn wang en langs mijn lippen liet glijden. 'Ik zou hier altijd mee door kunnen gaan,' zei hij ernstig. 'Ik zou best altijd bij je willen blijven.'

Zijn mobiele telefoon verbrak de stilte en verstoorde het intieme moment. Hij aarzelde, alsof hij even overwoog om niet op te nemen. Maar toen liet hij me met tegenzin los, stak zijn hand uit naar zijn colbert en pakte de telefoon. Hij klapte het toestel open, drukte het tegen zijn oor en zei hallo. Daarna werd het stil. Akelig stil, alsof de tijd stil bleef staan.

Hij schreeuwde het uit. Een diepe, dierlijke kreet die uit een poel vol verdriet kwam. Hij weerklonk door de kamer en weergalmde in mijn lichaam.

'Ik kom er meteen aan,' zei hij. Hij klonk haastig en onbeheerst.

'Ik kom eraan.' Hij verbrak de verbinding zonder afscheid te nemen. 'Ze heeft geprobeerd zelfmoord te plegen,' zei hij. 'Sarie heeft geprobeerd zelfmoord te plegen.' Hij was al van het bed gesprongen, trok zijn overhemd aan en schoot trillend in zijn colbert. 'Dat komt door mij,' zei hij en hij bleef het maar herhalen. 'Dat komt door mij.'

Nee, wilde ik eigenlijk tegen hem zeggen. In de vijftien jaar dat ze samen waren, had ze nooit geprobeerd om zelfmoord te plegen, wat er ook was gebeurd. Dat deed ze pas toen hij mij had leren kennen. Het kwam niet door hem. Het kwam door mij.

'Ik bel je nog wel,' zei hij terwijl hij naar de deur liep.

'Nee, doe dat maar niet,' zei ik tegen hem. 'Doe het alsjeblieft niet. Ik kan het niet meer, niet nu dit is gebeurd. Je mag me niet meer bellen.'

Hij bleef staan, draaide zich om en legde zijn warme, lieve handen om mijn gezicht. 'Ik bel je nog wel,' herhaalde hij ernstig en keek me diep in mijn ogen. 'Ik bel je.'

De deur viel achter hem dicht en ik wist dat ik hem niet nog eens wilde zien.

Twee dagen later kreeg ik die e-mail van Gabrielle waarin ze me vroeg of ik misschien een baan in Engeland wilde hebben.

Vierentwintig

Summer zat zwijgend naast mevrouw Chelner op de spoedeisende hulp, op een stoeltje vlak bij de balie. Ze kon niet met haar voeten bij de grond komen en in haar blauw met grijze schooluniform zag ze eruit als een fragiel poppetje, dat op de een of andere manier niet compleet leek zonder haar blauwe konijn en haar broertje. Ze sprong op en rende op me af toen ik naar hen toe liep. Ze stopte haar hand in de mijne en klampte zich aan me vast. Ze zei niets, maar ik was in ieder geval iemand die ze kende. En zonder dat ze het besefte, klampte ik me even stijf vast aan haar, opgelucht en dankbaar dat haar in ieder geval niets was overkomen.

Mevrouw Chelner, een oudere vrouw met grijs doorschoten bruin haar dat in een knotje zat, een blauwe jas die ze tot aan haar kin dichtgeritst had en een statige houding, stond op. 'U bent vast Kendra Tamale,' zei ze tegen me.

Ze glimlachte niet en mijn hart kromp samen. Een glimlach zou hebben betekend dat alles in orde was, dat 'hij er weer helemaal bovenop zou komen'.

'Hoe is het met hem?' vroeg ik, terwijl ik Summers koude handje voelde trillen. Of trilde mijn hand die de hare vasthield?

'We moeten nog even afwachten,' antwoordde ze. 'Ze weigeren om inlichtingen te geven aan personen die geen familie zijn, maar het was allemaal niet echt ernstig. Ik denk dat er niet veel meer aan de hand zal zijn dan een gebroken arm en een hersenschudding.'

'Mogen we naar hem toe?' vroeg ik.

Ze keek me aarzelend aan. 'U bent toch geen familie van hem?' vroeg ze voorzichtig.

Nee, dat ben ik niet. 'Aangezien zijn vader, zijn moeder en zijn grootmoeder niet bereikbaar zijn, ben ik min of meer verantwoordelijk voor hem,' zei ik.

Ze leek niet overtuigd. 'We zaten eigenlijk te wachten op zijn vader. Het enige dat we van Summer te weten konden komen was dat haar moeder al een hele tijd geleden met het vliegtuig is vertrokken.'

Summer wist best waar haar moeder was, maar door de schok was ze dat waarschijnlijk vergeten. 'Ze zit in New York.'

Mevrouw Chelner knikte.

Ondanks haar opmerking besloot ik toch om een poging bij de receptioniste te wagen. Ik wilde niet dat Jaxon alleen zou blijven. Niet nu zijn zusje en ik allebei aanwezig waren. Samen met Summer liep ik naar de balie en wachtte geduldig tot ik aan de beurt was.

'Ik wil graag naar Jaxon Gadsborough toe,' zei ik. 'Hij is ongeveer twee uur geleden binnengebracht, vermoedelijk met een gebroken arm en een hersenschudding.'

'En wie bent u?' vroeg ze.

'Kendra Tamale,' zei ik.

'Bent u familie van hem?'

Ik zweeg even. Ik wilde niet liegen, want dat probeerde ik altijd ten koste van alles te vermijden. Zelfs zogenaamde 'leugentjes om bestwil' bezorgden me een vervelend gevoel, maar het idee dat hij daar helemaal alleen lag, bang en met pijn...

'Min of meer,' zei ik.

De receptioniste glimlachte strak. 'Min of meer' was niet voldoende. Met 'min of meer' zou ik niet toegelaten worden.

'Kendie is mijn andere mama,' zei Summer plotseling tegen de receptioniste. 'Ze woont in mijn huis en ze maakt zaterdags altijd een bijzonder ontbijt klaar voor mij en Jaxon. Het smaakt naar marshmallows.'

'Echt waar?' zei de receptioniste tegen Summer, die drie keer bevestigend knikte. Ik zag dat ze er geen bal van geloofde, maar ze zag ook hoe bezorgd ik was. Bovendien was Summer Jaxons enige familielid en ik hield haar gezelschap. En hij was pas zes jaar.

Ze belde een verpleegkundige die ons mee moest nemen naar de afdeling en zei erbij dat ze geen medische gegevens konden verstrekken, maar dat we daar wel mochten wachten tot Jaxons ouders arriveerden.

'Wat is er gebeurd?' vroeg ik aan Summer, terwijl we achter de verpleegkundige aan liepen.

'Hij is gevallen,' zei ze stil.

'Hoe is hij gevallen?'

'Hij viel. We waren aan het klimmen en toen viel hij.' Haar snoetje betrok en ze bleef ineens staan. Ik hurkte naast haar neer. Ze was verschrikkelijk bleek en haar gezicht was nat van de tranen. 'Hij viel. Hij viel ineens.' Ze was erbij geweest en had alles gezien. Ze was er getuige van geweest dat de enige persoon die constant bij haar was geweest in de tijd dat haar moeder dronk en haar vader zich weinig van hen aantrok gewond was geraakt. Ik kon me voorstellen hoe ze zich voelde. Het ene moment had hij naast haar gestaan op het klimrek en het volgende moment was hij weg. Waarschijnlijk had ze omlaag gekeken en hem roerloos op de grond zien liggen. Misschien had ze zijn naam geroepen, maar net als haar moeder bij ontelbare gelegenheden en haar vader een paar maanden geleden had hij geen antwoord gegeven. Ik pakte Summer op en drukte haar tegen me aan. 'Hij viel. Hij viel,' bleef ze maar steeds herhalen, terwijl ik geruststellend over haar rug wreef. Ik zei dat alles weer in orde zou komen en samen liepen we door naar haar broertje.

Hij was in slaap gevallen.

Hij lag plat op zijn rug, met een paar kneuzingen aan de linkerkant van zijn lichaam waarmee hij op de grond terecht was gekomen, plus wat schrammen op zijn wang en zijn slaap. Zijn linkerarm was gespalkt en een paar donkere krulletjes zaten op zijn voorhoofd vastgeplakt. Hij zag er heel vreedzaam en rustig uit. Zo kalm dat ik hem eigenlijk wilde aanraken om te controleren of hij nog wel warm was. Of hij echt alleen maar sliep.

Met Summer in mijn armen ging ik op de stoel naast het bed zitten. Ze had haar gezicht in mijn hals gedrukt. De verpleegkundige trok het gordijn om ons dicht, waardoor we in een zachtgele cocon werden gehuld.

'We zijn bij hem,' zei ik. 'We zijn bij Jaxon.'

Toen ze dat hoorde, draaide ze zich om en zat op mijn schoot naar hem te staren. Ik vroeg me af waar ze aan dacht.

'Wordt Jaxon wel weer wakker?' vroeg ze rustig, nadat ze hem van top tot teen had bekeken.

'Ja hoor,' zei ik vol overtuiging. 'Maar hij moet nu gewoon slapen. Slapen helpt om hem beter te maken.'

Ze knikte en gleed zonder iets te zeggen van mijn schoot. Ik hielp haar toen ze over de reling rond Jaxons bed begon te klauteren en zich naast hem neervlijde. 'Ik ga ook slapen,' zei ze tegen me. 'Om Jaxon te helpen beter te worden.' Ze deed haar ogen dicht. Ik kon niets anders doen dan de stoel wat dichter bij het bed zetten en met mijn ene hand Jaxons slappe handje vastpakken en met mijn andere dat van Summer.

Waarschijnlijk ben ik in trance geraakt, of met open ogen in slaap gevallen, want ineens werd het gordijn opengeschoven en stapte Kyle de cabine in. Hij bleef abrupt staan en wreef met zijn handen door zijn korte krullen. 'Ach, kerel,' zei hij zacht terwijl hij naar Jaxons arm staarde, naar zijn gekneusde lichaam en naar zijn geschramde, bewegingloze gezicht. 'Kerel toch.' Ik liet hun handen los en maakte plaats voor hun vader. Hij legde zijn hand op Summers rug en liet zijn andere hand over Jaxons voorhoofd glijden. Ze waren allebei nog vast in slaap.

'Weet je wat mijn tatoeages betekenen?' vroeg hij, hoewel hij me niet eens had begroet. 'Dat zijn de namen van Summer en Jaxon in binaire code. Vandaar dat ik er op elke arm een heb. Als ik ooit een van dit stel kwijt zou raken, kun je me net zo goed een arm afhakken, want zonder hen zou ik niets kunnen beginnen.' Hij schudde even met zijn hoofd. 'Ik kan gewoon niet geloven dat ik er niet was toen ze me nodig hadden.'

'Dat kon je toch niet weten,' zei ik.

'Dit is nou precies waar ik altijd zo bang voor ben geweest. Dat ik een telefoontje zou krijgen met de mededeling dat Ashlyn tegen een boom was geknald of dat er brand was ontstaan en dat ik ze kwijt was. Ze zijn de enige echte familie die ik heb,' zei hij. 'Mijn broers zie ik maar zelden. Mijn vader is tien jaar geleden overleden en ik heb nooit met hem op kunnen schieten. En mijn moeder is hertrouwd met een smeerlap die constant naar andere vrouwen liep te lonken,

Ashlyn incluis. Die wilde ik zo ver mogelijk uit de buurt van mijn vrouw en kinderen houden. Ze zijn alles wat ik heb.'

'Nou, gelukkig komt alles weer in orde,' zei ik, een stuk opgewekter dan ik me had gevoeld sinds ik die boodschap van mevrouw Chelner had gekregen. 'Met Jaxon gaat het goed. Volgens mij zal hij het prachtig vinden om met een arm in het gips rond te lopen. En Summer slaapt alleen omdat ze daarmee Jaxon helpt beter te worden.'

'Ze zijn alles wat ik heb,' zei hij nog een keer, terwijl hij op het stel neerkeek.

Toen er een arts opdook om te vertellen wat er precies met Jaxon aan de hand was, wilde ik weglopen, maar Kyle hield me tegen. Hij had Summer opgepakt en klemde haar tegen zich aan, terwijl de dokter uitlegde dat Jaxon nog een paar uurtjes moest blijven omdat hij bij het ongeluk even het bewustzijn had verloren. Hij had een rechte breuk in zijn pols en een lichte hersenschudding, en als zijn arm in het gips zat, zou hij mee naar huis mogen. Op dat moment begonnen de bleke oogleden van Jaxon te trillen. Hij stond op het punt om wakker te worden.

We hielden allemaal onze mond en keken toe hoe hij langzaam maar zeker bij zinnen kwam. Zijn bleke lippen begonnen te bewegen en toen zijn ogen opengingen, zei hij: 'Mama?'

Toen ik samen met het hele stel naar huis reed, was het inmiddels midden in de nacht. Kyle zat achterin tussen de kinderen die allebei uitgeteld waren en we zeiden nauwelijks iets. Hij had Ashlyn gebeld toen we zaten te wachten tot Jaxon naar huis mocht en voor de verandering hadden ze geen ruzie gemaakt. Ze kregen de kans niet, omdat ze hysterisch werd en meteen op een vliegtuig wilde springen. Kyle had haar gekalmeerd en gezegd dat alles in orde was met Jaxon, maar dat de kinderen het natuurlijk heerlijk zouden vinden om haar te zien als ze terug wilde komen. De batterij van zijn telefoon was halverwege het gesprek leeg en hij had mijn toestel gebruikt om haar te vertellen dat hij meteen zou bellen als ze thuis waren.

Ik droeg Summer en Kyle liep met Jaxon naar de grote slaapkamer. Nadat we hen voorzichtig in hun pyjama's hadden gehuld, legden we ze samen in het bed, in dezelfde houding waarin ze waarschijnlijk voor hun geboorte hadden geslapen – met het gezicht naar elkaar toe en opgetrokken knietjes.

Kyle bleef doodstil staan en staarde op de kinderen neer alsof hij niet kon geloven dat hij ze bijna kwijt was geweest. Omdat dit ook heel akelig had kunnen aflopen.

'Blijf hier vannacht slapen, Kendra,' zei hij terwijl hij nog steeds naar zijn kinderen staarde. 'Je kunt aan die kant van het bed slapen, dan neem ik deze kant wel. Ik zweer dat ik je niet zal aanraken. Dat beloof ik echt.'

Daar maakte ik me ook geen zorgen over. Natuurlijk zat ik er wel een beetje over in, maar als ik hier bleef slapen… Als ik nu bij de kinderen bleef, in dit bed, alsof het de gewoonste zaak ter wereld was, hoe kon ik dan nog teruggaan naar de flat? Om weer alleen te slapen?

Ik schudde mijn hoofd. 'Dat kan ik niet,' zei ik. 'Het spijt me, maar ik kan het echt niet. Ik zou het dolgraag willen en ik geloof je ook als je zegt dat je me met rust zult laten, maar ik kan het niet.'

Hij knikte, alsof hij dat antwoord eigenlijk wel had verwacht maar toch stiekem hoopte dat het niet zou komen. 'Oké.'

Ik raakte zijn arm even aan toen ik wegliep, nam zijn bedankjes in ontvangst en begon aan de lange tocht over de binnenplaats.

Als ik was gebleven, zou ik het misschien hebben ontdekt. Dan was ik er misschien wel achter gekomen hoe het is om de eerste te zijn naar wie een klein jongetje vraagt als hij wakker wordt uit een diepe slaap.

Eieren met spek, geroosterd brood, gebakken aardappeltjes en bloedworst

Vijfentwintig

Terwijl het langzaam maar zeker zomer werd, de dagen langer werden, het weer opknapte en allerlei mogelijkheden in de lucht leken te hangen, leek mijn leven met de Gadsboroughs bijna vaste vormen aan te nemen. Alsof ik echt bij hen hoorde.

En ik vond het zalig. Ik vond het heerlijk om bij Summer en Jaxon en hun vader te zijn. Ik had mijn leven al helemaal ingericht om plaats voor hen te maken en zij hadden hetzelfde voor mij gedaan. Er was nooit sprake van dat ik de opengevallen plaats van hun vrouw en moeder zou vullen en ik probeerde niet te denken aan die keer dat Summer me haar 'andere mama' had genoemd, maar gewoon te genieten van de plaats die ik in hun leven innam.

Inmiddels hadden we een vaste regeling met betrekking tot het van school halen van de kinderen, en de werktijd die ik met hen doorbracht, haalde ik later weer in. Ik werkte zelfs meer uren dan strikt noodzakelijk was doordat ik alle gesprekken doorschakelde naar mijn mobiel en mijn e-mails thuis las. Vandaar dat Gabrielle me ook regelmatig 'tot morgen, ideale moeder' nariep als ik er weer vandoor ging.

Als ik 's middags bij de kinderen was, maakten we samen huiswerk, gingen even naar het park om lekker te rennen, keken tv, speelden computerspelletjes of lagen plat op onze rug in de speelkamer te praten.

En langzaam maar zeker begon ik weer aan Will te denken. Terloops. Bijvoorbeeld als ik hem iets wilde vertellen over Summer of Jaxon. En ik kreeg steeds minder snel de neiging om over te geven als ik naar zijn brief keek.

Heel langzaam kreeg hij weer een plekje in mijn leven. Heel langzaam, mondjesmaat, klapte ik niet meer dicht als ik aan hem dacht.

Gewoon omdat ik gelukkig was. En dat gevoel van geluk, die kracht en de hoop die ik putte uit de aanwezigheid van Summer en Jaxon, maakte dat het moment steeds dichterbij kwam dat ik zou overwegen om zijn brief open te maken. Om erachter te komen wat er gebeurd was. En te ontdekken of…

De kinderen gaven me kracht. Ik werd er een ander mens van. Iemand die ergens thuishoorde. Ik wist dat ik Ashlyn nooit zou kunnen vervangen en dat zou ik ook nooit willen proberen. Ik vond het gewoon heerlijk dat ik drie nieuwe vrienden had. Dat ik de tijd met hen kon doorbrengen en kon genieten van hun gezelschap. Maar dat kon nooit lang duren.

Op een middag in juni vloog de deur van het kantoor open en stapte Kyle naar binnen. Zijn gezicht was bleek, zijn handen trilden en hij had zijn kaken zo stijf op elkaar geklemd dat de spieren in zijn nek te zien waren. Janene kreeg niet eens de kans hem te onderscheppen, want hij liep regelrecht naar mij toe. Ik stond geschrokken en een beetje bang op en liep zwijgend voor hem uit naar de computerkamer, waar we sollicitanten een test afnamen. Zonder iets te zeggen trok hij een verkreukeld velletje papier uit de achterzak van zijn spijkerbroek en stak het me toe.

Ik streek het zorgvuldig glad, terwijl ik bezorgd naar Kyle bleef kijken. Pas toen ik mijn ogen neersloeg, zag ik de firmanaam van een stel advocaten op het papier staan en de tijd stond ineens stil. *Nee, niet weer,* dacht ik met een misselijk gevoel. *Het kan iemand toch geen twee keer overkomen dat ze als medeplichtige bij een scheiding wordt genoemd, laat staan dat het mij twee keer in één jaar gebeurt.*

Maar het misselijke gevoel verdween en maakte plaats voor pure afschuw toen ik zag wat er in de brief stond. Ik keek Kyle ontzet aan.

'Dat kan ze niet maken,' zei hij, toen hij eindelijk zijn stem weer had gevonden.

Ashlyns advocaat liet Kyle weten dat ze een verzoek zou indienen om de zeggenschap over de kinderen te krijgen als zij en hij niet in staat waren om buiten de rechter om tot overeenstemming te komen. Het feit dat haar zoon een ongeluk had gehad tijdens haar afwezigheid had haar gesterkt in het geloof dat de kinderen bij haar veiliger zouden zijn.

Wat ze in werkelijkheid tussen de regels door zei, was: *Ik zal er hoe dan ook voor zorgen dat de kinderen aan mij worden toegewezen.*

'Dat kan ze niet maken,' herhaalde Kyle terwijl hij mij smekend aankeek.

Helaas kon ze dat wel.

Zesentwintig

Ze is mooi. Sprekend haar foto's. Echt mooi.

Ze zat achter in het grote, helder verlichte café in Beckenham, op een behoorlijk afstandje van de flat. Het was een chic café, met lichte houten vloeren, witte muren en metaalkleurige accessoires. En het paste precies bij Ashlyn.

Ze zat achter een grote witte kop koffie en een pakje sigaretten, ook al mocht hier niet gerookt worden. Ik stond in de deuropening en deed net alsof ik iemand zocht, hoewel ik precies wist met wie ik had afgesproken. Gewoon om het moment van kennismaking zo lang mogelijk uit te stellen. Zo meteen moest ik naar haar toe lopen, haar begroeten, mezelf voorstellen en haar vervolgens vertellen dat haar man hier wel op neutraal terrein met haar had afgesproken, maar dat hij toch niet kwam. Hij had me haarfijn uitgelegd waarom hij zich niet aan de afspraak kon houden.

'Ik wil haar niet zien,' had hij gezegd terwijl hij zenuwachtig door de keuken ijsbeerde. 'Ik kan niet gewoon met haar gaan zitten praten.' Ik had hem erop gewezen dat hij wel moest, omdat hij in de eerste plaats aan de kinderen moest denken. 'Het is niet dat ik niet met haar wil praten,' had hij toen uitgelegd. 'Maar ik ben gewoon bang dat ik haar zal smeken om terug te komen. Meestal wil ik dat helemaal niet, maar als ik haar zie, ben ik in staat om van alles uit te kramen om er maar voor te zorgen dat ze terugkomt. Dat is me al eerder overkomen. Toen heb ik de kinderen gebruikt om haar zover te krijgen dat ze weer thuiskwam. Maar dat doe ik niet nog een keer, en ik wil ook niet dat ze terugkomt. Maar god weet dat ik daar niet meer aan denk als ik tegenover haar zit en haar aan moet kijken. Dan herinner ik me alleen nog de fijne dingen, in plaats van alle ellende. Dat gebeurde ook in New York.' Vlak daarna had hij ineens het 'geweldige' idee gekregen dat ik maar in zijn plaats moest gaan. Natuurlijk wilde ik daar niets van weten, maar hij smeekte me om te gaan. Op zijn blote knieën. En ik had uiteindelijk toegestemd omdat hij echt doodsbang leek voor die ontmoeting en omdat ik eerlijk gezegd gewoon nieuwsgierig was. Ik wilde er zelf achter komen hoe Ashlyn Gadsborough was.

Na Jaxons ongeluk was ze terug komen vliegen voor een lang weekend. Toen had ze Kyle niet gezien. In plaats daarvan had ze haar kinderen donderdagmiddag van school gehaald en in het weekend samen met hen bij haar moeder gelogeerd. Kyle had ze op zondagmiddag weer op kunnen halen en de maandag daarna was ze weer teruggevlogen.

Toen ik naar haar tafeltje liep, zag ik dat er toch wel een paar verschillen waren tussen de Ashlyn van de foto's en de echte. Ze had haar lange honingkleurige haar in laagjes laten knippen die rond haar schouders zwierden. Zoals alle vrouwen van onze leeftijd had ze kraaienpootjes rond haar ogen, maar ze was smetteloos opgemaakt.

Kennelijk had ze zich behoorlijk wat moeite getroost voor deze afspraak. Ze had ervoor gezorgd dat haar ogen met behulp van glanzende groene en blauwe oogschaduw nog groener leken, ze had haar wimpers met zwarte mascara aangezet en een glanzende rozerode lipstick opgedaan. Ze droeg een hemdje van bruine zijde met een klein glinsterend vlindertje langs de vrij diep uitgesneden hals en haar gladde blote schouders hadden een donkere crèmetint.

'Hallo,' zei ik glimlachend toen ik bij het tafeltje was aangekomen. 'Ik ben Kendra en jij moet Ashlyn zijn.'

Een voorzichtige, aarzelende glimlach gleed over haar gezicht toen ze me van top tot teen opnam. Ik had mijn best gedaan en een chique, donkerblauwe spijkerbroek, een wit T-shirt en een rood corduroy jack uitgekozen, maar het had even geduurd voordat ik zeker van mijn zaak was. Het valt niet mee om de juiste kleren uit te zoeken voor een ontmoeting met de weggelopen vrouw van je huisbaas om te bespreken hoe het nu verder moest met de zeggenschap over hun kinderen.

'Kendra,' herhaalde Ashlyn. 'Kendra...' mompelde ze nog een keer alsof ze zich probeerde te herinneren waar ze die naam eerder had gehoord. 'Kendie?' vroeg ze toen het ineens tot haar doordrong. 'Ben jij Kendie?'

Ik grinnikte even, hoewel ik eraan had moeten denken dat de kinderen me altijd zo noemden. 'Ja, dat ben ik.'

'Ach,' zei ze, terwijl ze me een begrijpende blik toewierp. 'Dus Kyle komt niet?'

'Ik vrees van niet.'

Haar teleurstelling was hartverscheurend: haar ogen werden dof en haar gezicht betrok. Ze had er zoveel moeite voor gedaan, ze had zichzelf mooi gemaakt voor hem en nu kwam hij niet. Alles was voor niets geweest.

'Ga zitten,' zei ze uitnodigend. 'Dat is wel zo gemakkelijk.' Haar dunne witte vingers pakten het pakje sigaretten op en trokken er een sigaret uit. Ik zag dat haar handen licht trilden. Van de zenuwen, vermoedde ik.

'Dus zo'n hekel heeft hij aan me,' zei ze terwijl ze nerveus met de sigaret op tafel klopte.

'Nee, helemaal niet. Hij werd alleen zenuwachtig bij het idee dat hij een afspraak met jou had. Het leek hem beter dat ik met je zou praten.'

Het was niet moeilijk om te zien dat ze ooit perfect bij elkaar hadden gepast en dat hij met zijn rustige, nauwelijks onderdrukte kracht haar vrolijke uitbundigheid nog eens had aangewakkerd. En dat haar ogenschijnlijke opgewektheid hem had geïnspireerd. Het bleef de vraag wanneer daar verandering in was gekomen. 'Ik neem aan dat hij je alles over mij heeft verteld,' zei ze. Aan haar stem was te horen dat ze hoopte dat het niet zo was. Dat de man die ze had verlaten haar geheim niet aan de onderhuurster had verklapt.

'Hij heeft me wel iets verteld,' antwoordde ik diplomatiek.

Er verscheen een bitter lachje om Ashlyns met zorg opgemaakte mond. 'Je bedoelt dat hij je heeft verteld dat ik zoop als een ketter.'

Ashlyn was veertien toen ze voor het eerst alcohol dronk.

Samen met Tessa Brandhope, van wie de ouders in scheiding lagen. Het waren de enige ouders van de hele school die uit elkaar gingen. Ashlyns ouders zouden nooit gaan scheiden, ook al deed

Ashlyns vader altijd chagrijnig tegen haar moeder en had haar moeder het vermoeden dat hij een vriendinnetje had. Maar de buitenwereld mocht niet weten dat er iets mis was. Dus hielden ze hun problemen verborgen en vervolgden hun weg. Hetzelfde gold voor Ashlyn. Samen met Tessa gapte ze de alcohol uit de bar van haar ouders. Ze hadden een longdrinkglas bijna volgegoten met whisky en vervolgens de fles met water aangelengd. Boven in Ashlyns slaapkamer hadden ze de sterk ruikende donkergele vloeistof in hun halflege colablikjes gegoten tot het glas bijna leeg was.

Nadat ze een slok had genomen, moest ze meteen hoesten. Het brandde in haar keel zodat ze bijna geen adem meer kreeg en begon te proesten. *Ik vind het helemaal niet lekker,* dacht ze. *Wat is dat smerig.*

Maar tegenover Tessa had ze net gedaan alsof ze nog nooit zoiets zaligs had geproefd en ze gedroeg zich precies zoals die beroemde mensen op tv die constant gulzig borrels achterover sloegen. Ze hadden de hele middag in haar kamer zitten giechelen en Tessa raakte zelfs buiten westen. Het ene moment zat ze nog te lachen en het volgende lag ze uitgeteld op het bed. Ashlyn had geprobeerd om haar wakker te schudden, maar ze had net een lappenpop geleken, zeker met die maffe grijns op haar gezicht.

Toen Ashlyns moeder riep dat het eten op tafel stond, was Ashlyn een beetje duizelig geweest. Het brandende gevoel in haar keel had plaatsgemaakt voor een warme gloed in haar buik en een licht wazig gevoel in haar hoofd. En vanbinnen had ze zich echt gelukkig gevoeld, kalm en tegelijk opgewonden. Voor het eerst van haar leven voelde ze het bloed door haar aderen stromen. Ashlyn had haar hoofd om de deur van haar kamer gestoken en glimlachend tegen haar moeder gezegd dat ze geen honger hadden. Ze zag het gezicht van haar moeder betrekken. Haar moeder zou er niet over piekeren om haar de mantel uit te vegen terwijl er een gast in huis was, maar Ashlyn wist dat ze het morgen op haar brood zou krijgen. Maar dat kon haar niets schelen. Nadat ze ook nog het halflege blikje van Tessa had leeggedronken, ging ze met een glimlach naast Tessa op het bed liggen. Zalig. Dit was gewoon zalig. Zo voelde je je dus als je iemand anders was dan Ashlyn Clarke-Sellars.

Ik keek toe hoe Ashlyn haar sigaret tussen haar wijsvinger en haar middelvinger omhoog bracht. Haar nagels waren lang, bleek en ovaal. Het was al zo lang geleden dat ze een manicure had gehad, dat ze er inmiddels alweer slonzig uitzagen, terwijl de rest zo keurig verzorgd was. 'Kyle overdrijft, hoor,' zei ze. 'Zo erg was het nou ook weer niet met me.'

Toen ze wakker werd, lag ze op haar bed met al haar kleren aan. Haar ogen waren dik en voelden aan als twee gruizige tennisballen en haar mond was zo droog dat haar tong pijn deed. De plek waar vroeger haar hoofd had gezeten bonsde alsof een heel legertje mijnwerkers er een goed belegde boterham verdiende. Ze rolde op haar zij en voelde een pijnscheut door de linkerkant van haar lichaam flitsen. Toen ze haar hand optilde, bleek ze haar handpalm en haar pols opengeschaafd te hebben en er zat zand en wat steengruis in de wond. Ze vroeg zich af wat er gebeurd was, toen ze merkte dat haar knie ook pijn deed. Ze keek omlaag en zag dat haar zwarte panty ter hoogte van haar knie helemaal aan flarden was en dat er lange ladders over haar been liepen. Instinctief raakte ze haar gezicht aan. Het voelde gekneusd aan, en toen ze naar haar hand keek, kleefde er wat geronnen bloed aan haar vingers. *Wat was er in vredesnaam gebeurd?*

Ze was de avond ervoor gaan stappen met Tessa, Audrey Narten en Lesley Trindale en ze waren naar de schommels in het park gegaan, omdat daar ook altijd wat jongens rondhingen. Justin Sharpe bijvoorbeeld. Audrey zag er van hun vieren het oudst uit en ze was erin geslaagd om het rijbewijs van haar oudere zus mee te pikken, dus zij had een paar flessen wijn gekocht en een fles whisky. Ashlyn vond de wijn veel te zoet, ze was in de afgelopen twee jaar gewend geraakt aan de rokerige smaak van whisky en ze dronk het graag met cola of puur, want dan werkte het sneller.

Ze kon zich herinneren dat ze minirokjes aangetrokken hadden, en omdat Ashlyn een hekel had aan de vlekkerige huid van haar benen had ze ook een panty aangedaan. Ze kon zich ook nog herinneren dat ze weggingen en in hun minirokjes, hun wijde shirts die van hun schouders af gleden, hun gekleurde hemdjes, hun panty's en hun beenwarmers over straat hadden gelopen alsof de hele wereld van hen was. Ashlyn had haar zwarte leren jack aan gehad en drie miniatuurflesjes in haar zak gestopt, een flesje Malibu en twee flesjes Baileys, die ze achter in de bar van haar ouders had gevonden.

Vanaf dat moment liet haar geheugen haar in de steek. Ze wist nog dat ze in het park waren aangekomen. Daar was Justin ook geweest. Hij had staan praten met die maffe Eric. En daarna... niets. Alles was verdwenen. Nee, wacht even, ze had met Justin gepraat. Hij had haar een grapje verteld, want ze kon zich nog herinneren dat ze had gelachen. Gegiecheld. Had ze te hard gelachen? Verbeeldde ze zich dat nou, of had Justin haar echt een beetje vreemd aangekeken? En dat de anderen haar allemaal stonden aan te staren? Wat was er daarna gebeurd? Maar hoe ze zich ook het hoofd brak, ze kon zich niet herinneren hoe ze gewond was geraakt of hoe ze thuis was gekomen. Het was toch de bedoeling geweest dat ze bij Tessa bleef logeren? Hoe was ze dan hier terechtgekomen? Maar het leek alsof de hele afgelopen nacht door één groot zwart gat was opgeslokt.

Dat maakte haar bang. Wat was er gebeurd? Waarom kon ze zich dat niet herinneren? Zou het echt komen door wat ze de avond ervoor had gedronken? Dat was haar nooit eerder overkomen. Nog nooit. De angst laaide weer in haar op. Ze trok haar jack stijf om zich heen, ging op haar rechterzij liggen en trok haar benen op.

Het komt wel weer in orde, maakte ze zichzelf wijs. Dit was maar eenmalig. En ze hoefde alleen maar met Tessa te praten om te horen wat er precies was gebeurd. Niets aan de hand. Natuurlijk niet.

Ik bestelde koffie en een glas water en we bleven zwijgend tegenover elkaar zitten terwijl we wachtten tot het gebracht werd. Ik bedacht opnieuw hoe onwerkelijk deze hele toestand was en mijn geweten begon een beetje op te spelen. Ik had me hier helemaal niet voor moeten laten strikken. Ik was nooit getrouwd geweest, ik wist niets van hun huwelijk af en ik zou meer kwaad dan goed kunnen doen.

De serveerster zette de koffie met een klap voor me neer, vouwde de rekening dubbel, legde het papiertje midden op tafel en maakte zich weer uit de voeten.

Tessa had een heleboel te vertellen. Dat Ashlyn zichzelf niet meer in de hand had gehad. Ze had constant gelachen en Justin had haar aangekeken alsof ze niet goed wijs was. Toen had Ashlyn ineens besloten om iedereen te laten zien hoe hoog ze wel kon schommelen. En dat had ze inderdaad gedaan. Ze was steeds hoger gegaan, tot ze ineens haar houvast had verloren en eraf was gevallen. Iedereen had haar uitgelachen, ook al had ze haar hand en haar gezicht en haar knie zo geschaafd dat ze zelfs bloedde. Ze was opgesprongen en ervandoor gegaan. Tessa had haar nog geroepen en was achter haar aan gehold, maar Ashlyn had zich zo vernederd gevoeld dat ze niet had willen wachten. Tessa had ook gezegd dat ze zich zorgen maakte omdat Ashlyn zoveel dronk. Ze had de fles gezien die Ashlyn in haar tafeltje op school bewaarde. Het was haar ook opgevallen dat Ashlyn er 's ochtends vaak zo bleek en vermoeid uitzag. Dat Ashlyn niet meer wist wat er was gebeurd maakte haar bang.

Als jij mij was, had Ashlyn gedacht, *zou je wel begrijpen waarom ik af en toe een hartversterkertje nodig heb.* Tessa had mooi praten: zij kon gewoon met jongens praten zonder dat haar moeder het meteen op haar zenuwen kreeg, en ze was mooi. Tessa was een geluksvogel, Ashlyn niet. Haar zelfvertrouwen moest af en toe een beetje bijgespijkerd worden, anders hield ze het gewoon niet vol. Maar daar begreep Tessa niets van. Ashlyn had gedacht dat ze vriendinnen waren, maar ze had zich kennelijk vergist. Vandaar dat Ashlyn en Tessa elkaar niet meer zo vaak zagen. Ashlyn kreeg nieuwe vrienden. Vrienden die haar niet veroordeelden. Vrienden die haar vertelden wat er was gebeurd als ze weer eens de film kwijt was geraakt en die geen preken afstaken. Mijn god, als ze er echt behoefte aan had dat iemand haar alles wat ze ooit fout had gedaan onder de neus wreef, dan hoefde ze alleen maar met haar moeder te praten.

Zevenentwintig

'Ik had kunnen verwachten dat hij me zo'n streek zou leveren,' zei Ashlyn.

'Het is niet kwaad bedoeld,' zei ik. 'Maar hij is nogal geschrokken van die brief van je advocaat.'

'Maar aan de telefoon kwamen we geen stap verder en ik moest hem duidelijk maken dat ik het echt meende dat ik de kinderen bij me wilde hebben. Ik was er kapot van dat Jaxon dat ongeluk kreeg terwijl ik er niet was. Hij had bij mij moeten zijn.'

'Hij weet dat je het echt meent. En hij wil ook graag een oplossing. Maar volgens mij was hij na New York alleen maar bang dat jullie weer ruzie zouden gaan maken. Op deze manier, met iemand anders als buffer, zouden jullie misschien wat vooruitgang kunnen boeken. In het belang van de kinderen.'

Mevrouw Gadsborough knikte. Ze was zwaar teleurgesteld en dat stak ze niet onder stoelen of banken. Ze zat even verloren naar het witte papiertje tussen ons in te staren en keek mij toen aan. Ze kneep haar ogen samen en begon me een beetje argwanend van top tot teen te bestuderen. 'Kyle is verliefd op je,' verklaarde ze toen.

Ik keek haar met grote ogen aan en vroeg me af wat ik daarop moest zeggen.

'Echt waar,' zei ze. 'Ik ken hem toch.'

'Je hebt al maanden geen zinnig gesprek meer met je man gehad, Ashlyn,' zei ik. 'Dus ik geloof niet dat je weet hoe hij zich voelt.'

Haar lippen krulden een tikje zelfvoldaan, alsof ik net had bewezen dat ze gelijk had. 'Kijk, dat is nou een typisch voorbeeld van waarom jij echt een vrouw voor hem bent. Hij vindt het heerlijk als iemand precies zegt waar het op staat. En die niet alleen sterk is, maar ook ontzettend sexy. Je laat je door niets uit het veld slaan.'

Die lieve mevrouw Gadsborough. Ze kende me net tien minuten en ze was er al in geslaagd om me volkomen verkeerd in te schatten.

'Ik ben namelijk heel anders,' zei ze terwijl ze haar sigaret naast haar koffiekop legde en met een vinger over de in elkaar zakkende schuimlaag van haar cappuccino streek. 'Maar je lijkt op de vrouwen met wie Kyle verkering had voordat hij mij leerde kennen.'

Ashlyn en Kyle hadden deel uitgemaakt van dezelfde vriendenkring en ze was meteen voor hem gevallen toen ze hem leerde kennen. Een paar jaar lang was ze verliefd op hem geweest zonder dat hij het wist en ze had geprobeerd zijn aandacht te trekken door zich net zo te gedragen en te kleden als de vrouwen met wie hij ging stappen, met wie hij naar bed ging en die uiteindelijk zijn vriendinnetje werden. Ze had ze in alle opzichten geïmiteerd en haar persoonlijkheid aangepast om maar op te vallen. Toen dat niet bleek te werken en hij haar nog steeds als een oppervlakkige vriendin bleef behandelen, besloot ze hem de waarheid te vertellen. Ze nodigde hem uit voor een etentje, maakte verse pasta met spinazie en ricottasaus, trakteerde hem op een glas dure witte wijn en zei dat ze verliefd op hem was. Ze had hem precies verteld hoe intens haar gevoelens voor hem waren omdat hij haar dan misschien een kans zou willen geven. Ze had hem ermee overvallen en hij had haar alleen maar met grote ogen aangestaard, zonder iets te zeggen. Toen was er iets in haar doodgegaan, omdat ze op dat moment gewoon zeker wist dat hij niet hetzelfde voor haar voelde.

Maar Kyle had uiteindelijk gezegd dat ze maar eerst eens een echt afspraakje moesten maken om te zien wat er dan gebeurde. Natuurlijk was ze daardoor nog veel meer van hem gaan houden. Want dat had hij helemaal niet hoeven te doen. Dus gingen ze een keer uit. En nog een keer. En nog een keer, terwijl zij haar uiterste best deed om een goede indruk te maken. Ze dronk niet, omdat ze het nooit bij één borrel kon laten, en ze rookte niet. Ze liet het ook aan hem over om te bepalen wanneer ze met elkaar naar bed zouden gaan. Omdat ze dacht dat hij haar op de proef stelde. Maar hij had kennelijk geen idee hoe ze zich voelde, want hij wachtte acht weken voordat hij haar probeerde te versieren. Toen ze een paar maanden op die vrijblijvende manier verkering met elkaar hadden gehad, probeerde iemand anders een afspraakje met haar te maken. Ze dacht dat het voor hen allebei gemakkelijker zou zijn als ze ja zei. Dat gaf hem de kans om af te haken en haar de bons te geven en misschien zou die andere vent wel meer om haar geven. Maar toen ze hem dat vertelde...

'Toen ik Kyle vertelde dat iemand anders een afspraakje met me wilde maken, werd hij stapelgek.' Ashlyn schudde even haar hoofd voordat er een lachje om haar mond verscheen. 'En ik bedoel echt dat hij helemaal door het lint ging. "Mijn vriendin!" zei hij. "Wat geeft een andere vent het recht om te proberen een afspraak te maken met mijn vriendin? Ik draai die klootzak de nek om." Zo had ik hem nog nooit meegemaakt. En ik heb hem ook nooit meer zo gezien. Ik was zo blij dat Kyle kennelijk eindelijk verliefd op me was geworden dat ik de voor de hand liggende conclusie over het hoofd zag. Ik was jong, naïef en verschrikkelijk verliefd, dus ik weigerde die logische conclusie te trekken. Weet je welke conclusie dat was, Kendie?'

Ik schudde mijn hoofd. Ik had wel een vaag vermoeden, maar ik wilde haar niet in de rede vallen. Bovendien wist ik echt niet wat ik zou moeten zeggen. Ik had willen weten wat Ashlyn voor type was en dat wist ik nu. Ze was zo'n vrouw die aan wildvreemde mensen allerlei dingen vertelde die je eigenlijk voor je moet houden.

'De enige logische conclusie is dat hij niet van me hield. Kyle wilde altijd alles doen zoals het hoort. Altijd. Wat in dit geval betekende dat hij me niet meteen aan de kant zette, omdat mijn gevoelens dan gekwetst zouden worden. Hij hoorde me een kans te geven. En als iemand anders belangstelling toonde, hoorde hij jaloers te worden. Het was geen liefde die ons heeft samengebracht, in ieder geval niet van zijn kant, het was zijn fatsoen. Ik wil graag geloven dat hij uiteindelijk wel van me is gaan houden. Maar dat kwam niet omdat hij verliefd op me was, maar omdat hij zo'n fatsoenlijke vent is. Vandaar dat ik altijd meer van hem heb gehouden dan hij van mij. En daarom ben ik gaan drinken. Want als ik een paar borrels ophad, voelde ik me goed genoeg om zijn vrouw te zijn. Na een paar borrels had ik het gevoel dat ik precies zo was als Kyle wilde.'

'Ik begrijp het,' zei ik en keek naar mijn koffie.

Hadden die twee mensen – Kyle en Ashlyn Gadsborough – elkaar eigenlijk wel ontmoet? Kenden ze elkaar wel? Want het stel klonk eerlijk gezegd alsof ze met heel iemand anders getrouwd waren. Ze voelden zich geen van beiden goed genoeg voor elkaar. Ze deden allebei zo wanhopig hun best om goed genoeg te zijn, dat ze nooit de moeite namen om erachter te komen of dat misschien allang het geval was. Of om zelfs maar uit te vissen wat ze daarvoor moesten doen. Ik vroeg me af of dit iedereen overkwam als je getrouwd was. Dat je niet met elkaar praat, elkaar niet de waarheid vertelt en niet probeert samen een oplossing te vinden voor de problemen, maar gewoon wegloopt en jezelf kapot maakt door verliefd te worden op iemand anders, vreemd te gaan, te drinken of te gaan gokken. Alles behalve gewoon eerlijk te praten met de persoon met wie je toch van plan was de rest van je leven te delen.

'Het huwelijk wordt een stuk gemakkelijker als je af en toe naar de fles grijpt om de scherpe randjes eraf te halen. Ik had geen problemen met mijn huwelijk zolang ik dat kon doen. Pas toen ik stopte met drinken omdat Kyle dat wilde, werd het steeds moeilijker. Uiteindelijk veranderde het in een nachtmerrie.'

Het roze puntje van haar tong verscheen tussen haar vochtige lippen en ze likte de schuimbelletjes van de cappuccino van haar vinger. Het was zo'n ongelooflijk erotisch gebaar dat ik gegeneerd mijn ogen afwendde. Een man aan het tafeltje naast ons staarde haar met open mond aan en de man die bij hem zat viel bijna van zijn stoel. Hoe deze vrouw het idee kon hebben dat ze niet goed genoeg was voor iemand was me een raadsel. Ze was zo ongelooflijk sexy en mooi. De meeste vrouwen zouden voor één van beide eigenschappen al een moord doen, laat staan voor allebei.

'Mijn vader was alcoholist,' zei Ashlyn zonder omhaal. 'Dat was ons grote geheim. Het duurde jaren voordat ik daar achter kwam. Dat was pas nadat ik het huis uit was en mijn vader was overleden. Daarom was mijn moeder zo heerszuchtig. Ze had niets te vertellen over zijn drankgebruik, dus probeerde ze mij onder de duim te houden. Maar met hem kon je tenminste af en toe nog plezier hebben. Hij mag dan af en toe zo zat zijn geweest dat hij omviel, maar ik herinner me alleen de fijne dingen. De cadeautjes die hij meebracht en de leuke verhalen die hij kon vertellen. Mam heeft geprobeerd mij te vertellen hoe akelig hij af en toe kon zijn, maar daar herinner ik me niets van. Zij was altijd degene die vervelend deed. Alles moest altijd volmaakt zijn. En nu is haar dochter lang niet volmaakt, dus daar moet ik voor betalen...'

Haar stem en haar ogen dwaalden even af. 'Mijn vader mag dan een alcoholist zijn geweest, maar dat betekent nog niet dat ik dat ook ben. Kyle wist het van mijn vader, daarom heeft hij mij dat voor de voeten gegooid.'

In alle artikelen die ik had gelezen sinds ik had gehoord wat Ashlyns probleem was, werd er voortdurend op gehamerd dat alcoholisme van de ene generatie op de andere wordt doorgegeven. Nu bevestigde ze zelf dat het niet bij haar was begonnen. Een gevoel van angst welde in me op: Summer of Jaxon of allebei? Wie zou die afwijking hebben geërfd? Ik had me suf gezocht, maar tot op heden was ik er nog niet achter of het echt een voldongen feit was. Zou een van hen of allebei diezelfde weg volgen en net als Ashlyn worden, op welke manier ze ook grootgebracht werden?

'Ik wil mijn kinderen terug,' zei Ashlyn, alsof ze instinctief voelde dat ik aan hen zat te denken. Omdat ze hun moeder was, had ze kennelijk zo'n band met hen dat ze het al merkte als een vreemde alleen maar aan hen dacht.

'Dat wilde ik ook tegen Kyle zeggen, maar hij heeft jou gestuurd in plaats van zelf te komen. Ik wilde hem ook vertellen dat het helemaal niet zo erg met me was,' zei Ashlyn. 'Als je Kyle hoorde, zou je haast gaan denken dat ik zoop als een ketter, maar zo erg was het niet. Als je hem hoort, ga je vast bijna denken dat ik een monster was. Maar bij die bijeenkomsten krijg je veel ergere dingen te horen. Mijn man denkt dat ik de slechtste vrouw ter wereld ben omdat ik wel een borreltje lust, maar ik heb nooit iemand kwaad gedaan. Daarom wilde hij natuurlijk ook niet mee naar die bijeenkomsten, want dan zou hij te horen krijgen dat het best meeviel met me. Maar eigenlijk wilde ik hem vooral vertellen dat ik de kinderen terug wil. Die brief was alleen maar een kwestie van beleefdheid, om hem te waarschuwen wat ik van plan ben. Ik had gehoopt dat we erover zouden kunnen praten. Ik kan me niet voorstellen dat Kyle het goed doet en uit de telefoongesprekken kan ik opmaken dat ze mij net zo missen als ik hen. Dus vertel hem maar dat ik mijn kinderen terug wil. Ik ben weer helemaal opgeknapt en ik wil ze terug.'

Onwillekeurig bekroop me het gevoel dat ze over Kyle, hun vader, sprak alsof hij de oppas was. Zij was er een tijdje tussenuit geweest, maar nu was ze weer terug en dus kon hij verdwijnen.

Ze keek me doordringend aan, alsof ze probeerde uit te vissen wat ik dacht en voelde. 'Je mag me niet echt, hè?' merkte ze op.

'Ik ken je niet, dus daar heb ik geen oordeel over. Ik probeer niemand te veroordelen.'

'Ik zou mezelf ook niet aardig vinden als ik jou was. Per slot van rekening ben ik een moeder die haar kinderen in de steek heeft gelaten. Een grotere misdaad is er immers niet?' zei ze.

'O, jawel hoor,' zei ik mild. 'Meer dan genoeg.'

Die lach, die lome, gretige glimlach die op zoveel foto's in haar huis was vastgelegd, verscheen op haar gezicht. Ik vond het een klein wonder dat je helemaal niet kon zien dat ze aan alcohol verslaafd was geweest. Haar huid was smetteloos onder de laag make-up en haar ogen stonden helder. 'Kyle zit zonder jou vast met zijn handen in zijn haar. Zijn jullie... Of hebben jullie wel eens...'

'Nee,' zei ik. Verder niets. Ik was niet van plan om dat spelletje mee te spelen, zodat zij van alles kon gaan verzinnen of veronderstellen en mij uiteindelijk als medeplichtige kon noemen bij haar aanvraag tot scheiding. 'Nee.'

'Je draait er niet omheen. Ik dacht dat ik het uit je los zou moeten peuteren of het zelf uit zou moeten vissen.'

'Ik heb niets te verbergen. Je man is alleen maar een vriend van me, verder niets.'

'Ik had ze helemaal niet achter willen laten,' zei ze plotseling. Ze klonk alsof ze ieder moment in tranen kon uitbarsten en ze zat er ineens als een zoutzak bij. Ik besefte dat ik voor het eerst geconfronteerd werd met de echte Ashlyn.

'Echt niet. Maar ik kon ze niet meenemen. Ik wist niet waar ik terecht zou komen... Ik heb wel overwogen om ze mee te nemen, maar ik kon nergens heen. Ik kon niet naar mijn moeder, want die maakt me binnen een paar uur stapelgek. En dat kon ik op dat moment niet aan.'

Ze stond met haar jas aan op de overloop in haar huis. Haar koffers stonden al bij de voordeur en om haar nek had ze de sjaal die ze met de kerst van haar kinderen had gekregen, om haar eraan te herinneren hoe het voelde als ze hun armen om haar nek sloegen. Ze trilde en tijdens het pakken had ze constant zitten huilen. Ze moest weg. Ze kon hier geen seconde langer blijven. Hier was alles fout gegaan. Ze had net afscheid genomen van Jaxon. Heel even had ze overwogen om hem aan te kleden en mee te nemen. Maar ze wist niet waar ze naartoe ging. Ze had genoeg contant geld voor een taxi naar de andere kant van Brockingham. En in haar tas zat een gloednieuwe, ongebruikte creditcard. Maar ze had geen flauw idee waar ze naartoe ging. En ze kon Jaxon niet meenemen en Summer achterlaten. Ze zouden gek worden als ze niet bij elkaar waren.

'Ik kom terug,' fluisterde ze geluidloos naar de deur van Jaxons slaapkamer. 'Ik kom je halen, dat beloof ik je.' Ze draaide zich om naar haar eigen slaapkamer en zei door de gesloten deur tegen Summer: 'En jou kom ik ook halen, dat beloof ik.' Op dat moment was ze bijna van gedachten veranderd. Ze had bijna besloten om terug te gaan naar de flat en haar koffers weer uit te pakken. Dat was haar al eerder overkomen. Ze had al eerder haar koffers gepakt en toch besloten om te blijven. Maar als ze bleef, zou ze stikken. Dan zou ze doodgaan. Ze kreeg hier geen lucht. Ze kon niet denken, ze kon niet voelen, ze kon niet leven. Nog één dag langer hier zou haar dood betekenen. Of het liep uit op zelfmoord. Hoe dan ook, ze moest weg.

Toen ze de taxi hoorde stoppen, was haar besluit genomen. Nu moest ze wel weg. Ze had wel eerder haar koffers gepakt, maar nog nooit een taxi gebeld. Wrijvend in haar ogen draaide ze zich om en liep de trap af. Ze keek niet om toen de taxi wegreed. Ze wilde niet naar het huis kijken, want anders veranderde ze misschien toch nog van gedachten.

'Ik kon het niet aan. Dat geef ik eerlijk toe.'

Ze wreef met haar handpalmen in haar ogen, waardoor de zorgvuldig aangebrachte make-up vlekkerig werd.

'Als moeder zit je echt op een eilandje. En ik kon niet aan Kyle bekennen dat ik het in mijn eentje niet klaarspeelde. En al helemaal niet aan mijn moeder. Ik wilde niet dat ze zouden denken dat ik niet goed genoeg was. En al mijn andere vriendinnen leken het zo goed te doen. Nou ja, ik zeg wel vriendinnen, maar eigenlijk heb ik geen vriendinnen meer. Iedereen denkt altijd dat je zoveel andere vrouwen ontmoet als je moeder bent. Maar stel je nou eens voor dat je niets met hen gemeen hebt? Dat je samen met zo'n groep in een kamer zit en niet weet wat je moet zeggen. Ze zien er allemaal zo evenwichtig uit, hun kinderen zijn allemaal zo lief en zo gelukkig en ze zijn binnen de kortste keren beter als ze een keer ziek worden. En jij hebt niet eens tijd om een kam door je haar te halen omdat een van je kinderen buikpijn heeft en constant ligt te huilen, terwijl de ander net van de bank is gevallen en zijn hoofd heeft gestoten.

Kyle was nooit thuis. En als hij er wel was, zat hij met zijn hoofd bij zijn werk. En ik snap best dat hij alleen maar probeerde om ervoor te zorgen dat wij een dak boven ons hoofd hadden en eten op tafel. Maar ik werd steeds eenzamer, ik zat echt tussen twee vuren in. Als ik iemand zou vertellen dat ik het niet aankon, werden de kinderen me misschien wel afgepakt. Maar omdat ik het niet aankon, moest ik echt met iemand praten. Ik klampte me vast aan het idee dat het wel beter zou gaan als ze maar eenmaal op school zaten. Daar zou ik toch ook andere moeders ontmoeten? En dan kon ik proberen of daar gelijkgestemde zielen bij zaten.'

'Wat, bij dat stel krengen?' zei ik minachtend.

Ashlyn nam haar handen van haar gezicht. 'Ken je ze?'

'O ja, hoor. Ze praten niet tegen me, omdat ze ervan uitgaan dat ik het kindermeisje ben en geen woorden aan mij wensen te verspillen.'

Ashlyn kon weer lachen. Ik was een buitenstaander, net als zij. Wij spraken dezelfde taal. 'Zelfs de moeders die geen deel uitmaakten van de kliek waren gehersenspoeld, want die wilden niets liever dan erbij horen, dus werd er over niets anders gepraat dan over bijlessen. Ze zijn niet goed wijs.'

'Ik weet het.'

'En wat zouden we daar in vredesnaam mee opschieten? Volgens mij niets. De kinderen en de ouders zouden alleen maar nog meer onder druk komen te staan. Het leek allemaal niet zo erg toen ik nog af en toe een borrel kon pakken, maar toen ik ophield met drinken...' Ze schudde haar hoofd. 'Het werd me allemaal te veel. De eenzaamheid, de druk om volmaakt te zijn. Ik kon nergens heen, de therapie leek niet snel genoeg te werken en Kyle en ik praatten nauwelijks met elkaar. Ik moest weg. Voor mijn eigen bestwil. Om er zeker van te zijn dat ik niets stoms zou doen. Vandaar dat ik ben vertrokken. En ik heb Summer en Jaxon zo ontzettend gemist. Ontzéttend. Ik mag ze dan vaak hebben verweten dat zij mijn leven verpest hebben, maar dat valt inmiddels wel weg tegen de dagen dat ik het zonder hen bijna niet meer uit kon houden. Ik kon ze niet aan, maar ik kan geen dag langer zonder ze. Ik dacht... Ik veronderstel dat ik ervan uitging dat Kyle zo langzamerhand wel stapelgek zou zijn geworden en me zou smeken om de kinderen mee te nemen. Hij is koppiger dan ik had verwacht.'

'Niet koppig, hij zorgt gewoon voor ze. Dat gaat hem zelfs vrij goed af,' zei ik.

'Maar ik ben hun moeder.'

'Kyle is hun vader.'

'Alleen maar omdat het niet anders kon.'

Ik haalde mijn schouders op omdat ze gedeeltelijk gelijk had. 'Dat kan best. Maar dat verandert niets aan het feit dat hij het heel goed heeft gedaan.' In zekere zin.

Ashlyn stopte de sigaret weer in het pakje, pakte haar aansteker op en gooide die in haar tas, gevolgd door de sigaretten. De Ashlyn die me had uitgenodigd om bij haar te komen zitten was weer terug. Ze had weer een masker op en een muur om zich heen gebouwd. 'Ik vond het heel prettig om kennis met je te maken, Kendie,' zei ze op een toon die ronduit kil aandeed. 'Summer en Jaxon praten constant over je.' Ze glimlachte even. 'Ik wilde de vrouw die zo vaak bij mijn kinderen is graag ontmoeten. Maar je bent heel anders dan ik had verwacht.' De glimlach verdween weer. 'Zeg alsjeblieft tegen Kyle dat ik wil dat de kinderen bij mij komen wonen. Hij zal me toch een keer moeten ontmoeten. En als het niet onder vier ogen kan, dan maar in de rechtszaal.'

Ze ritste haar tas dicht en liep weg, met in haar kielzog een wolk naar orchideeën en lelies geurend parfum.

Niets

Achtentwintig

'Breng jij ons naar school?' vroeg Summer.

Drie minuten geleden had ik nog genoten van het idee dat ik midden in de week een keer kon uitslapen. Dat ik niet op hoefde te staan en op een holletje ergens naartoe moest, omdat ik naar een congres in Yorkshire ging waar ik me pas 's middags hoefde te melden. Twee minuten geleden had ik het geluid gehoord van de sleutels die in het slot van mijn voordeur waren gestoken en ik stond al bij de deur van mijn slaapkamer voordat de tweeling boven aan de trap verscheen.

Ze hadden hun uniform al aan en hun kniekousen waren keurig opgetrokken. Het gips om Jaxons arm was nog steeds vrij wit en er waren weer een paar stickers bij gekomen. Iedere ochtend zagen ze er zo adembenemend lief en schoon uit dat ik telkens weer in de verleiding kwam om een foto van ze te nemen en ze zo vast te leggen, want dat zou niet lang duren. Ik wist nooit precies op welk moment van de dag allerlei knopen opengingen, een trui ineens binnenstebuiten zat, blouses uit de rok of de broek gingen hangen en een van de kousen ineens om een enkel slobberde.

'Ik moet naar een congres, dat heb ik jullie toch verteld?' zei ik.

'Maar als je niet naar je werk gaat, kun je ons toch naar school brengen?' vroeg Jaxon.

Dit was de eerste keer dat ik op een doordeweekse dag kon uitslapen. Een zeldzame gebeurtenis in mijn leven die gekoesterd moest worden. Ik was echt dol op dit stel, maar op dit moment hield ik net een beetje meer van mijn bed.

'Je gaat vier dagen weg,' hielp Summer me herinneren, terwijl ze dat aantal nog eens benadrukte door haar hand op te steken en haar pink omlaag te houden. Ik moest erom lachen en vroeg mezelf af op welke leeftijd het tot kinderen doordrong dat het veel gemakkelijker was om je duim omlaag te houden. 'En misschien kom je wel niet meer terug.'

'Ik kom heus wel terug,' verzekerde ik hun, nog steeds in ochtendjas en met het doekje op mijn hoofd dat mijn haar 's nachts glad moest houden. 'Ik kom toch altijd terug? Waar moet ik anders heen?'

'Zul je ons niet missen?' vroeg Summer.

Ach, nu werd het grove geschut tevoorschijn gehaald. Een prima tactiek, die altijd werkte.

'Wij zullen jou wel missen,' voegde Jaxon eraan toe. Hij zweeg even en keek omlaag, naar het plekje naast zijn rechterbeen, knikte en vestigde zijn blik weer op mij. 'Garvo zegt dat hij je ook zal missen.' Wel ja, nu werd ik van twee kanten tegelijk bewerkt. Ik keek van het ene ernstige smoeltje naar het andere. Ze stonden geduldig te wachten of hun tactiek geslaagd was.

'Ik ga me wel aankleden,' zei ik. Tegen die twee schooiers kon ik niet op.

Weer terug was ik veel te wakker om weer in bed te kruipen. Ik ging onder de douche, kleedde me aan en stapte in mijn auto.

Het was inmiddels echt mijn auto. Ik had hem van Kyle gekocht voor dezelfde prijs die ik voor een tweedehandsauto zou hebben gegeven. Daardoor kreeg hij wat geld ter beschikking en ik was me nog meer thuis gaan voelen. Als ik nu in de auto stapte, gaf dat een heel ander gevoel. Hij was van mij. Will had ook een zilverkleurige auto. En kinderachtig maar waar, iedere keer als ik in mijn auto stapte, dacht ik terug aan die keer dat hij me terug had gebracht naar het centrum van Sydney nadat we de nacht samen hadden doorgebracht. Ik herinnerde me hoe hij me had geholpen om mijn gordel om te doen en hoe zijn duim over de rug van mijn hand had gestreken toen hij klaar was. Het was het enige moment waarop ik tegenwoordig aan hem kon denken. In dat opzicht had ik mezelf aan banden gelegd. Waarschijnlijk kwam dat door de brief van Ashlyns advocaat, maar het angstzweet brak me uit als ik aan Wills brief dacht en de rillingen liepen me over de rug als ik hem per ongeluk in handen kreeg als ik ondergoed pakte uit de la waarin ik de envelop verstopt had. Nee, ik kon alleen veilig aan Will denken als ik in de auto stapte. Verder niet.

Terwijl ik de M1 op reed, dacht ik weer aan mijn ontmoeting met Ashlyn. Dat had niets opgelost. Ze had de kinderen gebeld en gezegd dat ze 'voor eeuwig en altijd' weer terug was in Engeland, zoals Summer het formuleerde, dus dat ze tijdens het weekend bij haar konden komen. Ze had tegen Kyle gezegd dat ze alleen maar de kinderen wilde zien, verder niets. Er werd met geen woord gerept over het feit dat hij mij had gestuurd en ook niet over advocaten. Ik ging ervan uit dat ze daarmee aangaf dat ze de zaak in de rechtszaal wilde uitvechten. En dat zou betekenen dat dit gezin weer met andere vervelende dingen geconfronteerd zou worden.

Die gedachte zat me het grootste gedeelte van de reis dwars. Terwijl ik me in feite zorgen had moeten maken over het feit dat ik tegen de kinderen had gelogen. Ondanks alle goede voornemens zou de Kendra die zij kenden niet meer terugkomen.

Het congres werd gehouden op een groot landgoed, gelegen tussen de uitgestrekte groene velden van Yorkshire. De komende twee dagen zouden deelnemers uit het hele land alles te horen krijgen over de laatste ontwikkelingen in de uitzendbranche, wetswijzigingen op het gebied van personeelsbeleid en manieren om meer winst te maken.

Ik was er al vroeg. Het grind knarste onder de banden van mijn auto toen ik voor het hotel stopte. Het landgoed was schitterend en heel zorgvuldig gerestaureerd. Toen ik Kyle de website had laten zien, had hij me daarop gewezen en tegen me gezegd dat ik moest opletten of ik ondiepe hoekjes zag, omdat daar meestal een geheime gang achter had gezeten. Hij raadde me ook aan om naar de kelders te gaan als ik de kans kreeg, maar daar bedankte ik feestelijk voor.

Ik kon pas na tweeën in het hotel inchecken, dus gaf ik mijn autosleutels aan de portier om de wagen weg te zetten, liet mijn koffers bij de receptie achter en ging een beetje rondlopen. Ik wilde het hotel graag bekijken voordat het vol kwam te zitten met luidruchtige, zenuwachtige deelnemers die zich allemaal in hun mooiste kleren hadden gehesen zodat iedereen maar zou denken dat ze succesvol waren en barstten van het zelfvertrouwen.

De gladde stenen vloer van de receptie piepte onder de zolen van mijn platte autoschoenen. Tegenover de donkere houten balie was een donkere houten trap met bewerkte leuningen die met een boog omhoog liep naar de eerste etage. Twee mensen kwamen naar beneden. Een stelletje.

Ze hielden elkaars hand niet vast, maar maakten toch de indruk dat ze 'samen' waren. Waarschijnlijk was het de eerste keer dat ze samen op vakantie waren, dus ze zouden wel lekker in bed ontbeten hebben en gingen nu een wandeling maken voordat ze weer aan tafel moesten. Hij was bezig met een verhaal dat begeleid werd door wilde armgebaren, waardoor zij constant de slappe lach had. Ik keek glimlachend toe. Na al die sores van een echtscheiding was het leuk om twee mensen te zien die zich aan het andere uiterste van het spectrum bevonden. Die gezellig samen vakantie vierden en met elkaar vrijden. Het kon nog altijd.

Terwijl ik openlijk naar het gelukkige paartje bleef kijken, dook er boven aan de trap nog iemand op.

Hij leek de hele ruimte achter het stel in beslag te nemen. De hele eerste verdieping. Hij zag er zelfs uit alsof hij het hele hotel moeiteloos met zijn aanwezigheid zou kunnen vullen.

Hij was het. De man die in al mijn nachtmerries de hoofdrol vervulde.

'Ik mag je echt heel graag, Kendra, maar het wordt nooit iets tussen ons.' Tobey, mijn eerste vriendje en de eerste man die ik ooit had gekust, maakte het uit met me en ergens kon ik het gewoon niet geloven. We hadden al zes maanden verkering en nu zei hij dit!

'Maar je zei dat je van me hield,' fluisterde ik, bijna gegeneerd. Ik was net twintig geworden, ik studeerde nog steeds en hij was mijn eerste vriendje, maar ik zag toch dat mijn opmerking hem raakte.

'Dat was ook zo. Maar dat is over.'

Ik wilde hem vragen wat er was veranderd, wat ik verkeerd had gedaan en of het kwam doordat ik geen ervaring had en daardoor niet goed genoeg was geweest. Ik was ook van plan om te zeggen dat ik wel zou veranderen en hem te vragen of hij me nog een kans wilde geven. Maar ik hield mijn mond omdat de woorden in mijn keel bleven steken. Ik had nog wat trots over. Ondanks het feit dat mijn hart brak, of misschien wel juist daarom, kon ik het niet opbrengen. Ik was niet bereid om te smeken.

'Kennie,' zei hij rustig, 'het ligt niet aan jou. Het komt door Penny. We zijn weer bij elkaar. Ik mag je ontzettend graag, maar ik houd van haar.' Daar was ik totaal niet op voorbereid. Ik wist niet eens dat hij nog steeds verliefd was op zijn ex en dat hij nog steeds contact met haar had. 'Het spijt me echt ontzettend,' zei hij nadat hij me die schok had bezorgd. 'Maar nu moet ik ervandoor.' Hij vertrok en belde me zelfs nooit meer op.

Ik huilde. Ik wentelde mezelf in ellende en kon alleen nog maar aan Tobey denken. Ik was ervan overtuigd dat hij zou inzien dat hij zich vergist had en dat het opnieuw mis zou gaan tussen hem en Penny. Ik snapte er niets van dat iemand zomaar ineens niet meer van je kon houden. En als dat langzaam maar zeker was gebeurd, had ik dat dan niet moeten merken?

Toen ik een maand nadat we uit elkaar waren gegaan Lance tegen het lijf liep, die al vanaf hun jeugd Tobey's beste vriend was geweest, beschouwde ik dat als een akelige streek van het noodlot. 'Hij is weg, maar hier is zijn vriend, dus maak nou maar als een braaf meisje een babbeltje met hem,' zei het noodlot. Maar ik draaide me om en nam de benen, omdat ik niet wilde dat Tobey te horen kreeg hoe moeilijk ik het ermee had. Lance holde achter me aan en hield me tegen door me voorzichtig bij de arm te pakken. Hij was heel anders dan Tobey, die heel rustig en gereserveerd leek, tot je hem leerde kennen. Hij had net zo'n maf gevoel voor humor als ik en hij zag er fantastisch uit met zijn chocoladebruine huid, zijn grote donkerbruine ogen en die lippen die precies wisten hoe ze je met een kus knikkende knieën konden bezorgen. Lance was blank en veel openhartiger en gezelliger, zelfs tegen mensen die hij niet kende. De meeste vrouwen vonden dat hij er goed uitzag, en in de tijd dat ik met Tobey ging, hadden we altijd goed met elkaar kunnen opschieten omdat hij altijd zijn best had gedaan mij ook bij hun activiteiten te betrekken. Hij was een echt gezelligheidsdier.

'Het spijt me ontzettend van jou en Tobey,' zei Lance met een onbehaaglijke blik. 'Ik weet niet of het verschil maakt, maar ik heb tegen hem gezegd dat hij volgens mij niet goed wijs was.'

'Echt waar?' zei ik. Ik wist niet eens dat mannen dat soort dingen tegen elkaar zeiden.

'Ja. Jullie pasten zo geweldig bij elkaar. Maar misschien troost het je dat ik momenteel nauwelijks contact heb met Tobey en Penny. Ik kon al niet goed met haar opschieten en ze is niets veranderd.' Dat was koren op mijn molen. Mijn flatgenoten hadden allemaal fantastisch gereageerd, maar de wetenschap dat ook andere mensen Tobey's oude nieuwe vriendin niet mochten en vonden dat hij een fout had gemaakt, stak me een hart onder de riem. Ik was geen slechte vriendin geweest, hij had gewoon tijdelijk zijn verstand verloren en zou binnenkort wel weer bij zinnen komen. Lance vroeg mijn telefoonnummer, zei terloops dat hij wel een stageperiode voor me kon regelen bij de krant waarvoor hij werkte als ik nog steeds geïnteresseerd was in journalistiek en herhaalde dat hij het heel jammer vond voordat hij zich uit de voeten maakte omdat hij een afspraak had met zijn vriendin.

En toen hij me een paar dagen later belde om te horen hoe het met me ging, keek ik daar niet echt van op. We hadden elkaar vaak ontmoet toen ik nog met Tobey ging en we waren bevriend geraakt, dus het was gewoon lief dat hij aan me dacht. We gingen een paar weken later zelfs samen iets drinken omdat hij toevallig in Leeds moest zijn.

Elke ochtend als ik wakker werd, hunkerde ik naar Tobey, maar ook als ik hem niet terug kon krijgen, moest ik maar tevreden zijn met de vriendschap van Lance.

We praatten met elkaar, gingen uit eten en af en toe kwam hij langs om samen met mij en mijn flatgenoten te gaan stappen. En we hadden altijd plezier. Ongeveer drie maanden nadat Tobey het uit had gemaakt had Lance me thuisgebracht nadat we samen een pizza hadden gegeten en we stonden nog even voor mijn voordeur te kletsen. Toen het erop leek dat het gesprek afgelopen was, pakte ik mijn sleutels en plotseling drukte Lance zijn lippen op de mijne en trok me naar zich toe. Het overviel me volkomen. Tot dan toe had ik alleen Tobey gekust, dus dit was heel anders. Onze lippen pasten lang niet zo goed bij elkaar, en hij legde zijn handen om mijn gezicht in plaats van op mijn rug, hij rook naar aftershave, zijn blonde haar streek langs mijn gezicht en hij smaakte naar de koffie die hij net had gedronken. Ik aarzelde even, maar gaf vervolgens toe. Dat wil zeggen dat ik hem ook een beetje kuste, maar dat ik het toch vooral allemaal over me heen liet komen. Uiteindelijk stapte Lance achteruit en zei: 'Dat heb ik al tijden willen doen.'

Ik glimlachte een beetje strak terug, omdat dat helemaal niet voor mij gold. Ik had zelfs nooit op die manier aan hem gedacht, dus om te voorkomen dat ik dat hardop zou moeten bekennen, nam ik haastig afscheid en vluchtte naar binnen.

De volgende keer dat ik hem zag, was in Harrogate, waar ik een sollicitatiegesprek had voor een stageplaats bij de krant waar hij als redacteur werkte. Na afloop gingen we iets drinken en hij liep met me mee naar het station. Toen we op het perron stonden, nam ik opnieuw haastig afscheid zonder hem aan te kijken en draaide me om.

Hij trok me terug en kuste me opnieuw. Maar dit keer weigerde ik om mee te werken. Ik mocht Lance graag en ik wilde hem graag te vriend houden, vooral als ik hem dag in dag uit bij de krant tegen zou komen, maar dit kon ik niet door laten gaan. Ik legde mijn hand plat tegen zijn borst en duwde hem rustig maar vastberaden weg. Een fysiek 'nee, dat lijkt me geen goed idee'. Geen woorden maar daden, nietwaar? Hij week achteruit en snapte meteen wat ik daarmee bedoelde. Hij lachte ook een beetje schaapachtig. Natuurlijk had hij het begrepen.

Hij had me niet gezien. *Ik weet zeker dat hij me niet heeft gezien,* dacht ik bij mezelf toen ik me met een ruk omdraaide en het hotel binnenging op zoek naar het restaurant en de bar die daar volgens de receptionist moesten zijn. Onderweg zag ik een discreet bordje dat naar de damestoiletten verwees. Ik volgde het, duwde de deur open en liep naar binnen.

Groot, schoon, met veel koper en marmer en helderwitte handdoeken. En leeg. De deuren van alle acht toiletten stonden open.

Ik dacht dat jij het ook wilde. Ik ken je toch, ik weet hoe je bent. Ik dacht dat je het wilde.

Ik boog me over een van de witte wasbakken en staarde naar de witte stop.

Het begon met warmte. Binnen de kortste keren sloegen de vlammen me uit en had ik het gevoel dat ik vanbinnen in brand stond.

Ik drukte mijn handpalmen tegen de bak om mijn evenwicht te bewaren en de koelte door me heen te laten stromen.

'Je betekent heel veel voor me. Hou op met tegenstribbelen, je betekent heel veel voor me.'

Lucht. Ik kreeg geen lucht meer binnen. Ik drukte mijn rechterhand tegen mijn borst in een poging mijn wild kloppende hart tot rust te brengen en mijn leeggelopen longen te kalmeren.

'Hou op met je te verzetten, dan zal ik je niet vermoorden.'

Ik stond op het punt om flauw te vallen. Als ik geen lucht in mijn longen kreeg, zou ik flauwvallen. Dat was me al eerder overkomen. Toen had ik me net zo gevoeld en ik had er niets tegen kunnen doen. Daarna was alles zwart geworden. Maar dat was al tijden geleden. Dit was me in geen jaren overkomen.

De bankschroef om mijn borst werd aangedraaid en mijn hart ging nog sneller kloppen, op hol geslagen door de angst voor een herinnering. Ik zat helemaal vast. Ik kon geen kant meer uit. En de herinnering werd steeds sterker, de woorden klonken luider.

'Ik dacht dat je dat...'

De deur van het toilet vloog open en klapte tegen de muur. Ik maakte een sprongetje van schrik, rechtstreeks vanuit het verleden in het heden. Plotseling was ik terug in het toilet van een hotel. Niet meer daar, waar toen...

'Oei... neem me niet kwalijk,' zei een vrouw toen ze zag hoe ik schrok. Ze liep meteen door naar een wc, trok de deur dicht en draaide het slot om.

Je hoeft je niet te verontschuldigen, had ik het liefst tegen haar gezegd. Je hebt me gered. Je hebt me net teruggesleurd uit het verleden.

Negenentwintig

In de zaal was plaats voor driehonderd mensen. De oorspronkelijke bijgebouwen van het landhuis waren verbouwd tot een congrescentrum met vergaderruimtes, een zakelijk communicatiecentrum en een hoofdzaal.

De lichten waren uit en vooraan stond een spot op de gastspreker gericht. Het verlichte scherm erachter toonde grafieken en cijfers. Ze gaf een lezing over de verandering in sollicitatieprocedures. Dat wist ik, omdat het op het velletje stond dat voor me lag. Het velletje dat onderdeel vormde van de congresmap die ik in ontvangst had genomen. Ik had alles braaf doorgelezen, maar vanaf dat moment bij de trap was er niets meer tot me doorgedrongen. Vanaf het moment dat ik opkeek en hem zag.

Ik wist zeker dat hij mij niet had gezien. Heel zeker. Ik had mezelf een uur lang in een van de wc's opgesloten voordat ik weer naar buiten kwam, me liet inschrijven en naar mijn kamer op de derde verdieping ging, zorgvuldig oplettend dat ik hem niet per ongeluk tegen het lijf liep en 'hallo' zou moeten zeggen.

Terwijl ik daar in de zaal zat, wist ik heel goed dat ik nog lang niet veilig was. Op dit moment kon hij niet bij me komen, tenzij je de ruimte tussen mijn oren meetelde. In dat gebied dwaalde hij wel rond, met opgetrokken lippen en grommend als een roofdier.

Weken nadat mijn stage bij de plaatselijke krant in Harrogate erop zat en ik zeker wist dat ik de journalistiek in wilde, vroeg Lance of ik mee wilde naar een feestje van de krant.

'Het is niets bijzonders,' zei hij. 'Maar het is verstandig om af en toe je gezicht te laten zien, zodat ze zich weer herinneren hoe goed je was. Misschien levert je dat na je studie wel een baan op.'

Ik had al van jongs af aan verhaaltjes geschreven en als ik hem mocht geloven, bestond de kans dat mijn droom uitkwam en dat ik echt journalist kon worden.

Het was een rustig feestje, op de eerste verdieping van een kroeg in Harrogate, waar een dikke rookwalm hing, vermengd met de geur van bier en goedkope wijn. Ik zat in een hoekje, niet bepaald een feestvarken en veel te verlegen om een achteloos gesprek aan te knopen met de hoofdredacteur of de adjunct. Of met iemand anders die kon bogen op de titel 'redacteur', met uitzondering van Lance, die constant bij me in de buurt bleef, drankjes voor me haalde en me voorstelde aan allerlei mensen, waardoor ik diverse aanbiedingen kreeg om te bellen als ik weer op zoek was naar een stageplaats. Ik had het helemaal voor elkaar.

Ik dronk niet veel. Ik had een half glaasje naar binnen gewerkt en hikte nu tegen een biertje aan. Sinds het uit was met Tobey hoefde ik maar een glaasje of drie te drinken, dan wentelde ik al rond in een poel van zelfmedelijden en wilde alleen nog maar op Penny of op iemand anders lijken als ik daar mijn fantastische vriendje maar door terugkreeg. En dat gevoel haatte ik. Ik kon er maar niet bij dat een vent me dat had aangedaan, maar zo was het wel.

Het werd al laat en ik moest de laatste trein naar Leeds halen. Mijn glas was nog driekwart vol en ik besloot het leeg te drinken voordat ik vertrok. Maar eerst moest ik nog naar het toilet.

Nadat ik mijn handen in het fonteintje had gewassen, liep ik terug naar mijn tafeltje en zag Lance en drie kerels van de sportredactie eromheen staan. Ze stonden stiekem te grinniken terwijl een van hen zo ging staan dat de glazen vanuit de kroeg niet meer te zien waren. Terwijl de andere twee hem aanmoedigden, kon ik nog net zien dat ze een glas wodka in mijn bier goten. *O ja, dat is echt om te lachen,* dacht ik. Toen ze me zagen aankomen, gingen ze ineens allemaal rechtop staan. Lance zag er een beetje schuldig uit, maar de anderen konden hun lachen nauwelijks onderdrukken.

Kennelijk wilden ze me dronken voeren. *Als ik jullie niet had betrapt, zouden jullie behoorlijk op je neus hebben gekeken,* dacht ik. *Dan had ik hier alleen maar zitten zeuren over mijn fantastische ex-vriendje tot jullie er een punthoofd van hadden gekregen.* 'Alles in orde, jongens?' vroeg ik toen ik weer ging zitten.

'Ja, ja,' zeiden ze in koor. Twee van hen konden een grijns niet onderdrukken.

'Mooi,' zei ik en stak mijn hand uit naar mijn glas, dat prompt uit mijn vingers glibberde en omviel. De inhoud kwam op het donkere houten tafelblad terecht en drupte op de vloer.

'Ach, verdorie!' zei ik spijtig terwijl ik hen aankeek. 'En het zat nog bijna helemaal vol.'

Lance vermoedde dat ik hen had gezien. Hij wist dat ik geen stennis zou schoppen, maar dat ik een pilsje waarmee gerotzooid was nooit zou opdrinken. Ik wou dat ik maar wel een type was geweest dat stennis schopte en moord en brand schreeuwde als iemand me een loer draaide. Maar dat was ik niet en Lance wist dat. Pas later besefte ik dat hij daarop had gerekend.

Om te vermijden dat er nog meer geintjes met me werden uitgehaald, besloot ik om op te stappen, de trein naar huis te nemen en nooit meer iets met dit stel te gaan drinken. Lance bood aan om me naar het station te brengen.

Terwijl we door de donkere straten van Harrogate liepen, zoog ik de frisse lucht diep in mijn longen. Het was een heerlijk gevoel na die bedompte kroeg. Halverwege het station bleef Lance ineens staan.

'Ik vind het eigenlijk heel vervelend dat je in je eentje nog zo laat in de trein stapt,' zei hij.

'Maak je geen zorgen,' zei ik.

'Nee, echt, ik zou het ontzettend vervelend vinden als je iets overkwam. Moet je horen, een van mijn huisgenoten is er niet en ze zal het helemaal niet erg vinden als jij in haar kamer slaapt.'

Ik voelde instinctief aan dat hij zich echt zorgen maakte, maar ik wilde naar huis en in mijn eigen bed slapen. En het gedoe met dat drankje zat me ook nog steeds dwars. Hij had het niet gedaan, maar hij had ze ook niet tegengehouden. Het was zogenaamd een grapje, maar om sterkedrank in mijn biertje te gieten met de bedoeling mij stomdronken te voeren was niet leuk.

'Dan rij ik je morgenvroeg gewoon naar Leeds,' zei hij. Het was nog een lange reis en ik had in de tijd dat ik nog met Tobey ging ook een paar keer bij Lance gelogeerd. Hij woonde in een groot huis met drie etages, en omdat ze allemaal werkten, was het geen goor studentenhuis. Hij woonde samen met drie andere mensen, die allemaal met elkaar bevriend waren. Maar toch aarzelde ik nog. Ik wilde eigenlijk naar huis, want ik had afgesproken dat ik samen met mijn flatgenoten zou gaan lunchen. En dan was er nog die andere kwestie, die me nog steeds een beetje dwars zat.

'Hoor eens, Lance, ik wil echt graag bevriend met je blijven,' zei ik.

'Ja, dat weet ik wel,' zei hij, een beetje gepikeerd. 'En ik heb me toch netjes gedragen?'

Ik voelde me ineens beschaamd. Dat had écht arrogant geklonken. Jezus, wat was ik toch een idioot. Wat moest hij wel van me denken? En wat haalde ik me in mijn hoofd? Natuurlijk viel hij helemaal niet op me. Als dat wel zo was, had hij nog wel een poging gedaan om me te kussen en dat was niet gebeurd. En als ik nu niet bij hem bleef logeren, zou hij echt denken dat ik een verwaand stuk vreten was.

'Nou ja, goed dan,' zei ik. 'En vast bedankt.'

Hij glimlachte. 'Kom op. En als je echt lief bent, koop ik onderweg misschien nog wel een zakje chips voor je.'

En dat was alles. Dat dacht ik tenminste. Tot een paar uur later. Toen hij tegen me zei: 'Raak jij nou nooit gefrustreerd?'

'Hé, kom op,' zei iemand en stootte me aan. 'We worden hier pas over een minuut over veertig terug verwacht voor de groepsbijeenkomst.'

Ik keek de vrouw naast me aan. Ze was een goedgebouwde vrouw die net als ik eigenlijk geen blouses met een knoopsluiting moest dragen, want er stond behoorlijk wat spanning op de bovenste knoopjes van haar witte blouse. Ze had een vriendelijk gezicht, een gulle lach en zachte ogen. 'We hebben allebei een gele streep op onze badge, en dat schijnt te betekenen dat we bij dezelfde groep horen,' vervolgde ze toen ik haar wezenloos aankeek. 'Waardoor we behoorlijk in de puree zitten, want ik ben ook in slaap gevallen.'

Ik schonk haar een flauw lachje terwijl ik mijn map, flesje water, pen en blocnote in de grote stoffen tas schoof die we allemaal hadden gekregen.

Ik moet hier weg, besloot ik.

Ik ging gewoon naar boven om te douchen en me om te kleden en daarna reed ik rechtstreeks naar Leeds, waar ik had afgesproken met mijn voormalige flatgenoten. Die zouden het vast niet erg vinden als ik twee dagen eerder kwam opdagen, want ik had ze in geen jaren gezien.

'Misschien zie ik je straks nog wel,' zei ik tegen de vrouw.

'Als je de benen neemt, verklik ik je,' waarschuwde ze met opnieuw zo'n vriendelijk lachje. Ze had een licht Welsh accent waardoor ze een beetje zangerig klonk. 'Hè, joh, kom nou gewoon terug. Volgens mij ben jij de leukste persoon die hier rondloopt. En ik durf gewoon te wedden dat al die anderen wel keurig opgelet hebben.' Ze grinnikte opnieuw.

Ik besefte dat ik niet zomaar weg kon gaan. Gabrielle had mijn deelname uit haar eigen zak betaald. Als ik dan de benen nam, zou dat een klap in haar gezicht zijn en betekenen dat ik totaal geen respect had voor wat ze allemaal probeerde klaar te spelen. Dat kon ik haar niet aandoen. En wat zou ik tegen haar moeten zeggen? Dat ik iemand was tegengekomen die ik in geen jaren had gezien en dat ik daardoor in paniek was geraakt? Zelfs als ze daar begrip voor op kon brengen, zou ze toch willen weten waarom ik in paniek was geraakt. En dan zou ik de waarheid moeten vertellen. Maar daar kon geen sprake van zijn. Ik wilde niet over hem praten. Met niemand. Ik dacht niet eens aan hem, laat staan dat ik over hem wilde praten. Maar wat zou het voor uitwerking op onze relatie hebben als ik weigerde Gabrielle de waarheid te vertellen?

Voor zover ik kon nagaan, had ik drie opties: ik kon haar geld verspillen zonder te vertellen waarom, of ik kon haar geld verspillen en haar de waarheid vertellen, of ik verspilde haar geld niet en dan hoefde ik ook niet te beslissen of ik wel of niet iets zou zeggen.

'Oké,' zei ik tegen mijn vriendin van de gele groep, 'dan zie ik je over twintig minuten buiten.'

'Geweldig!' zei ze. 'Dan wip ik nu alvast naar buiten om een pakje op te roken. Ik snak naar een sigaret.'

Vlak voor zeven uur belden Summer en Jaxon om me te vertellen wat ze hadden gedaan en dat hun vader het eten had laten verbranden zodat hij een pizza moest bestellen. En hun mama had weer opgebeld om te vertellen dat ze zich er echt op verheugde om ze komende zaterdag weer te zien. En hun papa was bezig met een nieuw huis, maar hij zei steeds dat hij zich niet kon concentreren omdat zij zoveel lawaai maakten en vond ik dat ook? Dat ze te veel lawaai maakten? Het gesprek met het duo stelde me gerust. Het herinnerde me eraan dat ik geen angstig, eenzaam twintigjarig meisje meer was. Ik was drieendertig en mijn leven was totaal veranderd, net als mijn verantwoordelijkheden.

Dertig

De tweede dag van het congres begon al vroeg. Het was een heldere, zonnige dag, met een strakblauwe lucht en nauwelijks wolken.

Om acht uur 's ochtends hadden we allemaal ontbeten en zaten we in onze behaaglijk gestoffeerde stoelen te luisteren naar wat het ook was dat ze ons wilden vertellen. Ik lette nauwelijks op. Mijn nieuwe vriendin uit Wales heette Billie en haar kamer was twee deuren verderop in de gang. Ze was een leuk mens en we gedroegen ons bijna constant als een stel ondeugende schoolkinderen, giechelend en kletsend over tv-programma's. Ik was me nog steeds bewust van het monster dat ergens in dit hotel school, maar als het congres voorbij was, ging ik toch meteen naar Leeds. Tot die tijd kon ik hem wel vermijden. Ik had hem na die eerste keer niet meer gezien en hij had mij helemaal niet gezien. Ik moest er alleen voor zorgen dat ik hem niet toevallig tegenkwam, daarna kon ik die hele toestand weer uit mijn hoofd zetten.

's Avonds tijdens het diner zat ik naast Billie en we deden net alsof we luisterden naar een breedsprakige man uit Londen die ons zijn theorieën over het in dienst nemen van jonge dames voor wilde schotelen. In werkelijkheid zaten we achter onze chocoladepudding te giechelen en te wensen dat hij zijn mond zou houden. Net als het merendeel van de mensen in de zaal hield ik de klok in de gaten, omdat ik van plan was de kinderen om zeven uur te bellen.

Ik miste ze. Ik miste ze echt. De afgelopen paar maanden was er bijna geen dag voorbijgegaan dat ik ze niet had gezien en ik miste hun gelach, hun malle praatjes, het geklauter over de meubels en het geluid van hun sleutels in het slot. Dus toen Billie opstond om naar de wc te gaan, stond ik ook op. Ik had geen zin om nog langer naar die mafketel te luisteren. En het was tien over halfzeven. Ze zouden inmiddels wel gegeten hebben en Kyle vond het vast niet erg als ze een kwartiertje langer opbleven. Billie ging naar het toilet en ik bleef op de lift staan wachten, een tikje ongerust vanwege het monster. Ik tikte afwezig met mijn voet op de grond terwijl ik keek naar het lichtje dat aangaf op welke verdieping de lift was.

Het duurde een eeuw tot de deuren eindelijk opengingen en ik in de met hout gefineerde lift kon stappen om op de knop voor de derde verdieping te drukken.

Terwijl ik wachtte tot de deuren weer dichtgingen, hoorde ik zware voetstappen naderen. Er kwam kennelijk een man aanlopen en ik probeerde de lift aan te sporen om zo snel mogelijk te vertrekken. De metalen deuren begonnen al dicht te glijden, maar toen verscheen er een grote hand die ze tegenhield en weer openduwde.

De moed zonk me in de schoenen en ik hield mijn adem in. Met mijn haar voor mijn gezicht gluurde ik naar de man die binnenkwam. Hij had glimmende, zwarte schoenen aan. Toen hij naast me kwam staan, sprong ik geschrokken achteruit. 'Sorry,' zei hij. 'Ik wilde u niet laten schrikken. Ik moet alleen even op het knopje voor de tweede drukken.' Het was zijn stem niet. Dit was een Schot. Toen ik het waagde om een blik op zijn gezicht te werpen, stond hij opgewekt de aanwijzingen in geval van brand te lezen. Ik slaakte een diepe zucht en dwong mezelf om weer kalm te worden.

Hij stapte op zijn verdieping uit en ik bleef naar de zwarte strip kijken op het plastic kaartje waarmee ik mijn deur open moest doen tot de liftdeuren weer opnieuw opengingen. *Eindelijk,* dacht ik toen ik naar voren stapte. Maar er had iemand op de lift staan wachten, en hij leek de hele ruimte voor de lift te vullen, terwijl hij me vriendelijk toelachte. Ik keek hem niet aan terwijl ik zijn glimlach beantwoordde en liep haastig langs hem heen. Ik holde door de gang en liep de hoek om naar mijn kamer. Een echtpaar kwam me tegemoet en de man stapte opzij om me langs te laten. Ik lachte dankbaar terwijl een gevoel van opwinding in me opwelde. Ik stond op het punt om met Jaxon en Summer te gaan praten, vandaar. Na de volgende bocht kwam een andere gast net zijn kamer uit, hij trok de deur achter zich dicht, controleerde of hij echt op slot zat en maakte aanstalten om in de richting van de lift te lopen. Hij leek de volle breedte van de gang in beslag te nemen en plotseling meer dan twee meter lang te worden. Een trage glimlach kroop over zijn gezicht. 'Zou je niet eens hallo zeggen?' vroeg hij.

Voor mijn vertrek uit Australië had ik bijna alles verkocht. Ik had niet genoeg tijd om te regelen dat alles naar Engeland verstuurd kon worden, dus nam ik alleen een handjevol van mijn lievelingsboeken, mijn favoriete cd's, mijn laptop en zoveel mogelijk kleren en schoenen mee. Desnoods moest ik dan maar voor overgewicht betalen. Maar de rest – van mijn bed tot de theelepeltjes, de planten en mijn boodschappentassen – werd verkocht. Dat bracht ongeveer 1500 dollar op, zo'n duizend euro. Ik gaf het hele bedrag aan een goed doel, omdat ik andere mensen wilde helpen. Ik wilde er zeker van zijn dat als iemand hetzelfde punt bereikte als Wills vrouw, hij of zij om hulp zou kunnen vragen in plaats van een poging tot zelfmoord te doen. Ik wist hoe het voelde om op het randje te balanceren. En te wensen dat je het aan zou durven om naar beneden te springen, of gewoon los te laten en te vallen. Ik wist hoe dat voelde, en het idee dat ik er in ieder geval gedeeltelijk verantwoordelijk voor was dat iemand anders dat punt had bereikt… Daarom moest ik weg. Ik zou het nooit kunnen verdragen dat ik iemand anders tot wanhoop had gedreven, precies zoals met mij was gebeurd.

Als ik niet zo bang was geweest, had ik nog best weg kunnen lopen. Of kunnen schreeuwen. Ik had zijn gezicht aan flarden kunnen krabben, maar plotseling stonden we in een nis naast de gang en ik was nog steeds verstijfd van angst. Pure angst, een gevoel dat je langzaam maar zeker, millimeter voor millimeter, helemaal kan verpletteren, had me in de greep. En ik kon er niets tegen beginnen. Ik kende dat gevoel, want ik had al eens eerder gedacht dat ik vermoord zou worden.

Voor mijn twintigste had ik nooit aan de dood gedacht. Dat was ook nooit nodig geweest. En in die spaarzame ogenblikken dat ik wel dat soort gedachten had, was ik altijd oud en zwak en zakte zoetjes weg in mijn slaap. Ik had nooit gedacht dat een ander zou besluiten om een eind aan mijn leven te maken door mijn keel dicht te knijpen.

Ik wist dus wat je dan voelde. En het joeg me angst aan.

Ik wist dat hij naar me stond te staren, omdat ik zijn ogen gewoon over mijn gezicht voelde glijden. Ik keek hem niet aan, ik staarde dwars door hem heen, naar de donkere houten lambrisering die het onderste deel van de muren bedekte. Ik zag het wandtapijt dat achter hem op het gebosseleerde behang hing. Ik zag de spotjes die in de muur waren aangebracht.

Hij boog zijn hoofd en bracht zijn lippen vlak bij mijn oor. 'Ik dacht al dat jij het was,' fluisterde hij. 'Ik vond mezelf een ongelooflijke geluksvogel... Ben ik gewoon op vakantie en dan zit jij daar ineens vanmorgen aan het ontbijt. Ik dacht eerst dat het verbeelding was, maar nee. Je bent het toch.' Hij kwam nog iets dichterbij. 'Dat is een hele tijd geleden.'

Hij liet twee vingers over mijn jukbeen glijden, wat een haast tastbaar gevoel van walging veroorzaakte, zonder dat ik erop reageerde. Waar moest ik op reageren? Wat ze mijn lichaam noemden, was iets dat heel ver weg was en waar ik geen contact meer mee had.

'Hmmm,' zei hij goedkeurend. 'Je hebt nog steeds die gladde huid. Ik ben dol op je huid.'

Zijn handen gleden omlaag over mijn lichaam, maar ik voelde niets. Ik begreep het alleen uit de walging die in me opwelde.

Hij boog zich voorover en begon weer in mijn oor te fluisteren. 'Zeg eens iets, Kendra,' zei hij. 'Vroeger praatten we constant met elkaar. Zeg eens iets.'

'Wil je niet weten wat het is geworden?' hoorde ik mezelf zeggen.

'Hè?'

'Wil je niet weten of je een zoon of een dochter hebt?'

'Waar heb je het over?' Hij trok zijn handen terug en week iets achteruit om me aan te kunnen kijken. Voor het eerst keek ik hem aan in plaats van dwars door hem heen te kijken. Ik keek naar zijn gezicht en zag dat hij nauwelijks ouder was geworden, dat hij er nog precies hetzelfde uitzag. Nog steeds blond, nog steeds die heldere, groenblauwe ogen met violette vlekjes en nog steeds die lippen die niet op de mijne pasten. Hij was totaal niet veranderd.

'Ik heb het over...' Ik zweeg even om moed te verzamelen. '... over de baby.'

'De baby? Welke baby?'

'Denk eens even na.'

Het kwartje was al een tijd geleden gevallen, maar tot op dit moment was het niet echt tot hem doorgedrongen. 'Nee,' zei hij. Zijn ogen boorden zich in de mijne, op zoek naar een leugen. 'Je hebt helemaal geen kind van me.'

'O nee?' zei ik.

''Je liegt,' zei hij. 'Het is een leugen.'

Ik zei niets.

'Dus jij hebt een kind van me zonder dat je me dat ooit hebt verteld? Dat is niets voor jou. Je had je vast verplicht gevoeld me dat te vertellen.'

'Ik weet waartoe jij in staat bent, dus waarom zou ik een kind daaraan blootstellen?' antwoordde ik.

Een vlaag van twijfel trok over zijn gezicht en het drong ineens tot hem door dat ik best eens de waarheid zou kunnen spreken. Dat ik misschien toch wel in staat zou zijn om zoiets belangrijks voor hem verborgen te houden omdat hij in staat was zulke smerige streken uit te halen. Omdat hij slecht was.

De waarheid zou nooit tot hem doordringen. Dat ik alle mogelijke middelen zou aanwenden om hem tegen te houden, omdat ik daar fysiek niet toe in staat was.

Toen hij niets zei, hield ik mijn adem in.

'Vertel me eens iets meer over mijn kind,' zei hij.

Ik schudde mijn hoofd.

'Alsjeblieft?'

Ik probeerde niet te liegen, omdat ik altijd mijn best deed om dat te vermijden. Zelfs het verdraaien van de waarheid stuitte me al tegen de borst. Ik hield liever mijn mond dan een leugen te vertellen. Maar als ik moest kiezen tussen dit en liegen, dan zou ik geen moment aarzelen en constant liegen.

Er klonk een klikje en ineens gaapte een deur wijd open. Er kwamen mensen aan. 'Ga aan de kant,' zei ik terwijl de voetstappen onze richting uit kwamen.

'Maar ik wil weten…'

'Ga opzij, anders ga ik gillen,' zei ik met stemverheffing.

Hij stapte opzij.

Het verliefde stel dat ik gisteren de trap af had zien komen liep langs ons heen en ik stapte de gang in, zodat iedereen me kon zien. Het stel liep naar de lift in plaats van in de richting van mijn kamer. Ik kon wel met ze meelopen, maar dan kwam hij toch achter me aan. Ik zat hier vast in die gang, en zodra het stel uit het zicht was, zou hij misschien weer proberen me aan te raken. Ik had echt hulp nodig om uit deze ellendige situatie te komen. En toen gebeurde er ineens een wonder. De deur van zijn kamer ging open en er kwam een vrouw naar buiten. 'O, lieverd, ik dacht dat je allang beneden was,' zei ze, toen ze hem zag staan. Ze was lang en slank, met rood haar, een blanke huid en helderblauwe ogen. Ze zag me niet eens, ik was gewoon een andere gast die door de gang liep.

'Ach ja,' zei hij, 'ik had je willen vragen om mijn mobiel mee te nemen. Ik verwacht een telefoontje van de hoofdredacteur. Ik weet wel dat we op vakantie zijn, maar…'

Ik liep door, op weg naar de relatieve veiligheid van mijn kamer. Het bloed bonsde in mijn oren. Pas toen ik bij mijn deur stond, durfde ik om te kijken. De gang was leeg. Ik duwde de sleutelkaart in het slot, stapte snel naar binnen en gooide de deur haastig dicht. Daarna pakte ik de stoel die bij het bureau stond en zette die onder de deurknop.

Daarna bleef ik als verlamd tussen het bed en de deur staan. Als een zoutpilaar, maar dan wel een die vanbinnen bevroren was.

Plotseling werd de stilte verbroken door een luid gerinkel.

Ik schrok niet eens op, daarvoor was ik te verkild. Mijn ogen dwaalden naar de mobiele telefoon die op het nachtkastje lag. Ik werd er automatisch door aangetrokken, omdat ik wilde dat die herrie ophield. Ik had behoefte aan rust. Aan stilte. Om na te kunnen denken. Als een soort stijve robot liep ik naar de telefoon en pakte het toestel op.

Op het schermpje flitsten Summer, Jaxon en Kyle op. Een foto van de dag dat we naar het British Museum waren geweest. Vervolgens verschenen hun namen, die opnieuw werden afgewisseld door hun lachende gezichten. En weer die namen. En weer die gezichten.

Ik kon het niet.

Ik kon nu niet met ze praten.

Ze hoorden bij het leven van een andere Kendra. Niet bij deze. Deze was besmet. Deze was walgelijk. Deze kon niet met twee kinderen praten. Ik drukte op het rode knopje om het gesprek te weigeren en legde het toestel daarna weer op het nachtkastje voordat ik naar de badkamer ging om iedere herinnering aan hem van me af te boenen.

'Met Summer, Kendie. We moeten echt met je praten. We gaan morgen naar het huis van oma Naomi om mama te zien... O, papa zegt dat ik je dat al heb verteld. Mama heeft ons vandaag weer opgebeld om te zeggen dat ze er echt naar verlangt. Hier is Jaxon... Met Jaxon. Garvo heeft achter een kat aan gezeten. Die ging onder de auto van de buren zitten en wilde er niet meer onderuit komen. Papa zei dat dat helemaal niet lief was, maar Garvo kon er niets aan doen. Bel maar gauw terug... Ik ben het weer. Ja, bel ons maar terug... Wat? Papa zegt dat je morgen terug moet bellen als het later is dan acht uur... Maar morgen zijn we toch bij oma Naomi, papa... Ja, papa... *Bel ons gauw terug.*'

Ik luisterde de boodschap keer op keer af. In het donker lag ik naar hun stemmen te luisteren. Heldere, vrolijke stemmen die via de luidspreker door de kamer klonken. Als ik dan mijn ogen dichtdeed, kon ik net doen alsof ze bij me waren. Ze waren zo dichtbij dat ik ze aan kon raken.

Ik had ze niet teruggebeld en het was inmiddels midden in de nacht. Ze lagen veilig in hun bed te slapen. Ineens zag ik hun slapende gezichten voor me. De halvemaantjes van hun oogleden omkranst door lange wimpers, hun iets getuite roze lipjes en de gladde huid van hun gezicht terwijl ze van fijne dingen droomden.

Ik hield van ze.

Ik hield echt ontzettend veel van ze, maar ik kon niet met ze praten.

Eenendertig

Hij stond bij de receptie op me te wachten. Precies zoals ik had verwacht.

Het was nog stil in het hotel, omdat het pas zes uur in de ochtend was, en ik deed mijn best om die stilte niet te verstoren terwijl ik naar buiten liep. Maar hij zat op de bank recht tegenover de receptie en kwam pas in beweging toen ik uitgecheckt had.

Hij zag er verfomfaaid en afgepeigerd uit, met zo'n grauwwitte huid die het gevolg is van een gebrek aan slaap en het nadenken over je leven. Aan zijn haar te zien had hij er flink in zitten woelen en zijn kleren zagen eruit alsof hij erin geslapen had. Ik bleef staan, om hem op afstand te houden en binnen het blikveld van de receptionist te blijven.

'Ik wist dat je weg zou gaan voordat iedereen wakker was,' zei hij.

Eigenlijk wilde ik niets liever dan hem toeschreeuwen daarmee op te houden. Ophouden met te geloven dat hij me kende, dat hij wist hoe ik reageerde en wat ik zou doen. Dat er een band tussen ons was.

'Laat me met rust,' zei ik rustig.

'Maar...'

'Laat me met rust,' zei ik opnieuw.

'We moeten praten over ons kind. Hoe oud is hij of zij nou? Zeker een jaar of twaalf. Is hij...'

'Ik heb gelogen,' viel ik hem in de rede. 'Om je op te laten houden met dat gedoe. Ik heb geen kind van je. Ik heb helemaal geen kinderen.' *En ik zal ze nooit krijgen ook.*

Dat was gisteravond tot me doorgedrongen. Ik had geen kinderen. Hoe intens ik daar ook naar verlangde, hoe vaak ik ze ook van school ging halen, hoeveel dagtochtjes ik plande, hoeveel verhaaltjes ik voorlas, ik had geen kinderen. Ik had mezelf vaak genoeg voorgehouden dat het andermans kinderen waren en niet de mijne, maar ik had mezelf toch voor de gek gehouden. Ik was te sterk aan ze gehecht geraakt, terwijl ze mijn kinderen niet eens waren. Ik had geen kinderen.

Heel even had ik het idee dat hij zich op me zou storten, dat hij me bij mijn keel zou grijpen om me de strot dicht te knijpen, en ik was niet eens echt bang. Een beetje, maar lang niet zo erg als gisteravond. Of zoals vroeger. Hij had me al erg genoeg gekwetst. Zijn gezicht ontspande. Hij wist niet meer wat hij moest geloven.

'Heb je gelogen?'

Ik knikte. 'Je probeerde… Ik moest je tegenhouden.'

'Ik wilde je helemaal geen kwaad doen,' zei hij. 'Ik wilde gewoon dat je tegen me zou praten. Zoals vroeger.'

'Ik heb je niets te vertellen.'

Hij keek teleurgesteld, alsof hij niet kon begrijpen waarom ik zo deed. Waarom ik niet blij was om hem te zien. We waren toch vrienden, dus waarom wilde ik niet met hem praten? De stilte tussen ons rekte zich uit als een slap stuk elastiek dat geen veerkracht meer had. Hij wist niet wat hij tegen me moest zeggen om me zo ver te krijgen dat ik me weer vriendschappelijk gedroeg en ik had hem niets te zeggen, nu niet en nooit niet. Het was hoog tijd om te vertrekken en hem achter me te laten, zoals ik al jarenlang had gedaan. Hoog tijd om weg te gaan.

Ik liep het bordes af. Op de parkeerplaats gooide ik mijn bagage op de passagiersstoel, smeet het portier dicht en deed het op slot. Daarna deed ik het sleuteltje in het contact, trok mijn gordel om, startte de auto en reed weg.

Lance stond op het bordes en keek me na terwijl ik rustig de parkeerplaats af reed. Zo langzaam dat ik hem kon zien kijken. Naar de achterbank met de kinderzitjes voor Jaxon en Summer.

Een stuk koude pizza

Tweeëndertig

Is er iets dat je kunt doen als je het gevoel hebt dat je hoofd uit elkaar knapt en dat je borst wordt fijngedrukt?

Ik had het al vanaf het eind van het congres en was inmiddels vergeten hoe het was om zonder pijn en zonder die druk vanbinnen te leven.

Omdat ik wist dat de kinderen bij hun moeder waren en Kyle boodschappen deed, had ik zaterdagmiddag een bericht op hun vaste nummer achtergelaten met de mededeling dat ik maandag terug zou komen in plaats van zondag en mijn telefoon uitgezet. Ik was ook niet naar Leeds gegaan, maar regelrecht teruggereden naar Kent. Daar had ik de auto drie straten verderop neergezet en was stiekem naar mijn flat geslopen.

Ik nam niet de moeite om mijn kleren uit te trekken, maar schopte mijn schoenen uit en kroop zo onder de dekens om me te verstoppen. Daar onder die dekens was ik veilig en kon me niets gebeuren. Niemand wist dat ik thuis was. Ik bleef op een hoopje liggen en viel af en toe in slaap. Om dan weer wakker te schrikken en met open ogen voor me uit te staren. En de valstrik van wat me in het hotel was overkomen te vermijden. Van wat me al die jaren geleden was overkomen. Als ik daar weer in zou trappen, al was het maar gedurende een moment, zou ik me er niet meer los van kunnen maken. Dan zat ik vast.

Maandagochtend stond ik heel vroeg op, nam een gloeiend hete douche en vertrok om kwart voor zes, voordat de kinderen opstonden. Ik miste ze en ik wilde ze dolgraag zien om te horen wat ze allemaal hadden gedaan in de tijd dat ik weg was geweest. Ik wilde hun ogen zien stralen, hun lippen zien lachen en de opgewonden toon van hun stem horen. Maar de pijn in mijn hoofd was niet afgenomen, de druk op mijn borst werd alleen maar groter en hetzelfde gold voor de beurse plek op mijn hart. Daar kon ik hen niet mee confronteren. Zelfs niet gedurende een paar minuten. En nadat het opnieuw tot me was doorgedrongen dat ik geen kinderen had en ze nooit zou krijgen ook, wist ik dat ik ze los moest laten.

Voor het eerst dat we samenwerkten, slaagde ik erin om eerder dan Gabrielle op kantoor te zijn. Ze trok verbaasd haar wenkbrauwen op toen ze mij al achter mijn bureau zag zitten, maar ze vroeg niets. In plaats daarvan begonnen we gewoon over het congres en wat ik daarvan had opgestoken. 'Ik ben alleen maar te weten gekomen dat ik nooit kinderen kan krijgen,' had ik bijna gezegd. 'Dat is het enige.'

Ik wist precies waar het om ging. Verlies. Ik had iets kostbaars verloren. Een stukje van mezelf dat ik nooit had leren kennen. En toen ik daar drie jaar geleden achter was gekomen, had ik er nooit echt om gerouwd, wat ik wel had moeten doen. Ik had gewoon constant in shocktoestand verkeerd. Waarschijnlijk had ik het zelfs ontkend door net te doen alsof er niets aan de hand was en naar Australië te vertrekken. En dus had ik het nog lang niet verwerkt, ik zat nog midden in het rouwproces. Dat wist ik best. Verstandelijk tenminste. Emotioneel was een heel ander verhaal. Emotioneel was een blik al voldoende om me volledig uit mijn evenwicht te brengen.

De dag kroop voorbij. Toen ik rond lunchtijd opkeek, bleek het pas halfelf te zijn, dus moest ik nog uren wachten voordat ik een frisse neus zou kunnen gaan halen.

En ik zat helemaal niet lekker in mijn vel. Ik voelde de neiging opkomen om mijn nagels in mijn onderarm te zetten en de huid open te krabben, zodat de fysieke pijn dat andere gevoel zou gaan overheersen.

'Goeie genade nog aan toe, Kendra!' riep Janene geërgerd van de andere kant van het kantoor, waardoor ik opschrok.

Mijn ogen dwaalden van de wirwar van woorden op de krantenpagina voor me naar de administratieve kracht.

'Weer terug op aarde?' vroeg ze met een stem die droop van sarcasme. 'Of moet ik je soms oppiepen van een of andere buitenaardse planeet?'

Gabrielle en Teri waren allebei de deur uit, vandaar dat ze die toon durfde aan te slaan. Sinds het voorval met de telefoontjes, waarvoor Gabrielle haar een schriftelijke waarschuwing had gegeven, had ze haar best gedaan om haar afkeer van mij te verbergen. Maar zodra we alleen waren, verdween de gewapende vrede en durfde ze weer zichzelf te zijn.

‘Kan ik je ergens mee helpen, Janene?’ vroeg ik effen. Ik wilde geen ruzie maken met Janene. Ik wilde met niemand ruzie maken.

‘Heb je die werkbriefjes nou getekend?’ vroeg ze.

‘Nog niet,’ antwoordde ik. Ik was het wel van plan geweest, maar het was me ontschoten.

Ze sloeg haar lichtbruine ogen ten hemel en slaakte een geërgerde zucht. ‘Wat heb je dan in vredesnaam zitten doen?’

‘Ik teken ze wel zodra ik eraan toe ben,’ zei ik.

‘Hè ja,’ zei ze een tikje snauwerig. ‘Dan zal ik de mensen die geen geld hebben gekregen ook maar meteen met jou doorverbinden. Ik heb geen zin om uitgekafferd te worden omdat jij je werk niet doet.’

‘Weet je wat ik nou zo leuk aan jou vind, Janene?’ vroeg ik met een stem die even rustig en kalm was als de zee vlak voordat er een zware storm uitbreekt. ‘Ondanks het feit dat alles op het tegendeel wijst, denk je nog steeds dat jij de baas bent. Ondanks het feit dat ik een hogere functie heb, een hoger salaris en een veel betere baan, blijf jij maar dag in dag uit rondlopen met het waanidee dat je mij de wet kunt voorschrijven. Het is gewoon verbijsterend hoe jij jezelf voor de gek kunt houden.’

Terwijl Janene even moest nadenken of ik haar nu wel of niet beledigd had, richtte ik mijn ogen weer op de krant die voor me lag. Ik pakte mijn pen op en begon weer boven aan de kolom met personeelsadvertenties omdat er geen woord tot me doorgedrongen was.

‘Als er ooit een vrouw is geweest die eens flink gepakt zou moeten worden, dan ben jij het wel,’ zei Janene. ‘Wat is er aan de hand, Kendra, kom je niet aan je gerief?’

Ik bleef naar de krant staren, terwijl ik zo hard op mijn pen drukte dat de punt afbrak.

‘Doe ons allemaal een plezier en laat je eens flink neuken, Kendra... O jee, ik was vergeten dat je niets van seks moet hebben en achteraf van alles uit je duim zuigt om vervolgens de politie te bellen en de man te laten arresteren. Maar ja, dat is dan ook zijn verdiende loon, want per slot van rekening is het een misdaad om met jou naar bed te gaan, hè?'

Als ik niet net naar dat congres was geweest, als ik de kinderen niet zo miste, als ik de afgelopen dagen wat meer slaap had gehad, was wat er volgde waarschijnlijk niet gebeurd. Dan had ik misschien rustig mijn agenda opgepakt om precies op te schrijven wat Janene tegen me had gezegd, om dat vervolgens aan Gabrielle door te geven als ze weer terug was. Of ik was opgestaan om een blokje rond te lopen, tot ik voldoende gekalmeerd was om weer samen met Janene in één kantoor te zitten. Of ik zou haar straal genegeerd hebben. Maar dat zal ik nooit weten. In de seconde nadat ze dat had gezegd, deed ik heel even mijn ogen dicht en wierp haar vervolgens een woedende blik toe. Ik keek naar haar steile, door een dure kapper in model gebrachte goudblonde haar dat tot op haar schouders viel, naar haar valse ogen, haar gemene mond, haar akelige neus, haar ordinaire kaaklijn en haar dure zwarte mantelpakje. Een en al geld, geen spoor van klasse. Daarna deed ik mijn mond open. 'Als je het waagt om nog ooit iets tegen mij te zeggen, Janene, dan sla ik je je hersens in.'

'Alsof je dat zou durven,' zei ze spottend.

'Je hebt net iets tegen me gezegd.' Ik voelde een bitter en humorloos lachje om mijn lippen verschijnen. 'Kennelijk heb je me niet goed begrepen.' Ik spreidde mijn handen en leunde naar voren. 'Wat ik wilde zeggen, was dat als je óóit het lef hebt om nog iets tegen me te zeggen, al is het maar "hallo" of "goedemiddag", of dat er een telefoontje voor me is, of gewoon "pardon" als je in de gang langs me heen loopt, dan wacht ik je ergens op en sla je de hersens in. Knik maar als je me hebt begrepen.'

Janene knikte.

'Mooi zo.' Ik keek weer naar de krant die voor me lag. Trillend. Ik trilde van top tot teen. Ik kon niet lezen, ik kon me niet eens bewegen. Had ik dat net gezegd? Ik? Echt waar? Het was alsof ik mezelf vanaf een afstandje had gadegeslagen. Nu was ik mezelf weer en ik was ontzet. Zo was ik helemaal niet. Dat soort dingen deed ik niet.

'Goed, nu we dus allemaal hebben begrepen dat Janene nooit meer iets tegen Kendra mag zeggen, wil iemand mij misschien even uitleggen wat er precies aan de hand is,' zei Gabrielle. Ze stond in de deuropening met haar zwartleren koffertje in de ene en een vierkante doos met mokken, magneetjes en muismatten met het logo van Office Wonders in de andere. Ze keek me strak aan. Haar ogen waren even fel en vurig als een brandijzer dat wordt gebruikt om dieren te merken.

Toen Janene en ik stommetje bleven spelen, liep ze stram door het kantoor naar haar bureau, zette de doos erop, liet haar koffertje op de grond vallen en gooide haar handtas op haar stoel. Ondertussen bleef ze me strak aankijken en zei zonder zich om te draaien: 'Maak dat je wegkomt, Janene.' Dat liet Janene zich geen twee keer zeggen. Ze zag er niet eens triomfantelijk uit toen ze haar jas en haar tas pakte en de deur uit liep. Zodra de deur achter haar dichtviel, liep mijn bazin in haar donkerblauwe mantelpakje ernaartoe en draaide het slot om. Vervolgens sloeg ze haar armen over elkaar en ging recht voor mijn bureau staan om me woedend aan te kijken.

Onder die blik kromp ik met de minuut verder in elkaar. Dat had ik nooit mogen zeggen. Ik kon gewoon niet geloven dat ik dat echt had gezegd.

'Wat is er gebeurd?' vroeg ze uiteindelijk, zo zacht dat ze zelfs vriendelijk klonk.

Ik probeerde adem te halen, maar dat wilde niet echt lukken. Toen ik mijn tong langs mijn lippen liet glijden had dat geen enkel effect, omdat mijn mond veel te droog was. 'Dat kan ik je niet vertellen,' antwoordde ik.

Ze slaakte een diepe zucht en deed haar best kalm te blijven. En zakelijk. 'Iedereen had binnen kunnen komen lopen, net als ik. Een potentiële werknemer, Teri, of een klant. Die hadden dan precies hetzelfde gezien wat ik zag. Ik weet dat jij zoiets niet zou zeggen als je daar geen gegronde reden voor hebt. Maar ik kan je niet helpen als je niets wilt zeggen. Ik wil graag dat je heel goed nadenkt, voordat je me weer antwoord geeft. Wat heeft ze tegen je gezegd, Kendra?'

Ik wist dat ik het haar moest vertellen. En uitleggen dat Janene met haar opmerking bijna de spijker op de kop had geslagen. Ik wist dat ik het haar moest vertellen, want als er één persoon was die het zou begrijpen, dan was het Gabrielle wel. Maar ik kon het niet herhalen, ik wílde het niet herhalen. Zelfs niet zonder in details te treden. 'Ik kan het je niet vertellen,' zei ik.

'Weet je dat zeker?' Ze bood me nog een laatste kans om mezelf hieruit te redden.

Ik knikte.

'Oké.' Ze knikte ook. 'Dan ben je bij dezen met behoud van salaris geschorst, Kendra Tamale, tot je me een redelijke verklaring geeft voor je gedrag van vandaag. En die schorsing gaat nu in.'

Terwijl ze dat zei, beet ik mijn tanden zo hard op elkaar dat mijn kaken er pijn van deden. Achter de brok die zich in mijn keel had gevormd, welden de tranen op.

'Bedankt,' mompelde ik en stond op. Ik zette mijn computer uit, liet mijn mobiel en mijn agenda in mijn tas vallen, pakte mijn jas en liep weg zonder nog een woord met haar te wisselen.

Drieëndertig

Gabrielle en ik zaten in een hoekje van een kroeg die dichter bij mijn flat was dan bij het kantoor.

Het was een echte Engelse pub, met donker hout, een druk behang en identieke vloerbedekking. We zaten tegenover elkaar aan een tafeltje. Zij zat achter een groot glas witte wijn, voor mij stond een glas cranberrysap met spawater.

Ik was er het eerst en had me tussen de bezoekers door gewrongen om bij het tafeltje te komen. Terwijl ik zat te wachten, was ik een paar keer in de verleiding gekomen om Gabrielle een sms'je te sturen om te zeggen dat ik verhinderd was. Ik wilde haar helemaal niet zien. Niet na wat er was gebeurd. Ik schaamde me ontzettend en ik wilde helemaal niemand zien. Daarom had ik de hele week ook geen contact met haar opgenomen. Maar ze had me gisteren gebeld en gevraagd of ik na het werk iets met haar wilde gaan drinken en ik had geaarzeld.

'Als je vriendin, niet als je baas,' had ze gezegd toen ik stil bleef. 'Er wordt niet over het werk gepraat.'

Ik aarzelde nog steeds.

'Laat me niet smeken,' had ze daarna rustig gezegd. 'Dat doe je een vriendin niet aan.' Ik had toegestemd.

Kyle en de kinderen wisten niet dat ik geschorst was. Ik ging iedere ochtend extra vroeg weg en kwam 's avonds, na allerlei omzwervingen door Londen, pas heel laat weer terug. Waarschijnlijk was het de bedoeling dat ik thuis zou blijven zitten om na te denken over wat ik had misdaan, maar dan zouden de Gadsboroughs erachter komen en dat wilde ik niet, want ik schaamde me ontzettend.

Gabrielle nam een slokje wijn en keek me aan. Waarschijnlijk stond er 'laat me met rust' op mijn gezicht te lezen. Niet omdat ik nijdig was omdat ze me had geschorst, maar omdat ik het vreselijk vond dat ik haar had teleurgesteld.

Ze zag er moe uit. Haar golvende zwarte haar viel glanzend om haar gezicht, maar haar huid was grauw en ze had donkere kringen onder haar ogen. 'We missen je,' zei ze.

Ik verstijfde onwillekeurig en week iets achteruit.

'Ik weet wel dat ik niet over het werk zou praten, maar ik mis je.'

'Ik mis jou ook.'

'Ben je dan nog van plan om terug te komen?'

'We zouden niet over het werk praten,' antwoordde ik.

'Ja, dat klopt.' Gabrielle goot de helft van haar glas wijn naar binnen en zette het glas toen met zo'n klap terug op tafel dat ik begreep dat ze een belangrijke beslissing had genomen.

'Ik ben op mijn vijfentwintigste verkracht,' zei ze, terwijl ze me recht aankeek.

Ik schoof met een ruk achteruit.

'Ik kende hem. Hij was een vriend van de familie. Onze ouders kenden elkaar, omdat ze allemaal rond mijn zestiende vanuit Australië hierheen waren verhuisd en in Cornwall gingen wonen. Hij was net iets ouder dan ik, dus ik zag hem niet vaak, maar toen ik naar Londen kwam om hier te gaan werken, nam hij me min of meer onder zijn hoede, je weet wel, om mijn ouders een plezier te doen. Hij ging een paar keer met me stappen, nam me mee naar een paar kroegen en stelde me aan zijn vrienden voor. Hij was aardig en echt leuk, als een soort oudere broer. Er was nog nooit zoiets tussen ons voorgevallen tot op de zondag dat we met een stel vrienden hadden afgesproken om in de pub te gaan lunchen. Hij kwam naar mij toe... We zijn niet gaan lunchen. Nou ja, ik niet, hij wel. Wat hem betrof, was er niets aan de hand.'

Ze zat ineengedoken in de gang, trillend en met de armen om zich heen geslagen en staarde naar de muur zonder iets te zien. *Wat is er gebeurd,* vroeg ze zichzelf voortdurend af. *Wat is er gebeurd?* De deur was een paar minuten geleden dichtgevallen. Of was dat een paar seconden geleden? Of een paar uur? De deur was dichtgevallen en ze was alleen. Ze kon zich niet bewegen en ze kon niets uitbrengen. *Wat was er gebeurd?*

De deur ging opnieuw open en ze kromp nog verder in elkaar, bang dat hij weer terug was gekomen. Maar het was een vrouwenstem die haar vroeg wat er aan de hand was.

Ik weet het niet, wilde Gabrielle zeggen, maar ze kon niets uitbrengen. Ze keek op naar de vrouw die dat had gevraagd en zag dat het haar huisgenote was. En toen was de politie gekomen, die haar van alles had gevraagd. En opeens was ze in het ziekenhuis. Nog meer vragen, die ze allemaal beantwoordde. Maar ondertussen bleef ze zich inwendig voortdurend afvragen wat er was gebeurd, hoewel ze heel goed wist dat ze nooit antwoord zou krijgen op die vraag.

'Hij werd gearresteerd en de pleuris brak uit. Mijn ouders kregen ruzie met zijn ouders. Mijn ouders probeerden me zover te krijgen dat ik terugkwam naar Cornwall en onze verstandhouding bereikte zo'n beetje het nulpunt. Mijn broers gingen achter hem aan, maar goddank hebben ze hem nooit kunnen vinden. Er kwam een rechtszaak van, hij werd schuldig bevonden, maar kreeg alleen een voorwaardelijke straf, omdat de rechter zei dat hij me niet echt kwaad had gedaan. Ik moest mijn flat uit, ik sliep met het licht aan, ik woonde zo'n beetje in de badkamer, maar hij had me geen kwaad gedaan, hè? Ik ben inmiddels negenendertig en zo lang heb ik er ook ongeveer over gedaan om dit punt te bereiken. Dat ik erover kan praten. Natuurlijk zijn er niet veel mensen met wie ik erover kan praten, alleen maar degenen van wie ik weet dat ze het zullen begrijpen, maar daarvóór kon ik er helemaal niet over praten. Hoewel iedereen het wist, hield ik mijn ware gevoelens voor me, omdat de meeste mensen vonden dat ik me eroverheen moest zetten. Dat ik na wat therapie en met een wat positievere instelling wel weer zou "opknappen". Uiteindelijk werd het zo'n onverkwikkelijk geval dat ergens diep weggestopt werd in de familiehistorie.'

Gabrielle glimlachte vreugdeloos. 'Begrijp me niet verkeerd, mijn familie heeft de schuld nooit bij mij gezocht. Het heeft alleen heel lang geduurd voordat ik besefte dat ze het niet begrepen. Ze deden hun best, hoor. Ik bedoel, hun leven werd ook overhoop gegooid. Maar natuurlijk hebben ze mij dat nooit kwalijk genomen.

Enfin, uiteindelijk hebben we het allemaal verwerkt. Ik ben een tijdje in therapie geweest en heb daarna mijn leven weer opgepakt. Dat maakte ik tenminste iedereen wijs, mijzelf inbegrepen. Ik ben zelfs getrouwd. En dat is iets heel vreemds voor iemand die ziekelijk bang is om mensen te vertrouwen.' Ze nam opnieuw een slok wijn. 'Het keerpunt kwam voor mij zo'n zeven jaar geleden, toen ik in een filmhuis *Thelma & Louise* zag. Ik was waarschijnlijk de enige vrouw van boven de dertig die niet wist waar die film over ging en dat die ene scène er ook in zat. Toen die begon, draaide ik helemaal door. Ik rende de bioscoop uit, stond buiten te kotsen en heb de hele nacht zitten janken. Toen drong het tot me door dat ik hulp moest zoeken. En nu echt. Ik heb een hulplijn gebeld. Daarna ben ik naar een therapeut gegaan en vervolgens kwam ik terecht bij de kraker naar wie ik jou ook wilde sturen. Hij zet niet alleen je rug recht, maar hij helpt je ook om alle herinneringen naar boven te halen die in je lichaam vastgeroest zitten en die ervoor zorgen dat je geen meter verder komt. Als je naar hem toe zou gaan, kan hij het veel beter uitleggen, maar alles wat je ooit is overkomen zit opgesloten in je lichaam, en als je daar met hem over praat terwijl hij je wervelkolom losmaakt, komt die herinnering er ook uit. Op die manier raak je het lijfelijke gedeelte ervan kwijt. Het is alleen maar aan hem te danken dat ik er nu met jou over kan praten. Ik zeg niet dat ik er "overheen" ben, ik ga nog regelmatig bij mijn therapeut langs en ik ben psychologie gaan studeren omdat ik wilde begrijpen wat er precies met me is gebeurd, maar ik kan er nu mee omgaan. Ik ben weer helemaal terug. Ik bedoel, ik ben weer Gabrielle. De Gabrielle van voor die tijd is er niet meer en ik zal er nooit "overheen" komen, maar ik sta er nu anders tegenover. Ik laat me er niet langer door beheersen. Ik ben niet meer de angstige vrouw die in dat ene moment gevangen zit, niet in staat om verder te gaan en niet in staat om haar oude leven weer op te pakken. Verstrikt in die oneindige kringloop van angst... Je weet wat ik bedoel, hè?'

Gabrielle hief haar ogen op van haar glas, keek me aan en herhaalde: 'Dat weet je, hè?'

Ik zei niets en bleef roerloos zitten. Ik was hier helemaal niet op voorbereid, op deze ellende, deze fileerpartij. Hoe moet je in vredesnaam reageren als iemand haar hart opensnijdt en je een rondleiding geeft langs al haar verdriet? Nu wist ik waarom ze me in het bos zo had aangekeken, nu wist ik vrijwel alles over Gabrielle en ik had geen flauw idee wat ik moest zeggen. Wat ze verwachtte te horen.

Ze keek me recht aan. 'Hoor eens, Kennie, er is maar één reden waarom ik je al die dingen over mezelf heb verteld. Ik wil van jou horen wat Janene precies tegen je heeft gezegd. Ik heb wel een flauw idee wat het is geweest en daarom begrijp ik je reactie ook. Ik heb tegen haar gezegd dat ze meteen ontslag krijgt zodra jij me vertelt wat ze heeft gezegd. Vertel het me nu maar. Ik moet een officiële verklaring hebben, pas dan kan ik je helpen.'

Ik keek neer op mijn handen die in elkaar gestrengeld op mijn schoot lagen. 'Het was niets,' zei ik. Maar het was alles geweest. Dat is soms het geval met woorden. En deze woorden kreeg ik niet over mijn lippen. Zeker niet na wat Gabrielle me net had verteld. Dat wilde ik haar niet aandoen.

'Ik kan je pas weer aan het werk laten gaan als je me een goede reden geeft voor het voorval waarvan ik getuige ben geweest,' zei Gabrielle.

'Dan kan ik niet weer aan het werk,' zei ik.

'Kéndra!' riep Gabrielle gefrustreerd uit. 'Waarom stribbel je zo tegen? Wil je je baan soms kwijtraken?'

'Nee, maar ik wil niet herhalen wat ze heeft gezegd. Niet voor jou en zelfs niet als ik daar mijn baan mee kan redden.'

Gabrielle hoorde het tandenknarsend aan en zuchtte diep. 'Oké, vertel me dan maar wat er met je is gebeurd,' zei ze. 'Waarom ben je zo anders sinds je van dat congres terug bent? Ik kon maandag toen ik binnenkwam aan je gezicht zien dat er iets was gebeurd.'

Ik staarde naar de bar waar een man in een smerige spijkerbroek en een T-shirt met een capuchon het ene muntje na het andere in een fruitautomaat gooide. De lichtjes flitsten terwijl hij het geld erin deed en op de gekleurde knopjes drukte.

Ik pakte mijn glas op met de bedoeling een slok te nemen, maar omdat mijn hand zo trilde, gutste de helft van de inhoud over de rand. Ik zette het glas weer neer en rommelde in mijn tas op zoek naar een papieren zakdoekje. Ik haalde zo diep adem dat ik bijna zat te hijgen. Als ik niet zoveel mogelijk zuurstof binnen probeerde de krijgen, zou ik overstag gaan. Ik was nu nog net in staat om met iemand te praten, maar als er nog meer druk op me uitgeoefend werd, zou ik instorten.

'Vertel het me nou, lieverd.'

'Wat?' Ik veegde mijn hand schoon.

'Wat je is overkomen.'

'Je huid is zo zacht als zijde. Ik ben dol op je huid.'

'Er valt niets te vertellen,' zei ik tegen Gabrielle.

'Dat zou ik meteen geloven als je er niet uitzag alsof je zo kunt poseren voor een poster voor een posttraumatische stress-stoornis,' antwoordde Gabrielle. 'Zolang ik je ken, heb je alle klassieke symptomen vertoond: je bent zenuwachtig, je sluit je af en je praat over wat jou is overkomen alsof het om iemand anders gaat, hoewel uit je reacties het tegendeel blijkt. En dan de manier waarop je je kleedt: altijd somber en altijd een paar lagen over elkaar. En je hebt ook last van flashbacks, hè? Waarbij je het gevoel krijgt alsof het je steeds opnieuw overkomt? Dat is allemaal heel normaal. En je kunt er veel gemakkelijker mee omgaan als je erover praat. Stort je hart maar bij mij uit.'

'Hou alsjeblieft op, Gabrielle. Ik kan er niet meer...' Dat was alles wat ik uit kon brengen, ik had het gevoel dat ik ieder moment uit elkaar kon knappen als een ballon die te hard is opgeblazen. Nog twee pufjes en het was gedaan.

'Heb je hem gezien? Was dat het?' vroeg ze.

Mijn ogen zakten dicht. Ik was zo moe. Ik was ineens echt ontzettend moe. Ik kon hier niet meer blijven zitten, dus hees ik mijn tas op mijn schouder en maakte aanstalten om op te staan.

'Niet weglopen, Kennie,' zei ze dringend terwijl ze haar hand uitstak om me tegen te houden. 'Het spijt me. Laten we maar over iets anders praten, goed? Maar ga niet weg.'

Ik bleef op mijn stoel zitten en liet de tas weer van mijn schouder glijden.

'Ik kan je op dit moment eigenlijk helemaal niet missen, dus je moet maandag maar weer aan het werk gaan. Maar dan moet ik je wel een mondelinge waarschuwing geven en dat komt op je werkstaat te staan,' zei Gabrielle.

Ik knikte. Dat leek me eerlijk. Ik had me misdragen en dus verdiende ik het om gestraft te worden.

'Prima, dat heb ik dan bij dezen gedaan. Maar ik blijf bij mijn waarschuwing aan Janene: zodra je me vertelt wat zij heeft gezegd, vliegt ze eruit.'

'Goed,' zei ik terwijl ik het laatste spoortje kracht aanboorde om opgewekt te klinken. 'Zal ik dan maar het volgende rondje bestellen? Doen we het nog eens over?'

'Ja, Kendra,' zei ze. 'We doen het nog eens over.' En ik deed net alsof ik dacht dat ze het over onze drankjes had.

Vierendertig

'Je doet het helemaal fout!' riep Summer uit. Ze keek vol wanhoop naar haar ontbijt. Er klopte niets van. Het was gewoon een kom cornflakes.

'Wat bedoel je?' vroeg Kyle.

'Je doet het helemaal fout!' schreeuwde ze hem toe.

Het gekrijs haalde Kyle het bloed onder de nagels vandaan. Hij keek even naar Jaxon, maar die zat al even wanhopig naar zijn eten te kijken.

Dat is allemaal de schuld van Kendra, dacht Kyle. Hoe wist hij niet, maar hij was er zeker van dat zij hier iets mee te maken had.

'Hoe kan ik het nou fout doen? Het zijn gewoon cornflakes.'

'Maar het is zaterdag,' zei Jaxon zacht.

'Ik weet best dat het zaterdag is. Wat heeft dat ermee te maken?'

'Je doet het helemaal fout!' herhaalde zijn dochter. 'Ik wil dat Kendie het doet.'

Zie je wel, dacht Kyle.

'Kendie doet het precies goed. Kendie weet hoe je een zaterdags ontbijt klaar moet maken. Jij doet het helemaal fout.'

Kendra. Hoe had het leven eruitgezien vóór Kendra?

Door die vrouw gingen zijn kinderen zich totaal anders gedragen. Ze hadden zich aan haar vastgeklampt. Aanvankelijk had hij gedacht dat het kwam omdat ze nieuw was, iemand anders om mee te spelen, maar het was al snel tot hem doorgedrongen dat het was omdat Kendra een constante factor was. Ze wisten gewoon dat ze er altijd was. Toen Ashlyn zoveel dronk, hadden ze nooit geweten met wie ze te maken zouden krijgen. De ene dag was het lachen en plezier maken en een dag later deed ze niets dan huilen. Op sommige dagen was ze dol op hen allemaal en een dag later kregen ze te horen dat ze haar hele leven verknald hadden.

Maar het lag niet alleen aan Ashlyn dat de kinderen zo aan Kendra hingen. Kyle wist heel goed dat het ook zijn schuld was. Hij was altijd aan het werk geweest. Hij had zich verscholen achter zijn technische tekeningen, zijn maquettes en zijn projecten, en hij had zichzelf onbewust wijsgemaakt dat de kinderen toch te jong waren om het te merken.

Het had hem bijna tien jaar gekost om de werkelijkheid onder ogen te zien, waarvan de kinderen er vijf mee hadden gemaakt, en Kendra had daar maar een paar minuten voor nodig gehad. Ze had het ontbijt voor zijn kinderen klaargemaakt en hem de mantel uitgeveegd. En als zijn kinderen haar vroegen om te springen, vroeg ze gewoon hoe hoog. Kendra verwende ze niet, ze gaf ze niet altijd hun zin, maar ze kwamen altijd op de eerste plaats. Altijd. Er was nooit iemand geweest die dat zo consequent had gedaan. Geen wonder dat ze zich aan haar vastklampten en niet van plan waren om haar ook maar een seconde los te laten.

Om de een of andere reden leek ze de afgelopen week van de aardbodem verdwenen. Ze was de onderhuurster geworden die hem aanvankelijk voor ogen had gestaan: iemand die zich nergens mee bemoeide en netjes op tijd de huur betaalde. Ze was al heel vroeg naar haar werk gegaan en kwam pas thuis als het al donker was. Altijd met gebogen hoofd, alsof ze onzichtbaar was als ze niet opkeek. De kinderen bleven maar vragen waar ze was, waarom ze niet in de flat was en waarom ze hen niet van school had gehaald. Als ze hen niet iedere avond had gebeld, hadden ze vast gedacht dat zij hen ook in de steek had gelaten.

Ze ontliep hen. Nee, hém. Hij vermoedde dat het om hem ging. Misschien had ze het wel begrepen. Misschien had ze op een onbewaakt moment in zijn ogen gekeken en zo de waarheid ontdekt.

Verdomme! Kyle zette het pak melk met zo'n klap op de tafel dat er een scheut melk over zijn hand en over het tafelblad schoot.

Summer en Jaxon schrokken allebei op en keken hun vader met grote ogen aan. Hij zag er ontzettend boos uit en de ervaring met hun moeder had hun geleerd dat dit het moment was waarop het geschreeuw begon. Het was al zo lang geleden dat er iemand tegen hen tekeer was gegaan, dat ze bijna gingen geloven dat het nooit weer zou gebeuren.

Nu wenste Summer alleen nog maar dat Kendie bij hen zou zijn. Kendie wist hoe je een speciaal ontbijt klaar moest maken. Als zij het klaarmaakte, smaakte het altijd heerlijk. En dan kreeg ze zo'n warm gevoel in haar buik. Intussen was papa boos omdat hij het helemaal fout deed. 'Ik wil Kendie,' fluisterde ze.

'Nou, dat kan niet,' snauwde Kyle. 'Je zult het met mij moeten doen.'

Vervolgens zag Kyle de wereld voor zijn ogen instorten. Summers gezicht vertrok en meteen daarna weerklonk het snerpende gekrijs uit de mond die zich als een gapende wond in haar gezicht aftekende. Haar gezicht werd vuurrood terwijl de tranen over haar wangen biggelden. Kyle sloeg zich voor zijn hoofd. *Stommeling.*

Toen Summer begon te janken, besloot Jaxon zich te verstoppen. Als hij zijn hoofd nou maar wegstopte en het hard genoeg wenste, zou niemand hem zien. Niemand zou weten waar hij was, tot Kendie terugkwam en aan Garvo zou vragen waar hij was. Soms kon Kendie Garvo echt verstaan. Daardoor zou ze hen vast wel vinden. En dan zou ze het zaterdagse ontbijt klaar kunnen maken. Tot die tijd zou hij zich blijven verstoppen.

Kyle keek van de krijsende Summer naar Jaxon. Zijn zoon had zijn hoofd in zijn armen verstopt en zijn schouders trilden. *Stomme hufter.*

'Oké,' zei Kyle. 'Het spijt me. Vertel me dan maar hoe het wel moet. Goed, knollebol? Zeg maar wat ik moet doen.'

'Ik wil Kendie,' jammerde Summer. Haar verdriet biggelde in dikke tranen over haar wangen. Het gekrijs ging door merg en been en het werd alleen maar luider.

'Oké,' zei hij terwijl hij naast zijn dochter hurkte met zijn mobiele telefoon in de hand. 'Ik zal Kendie bellen. Maar dan moet je wel ophouden met huilen. Goed? Hou alsjeblieft op met dat gehuil. Kijk maar.' Hij klapte het toestel open en toetste het nummer in. 'Ik bel haar meteen.'

Summer keek argwanend toe, maar ze staakte haar gekrijs. Het zou niet lang duren voor ze weer begon, dus hij moest opschieten. De telefoon ging een paar keer over en toen kreeg hij haar antwoordapparaat.

Geweldig. Ze luisterde kennelijk eerst wie er belde. Hij wist zeker dat ze thuis was, want hij had vannacht om twee uur licht zien branden en hij had haar vanochtend niet weg horen gaan. Onwillekeurig luisterde hij altijd of hij haar hoorde om er zeker van te zijn dat ze 's avonds veilig thuis was gekomen.

Kyle en Summer keken elkaar strak aan. Ze hadden een overeenkomst gesloten en als hij zich daar niet aan hield, zou ze onmiddellijk weer gaan krijsen. Eerlijk was eerlijk. Haar gezicht begon al weer te betrekken.

'Ik ga haar wel halen,' zei Kyle, in een laatste wanhopige poging om Summer stil te houden. Hij liep de achterdeur uit en rende op blote voeten over de flagstones langs het gazon naar haar voordeur.

Kyle was er bijna zeker van dat Kendra hem – en dus ook zijn kinderen – uit de weg ging omdat ze wist wat hij voor haar voelde en daar niet van gediend was. Het was helemaal niet zijn bedoeling geweest om dat soort gevoelens voor een andere vrouw te hebben. Op de een of andere manier leek dat helemaal verkeerd. Hij had altijd gedacht dat hij zijn leven lang verliefd zou blijven op Ashlyn. Hij had zich willens en wetens verplicht om eeuwig bij haar te blijven. Toen ze hem die avond vertelde dat ze van hem hield, was hij sprakeloos geweest. Ze was hem al vaak opgevallen en hij zocht altijd naar een excuus om met haar te kunnen praten, maar hij had nooit durven dromen... Ze was echt ongelooflijk. Levendig, getalenteerd en adembenemend mooi. Ze had stralende ogen, een zachte mond die erom vroeg gekust te worden en haar waar hij zijn handen in wilde begraven. Hij had niet veel gezegd toen ze hem vertelde hoe ze over hem dacht en zich aanvankelijk afgevraagd of iemand haar had opgestookt om hem een loer te draaien. Maar uiteindelijk had zijn verlangen naar haar de doorslag gegeven.

Toch bleef hij op zijn hoede toen ze voor het eerst samen gingen stappen. Hij was nog steeds bang dat ze zich om zou draaien en 'Sliep uit! Eén april, sukkel!' zou roepen. Hij had haar twee maanden niet aan durven raken, uit angst dat ze zou zeggen dat hij het heen en weer kon krijgen. Maar het leven aan haar zij was nooit moeilijk geweest en vroeger had hij iedere ochtend de hemel gedankt omdat ze nog steeds naast hem lag als hij wakker werd. Toen ze elkaar het jawoord gaven, was dat voor altijd geweest.

En toen was alles ineens anders. Hij had niet meer naar haar kunnen kijken zonder een onbeheerste, valse, leugenachtige dronkelap te zien. Hij kon niet meer met haar praten zonder ruzie te maken. Ineens moest hij de kinderen in de auto zetten en een ritje met hen maken als ze weer eens een van haar buien had. En vrijen? Het was al bijna twee jaar geleden dat ze dat voor het laatst hadden gedaan. In die tijd had hij er nog steeds behoefte aan gehad, hij had nog steeds met zijn vrouw willen vrijen, maar na die laatste keer...

Ze was pas laat in bed gestapt, veel later dan hij. Hij sliep nog niet omdat hij zelfs na al die tijd nog moeite had om zonder haar in slaap te vallen. Kyle reageerde onmiddellijk toen haar zachte handen over zijn lichaam gleden. Op elke plek waar ze hem streelde, welde de begeerte op. Daarna had ze hem gekust en haar lippen hadden zich gretig en enthousiast op de zijne gedrukt. Dat haar adem naar haar andere minnaar rook, had hem even van zijn stuk gebracht, maar het was al zo lang geleden dat hij haar in zijn armen had gehad, haar tegen zich aan had getrokken en onderdeel was geworden van haar lichaam, dat hij zijn afkeer onderdrukte.

Hij kuste haar terug en tilde haar op tot ze schrijlings op hem zat en hielp haar met het uittrekken van haar hemdje. Zijn begeerte nam alleen maar toe bij het zien van haar haar dat als een waterval omlaag viel en hij stak net zijn hand uit om haar zwarte beha los te maken, toen ze zich plotseling losrukte, van het bed sprong en met haar hand over haar mond naar de aangrenzende badkamer rende. De deur viel met een klap achter haar dicht voordat ze boven de wastafel begon te kokhalzen.

Heel even sloeg de schrik hem om het hart toen hij dacht dat ze misschien wel zwanger was. Maar die gedachte zette hij meteen weer van zich af. Natuurlijk was ze niet zwanger, ze was gewoon dronken.

Dat was de laatste keer dat hij geprobeerd had met zijn vrouw te vrijen. Hij wilde geen kinderen meer, de puinhoop was al groot genoeg.

Als hij nu dacht aan de Ashlyn van wie hij had gehouden, dan moest hij aan de vrouw denken die met een bleek, bezweet gezicht en piekerige haren in een ziekenhuisbed had gezeten met zijn pasgeboren zoon in de armen, terwijl hij zijn pasgeboren dochter vasthield. Aan de vrouw die hem zover had gekregen dat hij in de achtertuin van zijn ouders met haar lag te vrijen. Maar zij bestond niet meer.

Kendra wel en Kyle begeerde haar. En dat bezorgde hem weer een schuldig gevoel, alsof hij zijn vrouw bedroog. Kendra haalde iets boven in zijn kinderen. En in hem. Ze kon hem aan het praten krijgen. Kyle, die bijna een leven lang alles had opgekropt, stortte zijn hart vaak uit bij Kendra.

Ze was mooi op een subtiele, bescheiden manier als je haar met Ashlyn vergeleek. Hij hield van de manier waarop Kendra af en toe haar haar in een paardenstaart deed, waardoor de gladde omtrek van haar adembenemende gezicht te zien was. De warme en stille kracht die in haar grote zwarte ogen lag, de broosheid van haar lippen als ze glimlachte en de rondingen van haar verrukkelijke lichaam die hij maar zelden te zien kreeg.

Kyle was voor haar gevallen. Hij had al wekenlang het vermoeden gehad, maar het was pas echt tot hem doorgedrongen toen Jaxon dat ongeluk had gehad. Zij was er geweest toen de kinderen haar nodig hadden. Toen hij haar nodig had. Hij hield van een Ashlyn die niet meer bestond en van een Kendra die deel uitmaakte van het heden. Daarom had hij haar gevraagd om te blijven. Bij hem. Hij hield van haar.

En daarom zou ze hem nu wel mijden. Ze wist het en ze moest er niets van hebben. Dat had ze duidelijk laten blijken. Dat soort gevoelens koesterde ze niet voor hem.

Vandaar dat Kyle dat soort gedachten en verlangens uit zijn hoofd moest zetten. Hij moest aan zijn kinderen denken. Hij tilde zijn hand op en klopte op de deur. Niets. Maar boven hoorde hij iets bewegen. Ze was absoluut thuis. Hij klopte opnieuw, deze keer iets harder. Na een tijdje hoorde hij iemand de trap af komen en de deur ging langzaam open.

Kyle deinsde achteruit toen hij in het gezicht van een volslagen vreemde keek.

Vijfendertig

'Eh... hoi,' zei Kyle tegen me.

Ik had hem het laatst gezien voordat ik naar het congres vertrok en ik was bijna vergeten hoe hij eruitzag. Zijn foto stond natuurlijk wel in mijn mobiel, maar in levenden lijve was hij heel anders. Warmer, meer solide en menselijk. En ik zou met hem moeten praten.

Hij schrok duidelijk toen hij me zag. Maar ik wist best dat ik er niet op mijn voordeligst uitzag. Ik was al aangekleed – spijkerbroek, T-shirt en trui – omdat ik op het punt stond om weg te gaan, maar ik wist dat mijn halflange haar dof was, dat mijn ogen rooddoorlopen waren omdat ik niet meer dan drie uur per nacht sliep, dat de wallen onder mijn ogen inmiddels permanent waren en dat er geen lachje meer afkon. Zelfs met make-up, die ik nauwelijks gebruikte, kon ik niet meer verbergen hoe afschuwelijk ik eruitzag.

'Ik heb je hulp nodig,' zei hij.

'Hoezo, wat is er dan gebeurd?' vroeg ik, geschrokken van zijn dringende toon.

'Ik heb de kinderen alleen gelaten om hierheen te komen. Summer is helemaal gek geworden omdat ik het ontbijt verkeerd heb klaargemaakt of zo. Jaxon voelt precies hetzelfde, maar hij doet het op een rustige manier. Je weet wel wat ik bedoel. Ze vragen om jou. Ik kon ze alleen maar stil krijgen door te beloven dat ik jou zou halen. Ga je mee?'

'Ja, natuurlijk,' antwoordde ik. 'Ik kom er zo aan. Ik moet me alleen even aankleden.'

'Je bent al aangekleed,' merkte Kyle op.

Dat wist ik best, zo erg was ik er nou ook weer niet aan toe. Maar ik had wat tijd nodig. Ik had ze weliswaar telefonisch gesproken, maar sinds het congres had ik ze niet meer gezien. Ik wilde me even voorbereiden op die marteling. 'O ja, natuurlijk,' zei ik met een hol lachje.

De bezorgdheid stond op zijn gezicht te lezen. 'Voel je je wel goed?' vroeg hij zacht.

'Ik? Prima hoor. Ik heb alleen ontzettend hard moeten werken. Laten we maar gaan.'

De kinderen waren allebei op hun eigen manier overstuur toen ik achter Kyle aan de keuken binnenliep. Summer stond zo naar adem te snakken dat haar hele lijfje ervan trilde. Haar ronde toetje was rood en haar bolle wangen waren nat van de tranen. Jaxon lag met zijn hoofd op zijn armen en zijn schouders schokten, alsof hij zwaar lag te hijgen. Dit kon toch niet alleen veroorzaakt zijn door het ontbijt? Ik keek Kyle aan en vroeg me af wat hij met ze had gedaan.

Kyles gezicht werd rood van verontwaardiging. 'Ik heb alleen maar geprobeerd om ze hun ontbijt te geven, precies zoals ik dat iedere ochtend doe,' zei hij als antwoord op mijn onuitgesproken verwijt.

'Maar het is zaterdag,' merkte ik op.

Hij wierp zijn handen omhoog. 'Waarom blijft iedereen daar zo op hameren?'

'Hij deed het helemaal verkeerd,' verklaarde Summer tussen het happen naar adem door. Zij zag er kennelijk geen been in om haar vader te verlinken.

'Kan iemand me alsjeblieft uitleggen wat ik in vredesnaam fout kan doen aan cornflakes?' informeerde Kyle verontwaardigd.

Hij weet het echt niet, besefte ik ineens. Vanaf het moment dat ik hier was komen wonen had ik vrijwel iedere zaterdag met ze ontbeten, hier of in mijn flat. Alleen als ze bij hun oma logeerden, moesten ze zelf voor hun ontbijt zorgen.

En het was kennelijk heel belangrijk voor ze. Ze hechtten waarde aan het ontbijtritueel dat ik uit wanhoop ter plekke uit mijn duim had gezogen. Het was iets speciaals dat wij met ons drietjes deelden. Ik had echt een wonderbaarlijke band met dit stel. Ik zou nooit moeder worden en ik zou ook nooit hún moeder worden, maar dit was iets ongelooflijks. Zeker als je naging hoe afstandelijk ze waren. Na alles wat ze meegemaakt hadden, wilden ze van niemand iets weten, maar mij hadden ze met open armen ontvangen. Als ik dat wilde, kon ik vragen of Huppeltje de hele nacht bij mij in de flat mocht blijven slapen en met hulp van Jaxon begon ik langzaam maar zeker de taal van Garvo te verstaan. En we hadden een vast programma voor het ontbijt.

Het was niet eerlijk tegenover hen geweest om me voor hen af te sluiten omdat ik me zo ellendig had gevoeld. Ik was hier toch aan begonnen om in zekere zin goed te maken wat ik in Sydney had misdaan? Het ging niet om mij, het ging om hen. Ik kon me niet zomaar afzonderen van dit stel, ik moest voor hen klaar blijven staan. Als ik niet bij hen was, kon ik nog altijd gaan zitten kniezen.

Ik pakte de doos met cornflakes op. 'Goed, dan zullen we jullie papa eens gauw leren hoe we op zaterdag altijd het ontbijt klaarmaken,' zei ik. 'Maar dan moeten jullie wel ophouden met huilen.'

Summer was de eerste die toegaf. Ze haalde haar neus op en pakte de zoom van haar roze T-shirtje om haar gezicht droog te wrijven. 'En ga jij ook eens rechtop zitten,' zei ik tegen niemand in het bijzonder. Maar Jaxon begreep dat ik het tegen hem had en richtte zich op. Hij poetste zijn tranen weg met zijn mouw.

Alleen maar vanwege het ontbijt? schoot me opnieuw door het hoofd, hoewel ik deze keer Kyle niet aankeek omdat ik niet wilde dat hij ook van streek zou raken.

'Goed, Kyle, wil je dan alsjeblieft vier kommen voor ons pakken?' vroeg ik.

De opmerking dat er al kommen op tafel stonden, lag Kyle kennelijk op de lippen, maar bij nader inzien leek hem dat niet zo verstandig.

'Moeten het speciale kommen zijn?' vroeg hij.

'Nee, maar wel allemaal dezelfde.'

Hij keek naar de kommen die op tafel stonden: de witte kom, de kom met de blauwe streep langs de rand en de kom die rood vanbinnen was.

'Ach, natuurlijk.'

Zodra hij een nieuw stel kommen uit de kast had gepakt, ditmaal bij elkaar passende kommen, en die op tafel had gezet, lieten we hem zien hoe het zaterdagse ontbijt opgediend moest worden.

Havermout met dikke klodders room

Zesendertig

Fijne dingen komen altijd in drieën.

Maar dat geldt ook voor nare dingen. Dat was ik vergeten.

Zevenendertig

Elouise, met wie ik in mijn studietijd in Leeds een flat had gedeeld, kwam een paar dagen voor zaken naar Londen. Ze belde me, gaf me op mijn duvel omdat ik een paar weken geleden niet was komen opdagen voor mijn afspraak met haar en Meg, onze andere huisgenoot, en zei dat ik nu absoluut naar Londen moest komen. Dan konden we ons lekker als toeristen gedragen: een etentje, naar het theater en tot slot een drankje in haar hotel.

Het was het begin van de zomervakantie, dus had Kyle als verrassing een tochtje naar Brighton georganiseerd en genoeg geld bij elkaar geschraapt om samen met de kinderen twee nachten in een pension te overnachten. Hij had gevraagd of ik ook mee wilde komen, maar dat aanbod had ik afgeslagen. Ik had Elouise al vier jaar niet meer gezien en ik voelde me schuldig dat ik haar onlangs had laten zitten.

Elouise en ik gingen na een Thais etentje en een theatervoorstelling op Shaftesbury Avenue terug naar haar hotel, waar we tot diep in de nacht zaten te kletsen. We vielen allebei in slaap en ik werd zaterdagochtend wakker in een poel van zelfmedelijden. Ik vind het vreselijk om in mijn kleren te slapen, maar ik mocht wel wat spullen van Elouise lenen, en nadat ik had gedoucht gingen we lekker rondneuzen in de winkels in Oxford Street. En het was weer hetzelfde liedje. Maar toen ik om drie uur 's ochtends wakker werd, besloot ik toch om naar huis te gaan. Ik trok mijn eigen kleren weer aan en stapte in de taxi die door de nachtportier was gebeld. De cijfertjes op de digitale taximeter die aangaven dat ik de rest van de maand soep uit blik zou moeten eten negeerde ik koninklijk.

Toen ik door de zijingang naar de binnenplaats liep, zag ik een ineengedoken gestalte op de stoep voor mijn flat waar de kinderen meestal zaten te wachten tot ik thuis kwam. Ik kon zijn gezicht niet zien en mijn hart klopte in mijn keel. Op het moment dat ik overwoog om er halsoverkop vandoor te gaan, keek de man op en zag me. Inmiddels waren mijn ogen aan het donker gewend en ik herkende Kyle.

'Jezus, Kyle, je bezorgt me een hartverlamming,' zei ik fluisterend omdat het al zo laat was. Ik drukte mijn hand tegen mijn borst om mijn op hol geslagen hart tot rust te brengen.

Hij krabbelde overeind en leek bijna flauw te vallen van opluchting toen hij mij zag. Ik liep langzaam naar hem toe, maar hij was in een paar passen bij me en sloeg zijn armen om me heen. Mijn lichaam verstijfde automatisch, en er welde een onbehaaglijk, nerveus en haast angstig gevoel in me op.

'Goddank,' zei hij, terwijl hij zich aan me vastklampte zonder te merken dat ik daar niet van gediend was. 'Goddank,' zei hij nog een keer en de druk van zijn armen werd iets minder krachtig toen hij zijn ogen over mijn gezicht liet dwalen alsof hij zich ervan wilde overtuigen dat ik het echt was. Hij stak zijn hand uit naar mijn gezicht en ik trok mijn hoofd weg en maakte me los voordat hij me kon aanraken.

'Wat is er aan de hand?' vroeg ik. Pas toen herinnerde ik me dat hij weg zou gaan. Dat zíj weg zouden gaan.

'Ik heb je de afgelopen paar dagen bijna constant op je mobiel gebeld. En Gabrielle heeft ook gebeld.'

'De batterij was leeg en ik had geen lader meegenomen omdat ik eigenlijk van plan was om vrijdag alweer thuis te komen. Maar dat doet er niet toe. Waarom ben jij niet in Brighton?'

'Ik dacht dat jou ook iets overkomen was,' zei hij, zonder antwoord te geven op mijn vraag.

'Ook?' vroeg ik behoedzaam.

'Het gaat om de kinderen,' zei hij. Zijn gezicht kreeg een getergde uitdrukking. 'Ze zijn weg.'

'Weg?' zei ik. 'Hoe bedoel je?'

'Ashlyn heeft ze meegenomen en ik weet niet waar ze zijn.'

Kyle ijsbeerde door mijn woonkamer terwijl hij me het hele verhaal vertelde. Ik zat verstijfd op de bank en luisterde ongelovig toe.

Op vrijdag wilde hij rond lunchtijd de kinderen gaan halen, maar ze waren niet op school. Mevrouw Chelner snapte er niets van en had hem met een beduusd gezicht aangekeken toen ze hem vertelde dat hun moeder ze opgehaald had. Ze stond op de lijst, compleet met een foto, net als Kyle.

Het was ook niet echt ongebruikelijk dat Ashlyn ze ophaalde. Toen ze net bij hen weg was, deed ze dat heel vaak. Dan nam ze ze mee uit eten, ging naar haar flat en bracht ze rond bedtijd weer terug naar huis. Ze hadden zelfs kleren en speelgoed in haar flat. Na haar vertrek naar Amerika was Kyle ervan uitgegaan dat ze die spullen naar het huis van haar moeder had gebracht, maar nee, Ashlyn had ze ergens opgeslagen. Kennelijk voor een gelegenheid als deze. Meestal belde ze ook als ze hen ging afhalen, om te voorkomen dat hij zich zorgen zou maken, maar dat had ze nu niet gedaan. Het was al twee dagen geleden en ze had nog steeds niet gebeld.

Haar moeder had Kyle verteld waar ze tegenwoordig in Engeland woonde, maar toen hij daar aankwam, was het huis leeg. Haar buurvrouw zei dat ze een paar dagen eerder was vertrokken. Ashlyn had gezegd dat ze tot overeenstemming was gekomen met Kyle en nu samen met de kinderen uit Londen vertrok. Haar mobiel stond niet aan, Naomi wist niet waar ze waren en ze had ook niets van Ashlyn gehoord.

Kyle zei dat Naomi helemaal overstuur was geweest. Ze had gezegd dat ze de politie moesten bellen, maar dat wilde Kyle niet. Het kon nog wel een paar dagen wachten voordat ze dat deden. Kyle wist dat het niet bepaald boterde tussen Naomi en Ashlyn. Ze hadden een moeilijke verstandhouding. Ashlyn hield van haar moeder, maar er waren zoveel onopgeloste problemen en onuitgesproken ergernissen dat ze elkaar niet vaak zagen. Natuurlijk wist Naomi niet dat Ashlyn alcoholist was, en als ze naar de politie gingen, zou hij dat moeten vertellen en dan kwam Naomi dat ook te weten. En als ze, zoals hij eigenlijk vermoedde, na een paar dagen weer op zou duiken, zou dat een van de ergste dingen zijn die hij Ashlyn ooit had aangedaan.

Hij wist dat ze nog in het land waren, omdat hij hun paspoorten en geboortebewijzen had, maar ze had het wel samen met de kinderen gepland. Dat wist hij omdat Huppeltje, *De fantastische meneer Vos* van Roald Dahl en Summers slaapmasker/tiara verdwenen waren, net als de etensbakken van Garvo, Ashlyns zonnebril en Jaxons lievelingstrein. Tijdens het laatste weekend dat ze bij haar waren geweest had ze kennelijk tegen hen gezegd dat ze alle belangrijke dingen mee moesten nemen naar school zonder iets tegen Kyle te zeggen.

Ik zat geduldig te wachten tot hij zou zeggen: 'En daarna heb ik de politie gebeld en die kammen nu het hele land uit op zoek naar hen.' Natuurlijk zou 'En toen werd ik wakker en bleek alles alleen maar een nare droom' veel beter zijn geweest, maar met die eerste opmerking zou ik ook al tevreden zijn.

Maar die bleef uit.

Terwijl ik in een hotel met Elouise had zitten kletsen, werden de kinderen steeds verder van huis gebracht. Werden de kinderen ontvoerd.

Kyle zei niets meer. Zijn grote gestalte stond doodstil midden in de kamer te wachten tot ik iets zou zeggen. Alsof ik een oplossing had.

Ik probeerde me te herinneren wat ik het laatst tegen hen had gezegd. Volgens mij was het 'veel plezier met de verrassing' geweest. Maar dat wist ik niet zeker.

Mijn hersenen werkten op volle toeren. Had ik ze geknuffeld? Waarschijnlijk niet. Omdat ik vrijdag vrij had genomen om met Elouise op stap te gaan, had ik eindelijk een keer kunnen uitslapen. Ik had ze alleen aan de telefoon gehad.

Waar hebben we dag daarvoor dan over gepraat? Over de zomervakantie? Dat zou best kunnen. Maar hadden we ook gezegd wat we dan gingen doen? Wat hebben we tegen elkaar gezegd? Heeft Jaxon het over Garvo gehad? Of was dat een andere keer?

Ik keek dwars door Kyle heen terwijl de herinneringen, de dingen waarover we hadden gepraat, de dingen die ons aan het lachen maakten en de dingen die we de afgelopen dagen hadden gedaan door mijn hoofd maalden. En daarna moest ik ineens aan de week denken dat ik ze had ontlopen. Die zeven dagen die ik had verprutst terwijl ik er zoveel kostbare momenten met hen aan had kunnen overhouden.

Maar ik wist het niet. Ik wist niet dat je echt van elke minuut moest genieten alsof het je laatste was.

Achtendertig

Zonder de kinderen kroop de tijd voorbij. Kyle en ik brachten iedere vrije minuut in mijn flat door.

De stilte in het huis was te overweldigend, verstikkend. Iedere keer als een van ons tweeën over de drempel stapte, kregen we het gevoel dat we in een vat vol veren terechtkwamen, waarvan de zachtheid het moordende gevaar dat tussen die vier muren school, verhulde. Het besef dat ze er niet waren, tastte onze zintuigen aan.

Dat ik ze moest missen, veroorzaakte een wond die zo diep was dat ik me afvroeg of ik dat wel zou kunnen overleven. Het huis was een gedachtenis aan het gezin dat we hadden gevormd. Kyle had niets veranderd sinds de ochtend dat hij ze voor het laatst had gezien: hun ontbijtkommen stonden nog in de gootsteen, waar hij ze haastig had neergezet voordat hij ze de deur uit dreef. Op de keukentafel stond nog steeds de doos met cornflakes, net als de twee met boter besmeerde geroosterde boterhammen waarvan ze allebei maar drie hapjes hadden genomen. Een van Jaxons sportschoenen, die waarschijnlijk uit zijn rugtas was gevallen toen ze naar buiten gingen, lag ondersteboven bij de deur. Summers tekening van het vliegtuig dat haar naar Amerika had gebracht lag op de poef in de woonkamer, samen met het kleurpotlood dat ze had gebruikt op het moment dat ze op stel en sprong weg moest. Naast het potlood lag mijn ring met de turkooizen stenen die ze niet had meegenomen. Ik staarde ernaar, maar ik pakte hem niet op. Ik wilde dat ze die zelf aan me terug zou geven.

Kyle wende zich aan om bij mij op de bank te slapen, met een ongeschoren en ingevallen gezicht en doffe, lege ogen. Hij at als ik hem iets voorzette en ging onder de douche om iets te doen te hebben.

Maar hij zat toch vooral op mijn bank met de witte, draadloze telefoon uit het huis in zijn hand in het niets te staren en te bidden dat ze hen weer terug zou brengen. Ik wist dat hij zat te bidden, want dat deed ik ook.

Ik begreep best waarom Ashlyn het gedaan had. Ze moest zich al maanden wanhopig hebben gevoeld. Nuchter en wanhopig. Omdat ze het verdriet dat ze niet bij haar kinderen was niet eens kon verdrinken. Ik begreep waarom Ashlyn het had gedaan. En ik haatte haar erom.

Mijn haat groeide met elke minuut dat ze haar kinderen bij zich had. Het was de onzekerheid. Was alles in orde met ze? Was ze weer in de fout gegaan en had ze iets gedaan waardoor ze in gevaar verkeerden? Vonden ze het naar dat ze niet bij Kyle waren? Of bij mij? Ze had het recht niet om ons met die onzekerheid te kwellen. Het waren mijn kinderen niet, maar ik hield van ze. Dat wist ze. En als dat haar niets kon schelen, hoe zat het dan met Kyle? Hij was er kapot van. En dat wist ze van tevoren, want waarom had ze hen anders op die manier meegenomen?

Die haatgevoelens voor haar rezen af en toe de pan uit, maar als ik er dan over nadacht, kreeg ik een hekel aan mezelf. Omdat ik haar kwalijk nam dat ze een moeder was die bij haar kinderen wilde zijn. Omdat ik tijdens onze ontmoeting niet had begrepen dat ze dit van plan was. De emoties leken op een kronkelende slangenkuil. *Waarom belt ze niet gewoon op?* riep ik inwendig uit. *Om alleen maar te zeggen dat alles in orde is. En dat we hen weer zullen zien.* Af en toe probeerde ik het zelfs met de hogere machten op een akkoordje te gooien: *We hoeven alleen maar te weten of alles in orde is. Ze hoeven niet eens weer bij ons te komen wonen, als we maar weten dat alles in orde is.*

'Waar zit je aan te denken?' vroeg Kyle.

Ik keek op hem neer. Het was Dag Tien zonder de kinderen en Kyle lag languit op de bank met zijn hoofd op mijn bovenbenen naar de tv te staren. Hij had zich geschoren, dus toen hij naar me opkeek zag zijn gezicht er fris uit en levendiger dan de afgelopen tien dagen. Maar zijn bleke wangen waren nog steeds ingevallen en hij had grauwe kringen onder zijn glazige bruine ogen. De afwezigheid van zijn kinderen had Kyles kalme en rustige gezicht een stuk ouder gemaakt.

'Eigenlijk aan niets,' antwoordde ik op zijn vraag en liet zonder na te denken mijn hand door zijn zwarte haar glijden. Het leek een volkomen natuurlijk gebaar, tot ik me plotseling herinnerde dat hij Will niet was. Dat wij niet zo met elkaar omgingen. Ik hield op en liet mijn hand zakken.

Er verscheen een flauw maar vertrouwelijk lachje om Kyles mond, hoewel hij er nog steeds verdrietig uitzag. Hij had begrepen wat ik bijna had gedaan en interpreteerde dat waarschijnlijk verkeerd.

'Ik ben blij dat jij bij me bent,' zei hij, met een stem die schor was van emotie. 'Ik weet niet wat ik had moeten doen...' Hij tilde zijn hand op en legde zijn handpalm tegen mijn wang terwijl zijn duim over mijn jukbeen streek. Het was tijden geleden dat hij zelfs maar had geprobeerd me op die manier aan te raken. Mijn instinct zei dat ik hem af moest weren, dat ik hier een eind aan moest maken. Maar ik onderdrukte het gevoel en stond hem toe me aan te raken. Ik keek in zijn ogen en zag weer de band die door het verlies tussen ons was ontstaan.

Geef hem een kus. De gedachte schoot ineens door mijn hoofd. *Geef hem een kus en laat de rest maar komen.* Hij was een aardige vent. Echt een fijne kerel. We zaten in hetzelfde schuitje. Het zou best goed gaan. Het maakte niet uit dat ik niet dat soort gevoelens voor hem had en me niet tot hem aangetrokken voelde. Het zou gewoon voor afleiding zorgen. Een manier om te ontkomen aan die tergende onzekerheid. Want het was die onzekerheid waar ik gek van werd. En hij ook. Waar we samen gek van werden. We moesten een manier zien te vinden om daar even niet aan te denken. *Geef hem een kus en kijk maar wat er gebeurt.*

'Je bent heel bijzonder, weet je dat wel?' fluisterde Kyle.

'Je bent heel bijzonder. Hou op met je te verzetten, je bent niet zomaar iemand.'

Voordat ik wist wat er gebeurde, had ik hem al van me af geduwd. De vlammen sloegen me plotseling uit, terwijl de herinnering over mijn huid kroop, zich in mijn brein boorde en me terug probeerde te slepen. *Nee,* besloot ik. *Ik ga niet terug. Ik blijf hier. Ik blijf. Ik ga niet terug naar die nacht, ik blijf hier. Bij Kyle. In het heden.*

Ik stak mijn hand uit en legde die over zijn hand, zodat de lichaamswarmte van mij naar hem vloeide en van hem naar mij. De band tussen ons was ongelooflijk sterk, misschien wel onbreekbaar. Maar dat was het niet.

Ik wurmde mijn vingers tussen de zijne en glimlachte triest tegen hem voordat ik zijn hand wegtrok en weer op zijn borst legde.

'Kendra,' fluisterde Kyle. 'Waarom...' Hij sloot zijn ogen en schudde verward zijn hoofd. Ik bleef hem aankijken. Ik kon niet anders. Hij was mijn anker. Mijn aanknopingspunt. Mijn band met het heden. Als ik die kwijt zou raken, kwam ik weer in het verleden uit. Op die ene avond.

Hij deed zijn ogen open. 'Je weet toch wat je voor me betekent, hè?'

Ik knikte. Dat wist ik inderdaad. En hij betekende ook veel voor mij. Hij was de vader van mijn kinderen.

'We zullen altijd vrienden zijn,' zei ik.

De doffe ellende omdat hij opnieuw afgewezen werd, sloot naadloos aan bij het verdriet dat al in zijn ogen te lezen stond. Hij deed geen moeite om het te verbergen. *Wat heeft dat voor zin? Waarom zou ik de moeite nemen om iets te verbergen?* las ik in Kyles ogen. *Het maakt toch niets uit.* Hij rolde op zijn zij, drukte de telefoon tegen zijn borst en staarde weer naar de tv.

Dag Negentien.

Ik werd krankzinnig. Vanbinnen raakten langzaam maar zeker steeds meer steekjes los.

Overal waar ik was, zag ik ineens een ravenzwarte krullenbol of een glimpje oranje, en als ik dan iemand zacht hoorde giechelen dacht ik meteen dat het Summer was.

Iedere keer als ik het gevoel had dat iemand me strak aankeek of in mijn nek hijgde en begon te lachen, dacht ik dat het Jaxon was. Ze achtervolgden me. Ik kon het geestelijk niet meer aan.

Het gat dat door hun afwezigheid was geslagen werd met de minuut groter. Niets interesseerde me meer en mijn werk al helemaal niet. De verstandhouding tussen Gabrielle en mij was nog steeds niet normaal en ik wist niet of dat ooit weer het geval zou zijn. Nu werkten we gewoon samen en daar lieten we het bij. Janene hield zich ook gedeisd, maar zelfs als ze dat niet had gedaan, had ik me daar niet druk over kunnen maken. Summer en Jaxon waren weg.

Iedere keer als ik dacht dat ik ze zag, iedere keer dat ik de neiging kreeg om achter die waanbeelden aan te gaan, nam de hoop dat ik ze weer zou zien een beetje af. Langzaam maar zeker kreeg ik het idee dat ik spoken zag en dat ze er niet meer waren. Dat Ashlyn tegen een muur was gereden. Dat ze in slaap was gevallen met een pan op het vuur en dat er brand was ontstaan. Dat ze hen ergens naartoe had gebracht en was vergeten. Ik zou ze nooit meer zien. Ze waren er niet meer.

De toestand werd zo belabberd, zo ellendig, dat ik een paar keer de neiging kreeg om de brief van Will open te maken. Eén keer stak ik zelfs mijn vinger onder de flap van de envelop. Als het slecht nieuws was, heel slecht, zou dat mijn verdriet alleen maar groter maken. Dan zou mijn ellende compleet zijn en kon ik rustig stapelgek worden. Uiteindelijk deed ik het niet, maar het moest niet veel langer duren.

Kyle trok bij me in. Hij vroeg niet of ik het goed vond, hij kwam volgens mij niet eens op het idee om dat te vragen, hij deed het gewoon. Toen ik op een dag thuiskwam, ontdekte ik dat hij de maquettes en de tekeningen voor zijn laatste project samen met de tekentafel en zijn stoel in mijn kamer had gezet. Naast de bank stond een koffertje met wat kleren, en zijn scheerapparaat, zijn tandenborstel, zijn aftershave en zijn deodorant hadden een plaatsje in mijn badkamer gekregen. Als ik 's avonds thuiskwam, zag ik hem daar achter de tekentafel zitten, met de tv op de achtergrond zacht aan en de bittere geur van verse koffie in de lucht. Hij hield zich met koffie op de been. Hij at niets voordat ik thuiskwam en ging er met de dag ouder uitzien.

Als ik binnenkwam, keek hij nauwelijks op. We zeiden hallo zonder elkaar aan te kijken, laat staan dat we oogcontact hadden. Nadat ik een spijkerbroek en een trui had aangetrokken, ging ik iets te eten maken, iets gemakkelijks dat we op de bank op konden eten, naast elkaar maar ieder in onze eigen wereld terwijl we naar de tv staarden. Daarna waste ik af en zei welterusten, voordat ik naar bed ging. Ik bleef boven op de dekens liggen omdat het zo warm was dat ik toch niet kon slapen. Dus lag ik met open ogen te dromen van het moment dat ik de kinderen weer zou zien. Terwijl ik diep in mijn hart heel goed wist dat dat nooit zou gebeuren. We zouden hen nooit weerzien.

Kyle en ik zeiden nauwelijks iets tegen elkaar, omdat hij zich er ook bij neergelegd had dat hij ze nooit weer zou zien. Ik weet dat hij dat had geaccepteerd omdat hij de onafgemaakte tekening van Summer op zijn tekentafel had geprikt en Jaxons verdwaalde sportschoen eronder had gezet. En toen ik een paar dagen later de moed kon opbrengen om Kyles post en nog een paar andere dingen op te halen, zag ik dat hij hun ontbijtspullen had afgewassen en opgeruimd.

Negenendertig

'Je moet de politie bellen,' zei ik tegen Kyle op Dag Zevenendertig. Ik had er genoeg van. Tot nu toe had ik mijn mond gehouden, maar het was mooi geweest. Hij moest iets doen. We konden dit niet zomaar klakkeloos over ons heen laten gaan.

Kyle hield even op met tekenen, maar keek me niet aan. Hij bleef zonder iets te zien naar het papier voor hem kijken.

'We moeten er nu van uitgaan dat ze ze niet uit zichzelf terug zal brengen, dus moet je de politie bellen.'

'Zij is hun moeder,' zei hij en boog zijn hoofd om door te werken.

'Dat weet ik wel, maar we gaan door een hel, Kyle. We moeten iets doen.'

''Maar dat niet.'

'Waarom niet?'

'Ze is hun moeder.'

Mijn ogen schoten door de kamer, op zoek naar iets dat ik hem naar zijn hoofd kon gooien. Iets dat hem wakker zou schudden, zonder dat het hem echt de hersens insloeg.

'Ik weet wel dat ze hun moeder is en ik weet ook dat ze van hen houdt, maar ze is verslaafd aan alcohol. Ze kan ze iets aandoen zonder dat ze het beseft.'

'Ze is hun moeder,' zei hij met een stem die gevaarlijk zacht klonk.

'ZEG DAT NIET IEDERE KEER!'

Hij draaide zich met een ruk om. 'Ja, dat moet ik wel blijven zeggen, anders vergeet ik het.'

'Anders vergéét je het?'

'Ik heb mijn leven met Ashlyn gedeeld, ik weet hoe ze is. Ik weet nog precies wat ze allemaal heeft gedaan, maar ik weet dat ze niet meer drinkt. En als ze niet drinkt, zal ze hun ook geen kwaad doen. Daarom zal ze geen druppel aanraken. Ze is hun moeder en ze zal hun geen kwaad doen. Als ik dat ook maar een seconde vermoedde, zou ik binnen de kortste keren de politie bellen.'

'Je houdt jezelf voor de gek, Kyle. Niemand kan alcoholisten zover krijgen dat ze van de drank afblijven. Dat moeten ze zelf doen. Het is een ziekte en ze worden er volledig door in beslag genomen. Daarom is het ook zo destructief, niets is zo belangrijk als de volgende borrel. En wat gebeurt er als Ashlyn de verleiding niet meer kan weerstaan? Wat gebeurt er als ze toch weer gaat drinken? Wat gebeurt er dan met de kinderen? Je moet de politie bellen.'

'Nee.'

'Als jij het niet doet, doe ik het.'

Hij stond op en richtte zich in zijn volle lengte op. Ik weet niet zeker of hij besefte dat hij probeerde me te intimideren, maar ik reageerde in ieder geval door ook op te staan, mijn voeten stevig op de grond te planten en mijn armen afwerend over elkaar te slaan. Dit was veel te belangrijk om me bang te laten maken. Het enige dat telde, was de veiligheid van de kinderen.

'Nee, dat doe je niet. Het zijn *míjn* kinderen. En het zijn ook Ashlyns kinderen en ik wil haar niet in de problemen brengen door de politie te bellen. Ze brengt ze wel terug.'

'Waarom heeft ze dan niet eens gebeld om te zeggen dat alles in orde is? Of je een e-mail gestuurd? Of voor mijn part een postduif? Omdat de kans bestaat dat het niet zo is. Misschien is alles helemaal niet in orde en durft ze je dat gewoon niet te vertellen.'

Kyle zweeg even terwijl allerlei mogelijkheden door zijn hoofd schoten. Hij wist beter dan ik wat er allemaal mis zou kunnen gaan, hij had het allemaal al eens bedacht. Hij begroef zijn hand in zijn dikke zwarte haar en trok het achterover.

'Ik wil haar geen problemen bezorgen,' zei hij met een verslagen blik.

'Ik ook niet. Hier...' Ik holde naar mijn slaapkamer en kwam terug met een map die ik had samengesteld. 'Dit heb ik allemaal op het internet gevonden. Voor ouders die op zoek zijn naar kinderen die door de andere ouder zijn meegenomen. Ik heb de formulieren al zover mogelijk ingevuld en er de meest recente foto's bij gedaan. Jij moet de rest invullen en de map aan de politie en aan een advocaat geven.'

'Hoe kan het nou zover zijn gekomen? Mijn vrouw heeft mijn kinderen ontvoerd en ik moet haar bij de politie aangeven. Sinds wanneer is mijn leven een soap?'

Ik legde de map op de salontafel en probeerde hem een hart onder de riem te steken. 'We moeten aan de kinderen denken. Het is niet eerlijk dat hun dit nu twee keer is overkomen. Eerst verdwijnt Ashlyn zomaar in het niets en dan gebeurt min of meer hetzelfde met jou. Daar klopt niets van.'

Kyle bleef even in de verte staren. Ik kon zien dat hij erover nadacht en alles zorgvuldig tegen elkaar afwoog, terwijl hij mijn hand pakte en zijn vingers in de mijne vlocht. Hand in hand stonden we elkaar aan te kijken. Hij klampte zich aan me vast, alsof ik hem de kracht kon geven om die stap te nemen. Die eerste stap om aan de buitenwereld te vertellen hoe ver Ashlyn en hij uit elkaar gegroeid waren, hoe verdeeld hun gezin was. Die eerste stap op weg naar acceptatie van het feit dat hij de kinderen misschien nooit weer zou zien. De politie was zoiets als de laatste strohalm: als zij de kinderen niet zouden vinden, zouden wij ze misschien nooit terugzien. En de zekerheid dat ze niet meer terug zouden komen, was iets dat langzaam maar zeker moest groeien, in plaats van ons als een klap in het gezicht te treffen. En door de politie erbij te halen stelden we ons kwetsbaar op. Ik wist bijna zeker dat ik de geestelijke klap wel zou kunnen verwerken; ik had mezelf er al op voorbereid.

Hij kwam weer bij zijn positieven, staarde me aan en slaakte een diepe zucht, waarbij zijn borst uitzette en vervolgens weer inzakte. 'Ik kan het niet,' fluisterde hij. 'Ik kan het niet. Ze brengt ze wel terug. Ik weet het zeker.'

Kyle was nog niet klaar voor die geestelijke klap, maar zou hij een echte wel kunnen verwerken? Want ik stond echt op het punt om hem een rechtse directe te geven die hem misschien zou helpen om zijn gezond verstand terug te vinden.

Ik rukte mijn hand uit de zijne en sloeg mijn armen over elkaar om mezelf in te houden. Ik was vergeten dat deze vent een meester was in het ontkennen. Hij had meer dan tien jaar lang samengewoond met een alcoholist en hij was erin geslaagd om net te doen alsof het geen probleem was. Hij had alles wat ze deed in kleine porties opgedeeld, zodat hij de realiteit niet onder ogen hoefde te zien. Hij had niet willen accepteren dat Ashlyn bereid was om hem voor de rechter te slepen om haar kinderen toegewezen te krijgen en hij had mij gestuurd in plaats van zelf te gaan. Hij weigerde te erkennen dat ze hem zo'n smerige streek kon leveren, dus stak hij geen vinger uit om de kinderen te vinden. Kyle bestond bij de gratie van ontkenning. Zijn leven stond in het teken van dat verdedigingsmechanisme. Waarom zou daar dan nu verandering in komen?

En ik besefte dat ik daar ook aan had meegedaan. Terwijl ik op de bank neerviel en mijn gezicht tegen mijn knieën drukte, drong het tot me door dat ik me op dezelfde manier was gaan gedragen.

'Ik snap niet hoe je het uithoudt,' zei ik met mijn mond op mijn knieën. 'Ik begrijp niet hoe je het zonder hen kunt uithouden.'

'Dat kan ik ook niet,' antwoordde Kyle.

'Waarom beweeg je dan niet hemel en aarde om ze terug te krijgen?'

'Je begrijpt het niet. Als ik de telefoon oppak, is het voorbij. Dat kan ik niet meer terugdraaien. Ik kan niet tegen de politie zeggen dat ze het niet zo bedoelde. En wat heeft ze eigenlijk gedaan? Er is geen sprake van een bezoekregeling. In feite is Ashlyn de enige die op papier heeft gezet dat zij de kinderen wil hebben. Ik heb nooit een formele aanvraag ingediend. Ik ging ervan uit dat ik niets hoefde te doen omdat ze hen bij mij had achtergelaten. Ik heb nooit iets op schrift gezet.'

'Waarom doe je dat dan nu niet? Als je een aanvraag voor coouderschap indient, heb je iets in handen. Daarna kun je de politie bellen met het verzoek om haar op te sporen. Maar ik weet zeker dat ze met Ashlyns voorgeschiedenis nu al wel bereid zijn om handelend op te treden. Je moet echt alles doen om ze te vinden.'

'Ik weet niet of ik Ashlyn dat aan kan doen. Ik kan niet zomaar aan iedereen vertellen wat er is gebeurd en wat ze allemaal heeft gedaan. Zo is ze niet meer, dus ik wil niet dat de mensen denken dat het wel zo is.'

Ineens krampte elke spier in mijn lichaam samen, waardoor ik met een ruk overeind schoot. 'WANNEER HOU JE NOU EENS EINDELIJK OP MET HAAR IN BESCHERMING TE NEMEN?' schreeuwde ik hem toe. 'Wanneer hou je nou eens op met haar op de eerste plaats te zetten, nog voor je eigen kinderen?'

Zijn in een wit T-shirt en een slobberige spijkerbroek gehulde lijf dat steeds magerder werd, deinsde verrast achteruit. 'Je begrijpt het niet...' begon hij.

'Néé, daar begrijp ik geen barst van,' viel ik hem nog steeds schreeuwend in de rede. 'En ik wíl het ook niet begrijpen. Zolang jij iemand anders belangrijker vindt dan je eigen kinderen, wens ik daar geen enkel begrip voor op te brengen.'

Ik kwam wankelend overeind.

'Kendra...'

'IK WIL ER NIETS MEER OVER HOREN!' gilde ik. Ik schreeuwde eigenlijk nooit en ik was er ook niet het type naar om zoveel stennis te schoppen, maar ik was aan het eind van mijn Latijn. Ik kon er niet meer tegen.

'Tot jij je kinderen op de eerste plaats zet, wil ik er niets meer over horen.'

Ik liep van de bank naar mijn slaapkamer om hem niet meer te zien. Om even bevrijd te zijn, al was het maar tijdelijk, van de man die me stapelgek maakte.

'Zo gemakkelijk is dat niet,' protesteerde Kyle achter mijn rug.

Ik bleef staan, maar keek niet om.

'Ja,' zei ik met een geërgerde zucht. 'Dat is het wel.'

'Ga me alsjeblieft niet haten,' zei hij rustig. 'Dat kan ik er niet bij hebben.'

'Dat doe ik ook niet,' antwoordde ik. 'Natuurlijk niet, Kyle. Maar ik tolereer die passiviteit van je niet langer. Niet in dit geval. Zelfs als je het een eng idee vindt om te proberen ze terug te krijgen, dan wil je toch op z'n minst weten dat ze veilig en gezond zijn? En gelukkig? En daarvoor hoef je alleen de telefoon maar op te pakken.'

'Ik kan het niet,' zei hij.

'Dan valt er verder niets te zeggen.'

TTTRRRINNNGGG! We schrokken allebei van het geluid van de

telefoon, de witte telefoon uit het grote huis die op Kyles tekentafel lag.

Mijn hart klopte ineens in mijn keel terwijl de hoop in me oplaaide. We draaiden ons om en staarden naar het toestel dat bleef overgaan. Zijn hand beefde toen hij het gesprek aannam en het toestel tegen zijn oor drukte. 'Hallo?' Zijn stem beefde. Daarna luisterde hij een paar seconden naar de persoon aan de andere kant van de lijn voordat zijn gezicht begon te trillen. Zijn ogen zakten dicht terwijl hij op zijn knieën naast de tekentafel ging zitten en de telefoon uit zijn machteloze vingers liet glippen. Hij drukte zijn voorhoofd tegen de grond en begon heen en weer te wiegen. Heen en weer.

O god, nee. Nee, alsjeblieft niet.

Met het gevoel dat ik over mijn eigen graf liep, ging ik naar hem toe, bukte me en pakte de telefoon op. Ik legde mijn hand op zijn schouder en leunde op hem terwijl ik hem probeerde te troosten. Daarna tilde ik langzaam de telefoon op, om wat ik te horen zou krijgen nog even uit te stellen, en drukte het toestel vervolgens tegen mijn oor.

Veertig

De zon was een paar uur geleden ondergegaan en ik reed door een donkerblauwe deken van duisternis toen we eindelijk de eigen weg op draaiden naar het landhuisje waarin Ashlyn en de kinderen zaten. Een landhuisje in Penzance. Honderden kilometers van Londen.

Nadat ik de telefoon had opgepakt en tegen mijn oor had gedrukt, had ik een vrouw horen zeggen: 'Ben je er nog, Kyle? Je moet de kinderen zo gauw mogelijk ophalen.'

Nadat Ashlyn me het adres had doorgegeven en ik de verbinding had verbroken zonder met de kinderen te praten, had hij zich op me gestort. Hij had me in zijn armen genomen, me tegen zich aan getrokken en was met zijn gezicht tegen mijn hals in tranen uitgebarsten. Al het opgekropte verdriet was eruit gekomen, in een vloedgolf die eveneens korte metten maakte met zijn zelfbeheersing en zijn angst. Ik onderdrukte de neiging om me los te rukken, en terwijl ik mijn handen geruststellend over zijn rug liet glijden en zijn tranen op mijn huid voelde, besefte ik pas dat hij ondanks alles wat hij had gezegd wel degelijk had gedacht dat hij ze nooit weer zou zien. En omdat hij de mogelijkheid dat hij ze nooit weer zou zien, of dat zij ze iets had aangedaan, niet onder ogen kon zien, had hij besloten om ze niet te gaan zoeken. Hij had verstrikt gezeten in een vicieuze cirkel van angst die werd veroorzaakt door onzekerheid, wat op zich al afschuwelijk was, en de vrees dat de waarheid nog veel erger zou zijn. Het was een vicieuze cirkel die ik maar al te goed kende.

Toen hij uitgehuild was, had ik met mijn duimen zijn tranen weggepoetst en mijn lippen zacht op zijn voorhoofd gedrukt. Terwijl ik hem kuste, had hij zijn ogen dichtgedaan. Vervolgens was hij naar de badkamer gelopen en had ik een routebeschrijving van het internet gehaald. Ik had alles van me afgezet en alleen nog maar gedacht aan de rit die voor me lag. Als ik zelfs maar een moment had nagedacht over het feit dat het geen dagen, weken of maanden meer zou duren voor we hen weerzagen, maar hooguit een paar uur, was ik misschien net zo in elkaar geklapt als Kyle en dan hadden we daar niet zo snel mogelijk naartoe kunnen gaan.

Alles deed me pijn en mijn ogen waren droog en strak achter mijn autobril toen ik me concentreerde op het huis in de verte. Het licht dat uit de ramen op de benedenverdieping scheen, had een warme tint en leek ons te wenken. Ik remde af om voor alle zekerheid nog even op het bord aan de rand van de tuin te kijken. 'Agateaen Field Cottage.'

'We zijn er,' zei ik tegen Kyle, zo moe dat ik nauwelijks opwinding voelde. Ik had constant doorgereden en bijna zeven uur achter het stuur gezeten, waarbij ik alleen rust had gehad als we vast kwamen te zitten in het verkeer en het af en toe wel twintig minuten had geduurd voordat we door konden rijden.

Kyle, die klaarwakker was en met zijn hoofd tegen het raam geleund strak door de voorruit had zitten turen, schoot overeind. Zijn gezicht was na zijn huilbui vlekkerig en rood geweest, maar nu zag hij er weer normaal uit. En in de buurt van zijn gezin leefde hij weer helemaal op. Ik reed langzaam over de brede, met grind bestrooide oprit met aan weerskanten gazons naar de plek waar een andere auto stond.

De voordeur zwaaide open, en voordat ik de kans kreeg om fatsoenlijk te stoppen, deed Kyle zijn gordel al los, smeet het portier open en sprong uit de auto. Hoewel we al bijna stil stonden, trapte ik haastig op de rem.

Jaxon kwam het eerst naar buiten rennen, gevolgd door Summer. Ze waren allebei al uitgekleed. Jaxon had zijn Superman-pyjama aan en Summer het Spiderman-T-shirt dat tot op haar knieën hing. Ze liepen allebei op sokken.

'Papa!' schreeuwden ze tegelijk uit volle borst. 'Papa!'

Kyle viel in het licht van de koplampen op zijn knieën. Jaxon wierp zich het eerst op hem en sloeg zijn armen op zijn nek, gevolgd door Summer, die hem al even fanatiek omhelsde. Hij sloeg zijn armen om hen heen. De kinderen hadden allebei het hoogste woord en konden kennelijk niet wachten tot ze hun vader precies verteld hadden wat ze de afgelopen weken allemaal gedaan hadden. Hij kreeg alles meteen te horen. Ondertussen liet ik mijn ogen over hen glijden en controleerde het stel centimeter voor centimeter. En voor alle zekerheid nog een keer. Ze mankeerden niets. Ze zagen er prima uit, ze waren veilig en ze waren gelukkig.

Ik was zo opgelucht dat ik er misselijk van werd. Voorovergebogen, met mijn handen tegen mijn maag, probeerde ik het gevoel in te dammen. Dat verrukkelijke gevoel van opluchting, dat tegelijkertijd pijn deed en blijdschap bracht. Alles was in orde. Ze mankeerden niets. Het was echt eeuwen geleden dat ik dit gevoel had gehad. Mijn lichaam begon te schokken en de tranen die ik gedurende al die tijd dat ze weg waren had ingehouden welden ineens op.

Maar bij het *tik-tik* op het raam voelde ik mijn hart ineens opspringen. Ik ging rechtop zitten en wreef in mijn vochtige ogen. 'Kendie!' schreeuwde Jaxon, terwijl hij me door het raampje toelachte. 'Kendie!' riep Summer hem na. Kyle trok ze achteruit zodat ik het portier open kon doen en toen had ik ze in mijn armen. Hun warme lijfjes drukten zich tegen me aan, de geur van hun pasgewassen huid drong in mijn neus, hun haren kietelden over mijn wangen en hun armen drukten me bijna dood. 'KendieKendieKendieKendieKendie,' zeiden ze aan een stuk door. Het was alleen maar mijn naam, maar ik had nog nooit zoiets moois gehoord.

Ashlyn stond voor de grote stenen haard waar geen vuur in brandde. Ze zag eruit alsof ze aan het ijsberen was geweest en de bezorgdheid was van haar strakke gezicht af te lezen toen ze met haar grote groene ogen angstig naar de deur keek. Ze was magerder dan de laatste keer dat ik haar had gezien, maar ze zag er goed uit. Veel beter dan Kyle. Veel beter dan ik. En Kyle was nog niet binnen of Ashlyn stortte zich al op hem.

Ze klampte zich vast aan zijn T-shirt en drukte haar gezicht ertegen alsof de stof haar troost en absolutie kon bieden. Meteen daarna begon ze met veel misbaar te huilen. Kyle verstijfde op het moment dat hun lichamen elkaar raakten en hij staarde over haar hoofd naar de toog die toegang gaf tot de grote eetkeuken.

Ik had de tweeling aan de hand en moest mezelf inprenten dat ik ze niet te stijf vast moest houden. Ze zouden echt niet weer verdwijnen als ik ze losliet. Ik liep met ze naar de crèmekleurige bank die op een groot Perzisch kleed stond, dat al zo oud was dat het patroon op bepaalde plaatsen was versleten. Het huisje was gezellig ingericht, heel huiselijk, en de kinderen hadden het hier vast heel fijn gehad. Het was de perfecte plaats om de vakantie door te brengen, en waarschijnlijk hadden ze ook gedacht dat hun vertrek daarop neerkwam. Een vakantie. Niet de lange, kronkelende weg door de hel die het voor Kyle en mij was geweest.

Ik ging midden op de bank zitten en de kinderen ploften naast me neer, terwijl ze naar hun vader en moeder keken. Kyle deed net alsof Ashlyn niet bestond. Hij had weliswaar geen contact opgenomen met de politie, maar hij nam haar wel degelijk kwalijk dat ze hem voor de poorten van de hel had achtergelaten, zonder hem te vertellen hoe hij aan de overkant moest komen.

Het gesnik hield op toen ze begon te praten. 'Het spijt me,' zei ze met ingehouden tranen tegen zijn borst. 'Ik wilde ze bij me hebben. Ik heb ze zo ontzettend gemist. Ik wilde ze gewoon bij me hebben. Het spijt me. Het spijt me echt.' Ze bleef zich maar verontschuldigen tot hij langzaam, als een ijsblokje in een dun zonnestraaltje, begon te smelten. Hij schudde even met zijn hoofd voordat hij op zijn vrouw neerkeek en voorzichtig zijn armen om haar heen sloeg. 'Ssttt,' fluisterde hij, terwijl hij zich naar haar boog en zijn hand troostend over haar haar liet glijden. 'Ssttt... Daar hebben we het later nog wel over.' De troostende woorden bleven in de kamer hangen en zijn gefluister had op ons allemaal een kalmerende invloed.

Samen met de kinderen bleef ik naar hen kijken. De wederzijdse genegenheid tussen dat stel was bijna tastbaar. Hun lichamen pasten precies bij elkaar, hij wist hoe hij haar moest troosten en waarschijnlijk klopte hun hart ook in hetzelfde ritme. Daardoor moest ik ineens weer denken aan de nacht die ik met Will had doorgebracht, toen we zo dicht tegen elkaar aan hadden gelegen dat het bijna niet te geloven was dat we niet altijd bij elkaar waren geweest en dat we in staat waren om zonder de ander te functioneren. Wat zou ik er niet voor over hebben om weer terug te zijn bij Will... Met de kans dat hij mij op die manier zou vasthouden... Dit stel had dat allemaal. Hoe kwam het dan dat zij de enige twee mensen ter wereld waren die niet begrepen dat ze voor elkaar bestemd waren?

Summer ging op haar knieën zitten, legde haar hand tegen mijn wang en duwde mijn gezicht haar kant op. 'Zijn mama en papa weer vriendjes?' vroeg ze gretig. Haar ogen straalden, wachtend tot ik ja zou zeggen. Maar dat kon ik niet. Natuurlijk kon ik dat niet. Jaxon ging ook op zijn knieën zitten en ik keek hem aan. Dezelfde ogen, wachtend op hetzelfde antwoord.

Ik keek naar Kyle en Ashlyn en was even geboeid door het prachtige lijnenspel van hun lichamen. Ze stonden zo dicht bij elkaar dat je niet kon zien waar zij begon en hij eindigde.

Daarna keek ik de kinderen een voor een aan. 'Dat hoop ik wel,' zei ik. Het was het eerlijkste antwoord dat ik kon geven. Ze waren misschien wel vrienden, maar niet op de manier die Summer en Jaxon bedoelden. Omdat ze niet in staat waren om met elkaar te praten en elkaar de waarheid te vertellen, zouden ze dat waarschijnlijk ook nooit worden.

Eenenveertig

Ik lag klaarwakker op de bank onder het reservedekbed, leunend tegen drie zachte kussens. Het was donker en daar had ik een verschrikkelijke hekel aan. Duisternis was verstikkend. Als ik niets kon onderscheiden, had ik het gevoel dat ik erin zou verdrinken.

Het is donker, een bodemloze afgrond. Mijn lichaam wordt verpletterd onder het gewicht. Duisternis sijpelt mijn gezichtsveld binnen als de hand om mijn keel mijn adem en mijn bewustzijn afsnijdt. Ik probeer me ertegen te verzetten en het tegen te houden. Maar alles wordt steeds donkerder. *'Je bent heel bijzonder,'* fluistert de stem. *'Hou op met je te verzetten, je bent niet zomaar iemand. Als je ophoudt, zal ik je niet vermoorden.'*

Ik schoot overeind. *Nee. Niet nu. Dat zal me nu niet overkomen,* besloot ik. Ik moest gewoon iets gaan doen, dan hield het vanzelf op. Als ik me bewoog, kreeg het geen vat op me. Ik gooide het dekbed van me af en pakte de kleine fleecedeken die over de rug van de bank lag. Ik moest naar buiten, de frisse lucht in. Daar kon ik ademhalen. Theoretisch was het binnen veiliger dan buiten, maar ik wist dat gevaar niet altijd van buiten kwam, niet altijd van vreemden.

Ik sloop door de keuken naar de openslaande deuren, haalde ze van het slot en trok ze voorzichtig open om naar buiten te stappen. Het was eind augustus, dus de nacht was kil genoeg om je kippenvel te bezorgen en de neiging om in elkaar te duiken. Ik liep geluidloos over het gazon naar de twee schommels die aan het eind van de grote achtertuin stonden.

Ik ging op de schommel zitten, en hoewel het al een oud beestje was, roestig en met afbladderende verf, kraakte hij gelukkig niet. Niemand in het huis zou wakker schrikken en beseffen dat ik hier aan het ronddwalen was. Ik schommelde voorzichtig heen en weer, deed mijn ogen dicht en dacht aan de blik op Jaxons gezicht toen hij de voordeur uit kwam rennen. De onverhulde blijdschap waarmee hij naar zijn vader was gerend. Ik voelde dat ik automatisch glimlachte. Een glimlach die een brede grijns werd, toen ik me herinnerde hoe Summer haar armen om mijn nek had geslagen. Ik kon niet zonder de kinderen en op een gegeven moment had ik zelfs gedacht dat ze ook niet zonder mij konden. En dat was misschien ook wel zo, maar alleen als hun moeder er niet was. Nu was ze weer terug. Ik klapte bijna dubbel van ellende. Nu ze terug was, zou ze de plaats weer opeisen waar ze recht op had. Ja, ze zouden me waarschijnlijk nog steeds willen zien, maar alleen als vriendin. Niet als de persoon die hen moest helpen als ze problemen hadden met hun huiswerk, niet als de vrouw die stapelgek werd van hun onafgebroken vragen, niet als hun 'andere mama'.

Ik keek niet op toen ik hoorde dat er een deur openging en iemand zacht naar buiten stapte. Ik wist wie het was. De enige die het kon zijn.

Ashlyn ging naast me op de andere schommel zitten. Vanuit mijn ooghoeken kon ik zien dat ze er al net zo mal uitzag als ik. Ze had haar halflange satijnen nachthemd aan, met daarover het T-shirt dat Kyle had aangehad, en een paar dikke blauwe sokken die ze zo hoog mogelijk opgetrokken had. De geur van Kyle hing om haar heen. Sandelhout en citroen, dat licht zoete, mannelijke luchtje. Waarschijnlijk rook ik precies zo, naar de man met wie ik bijna zes weken had samengewoond. Ik hoopte dat ze naar hem rook omdat ze besloten hadden om weer bij elkaar te komen. Omdat ze met elkaar hadden gepraat en gevrijd. Het zou rampzalig zijn voor mij en mijn relatie met de kinderen, maar voor dit gezin was het noodzakelijk dat ze weer bij elkaar zouden komen.

Ze schommelde niet gelijk met mij op en de kettingen van onze schommels knarsten als amechtige oude besjes die geen maat konden houden. Ik wist niet of ze zat te wachten tot ik mijn mond opendeed, maar ik had haar niets te zeggen. Ik wilde dat ze weer een hecht gezin zouden gaan vormen, maar ik was boos. Onderhuids kolkte mijn woede als een woeste bergstroom. Ik had zo mijn hand uit kunnen steken om haar de haren uit het hoofd te rukken of haar links en rechts om de oren te slaan. Dat zou me geen enkele moeite hebben gekost. Ik gunde Ashlyn een aframmeling voor alle ellende die ze Kyle en mij had bezorgd. Ik had haar niets te zeggen. En wat zij ook zei, ik zou toch geen antwoord geven.

'Ik ben weer gaan drinken.' Haar stem was nauwelijks meer dan een gefluister. Zo zacht, zo verpletterend dat ik me afvroeg of ik die woorden in mijn verbeelding had gehoord om haar nog slechter te maken.

Toen ze ophield met schommelen door haar voet op de grond te zetten en me aankeek, drong het pas tot me door dat ze het echt had gezegd. En het was de enige opmerking die me ertoe kon krijgen om met haar te praten.

'Ik luister,' zei ik tegen haar.

'Ik heb het aan niemand anders verteld,' zei ze, nog steeds op dat broze fluistertoontje. Ze formuleerde haar woorden heel zorgvuldig, alsof ze bang was dat ze ieder moment in elkaar zou klappen en niet door zou kunnen praten. 'Jaxon weet het. Hij vond me toen ik op de bank buiten westen was geraakt. Summer weet het nog niet. Of misschien ook wel – ze begint last te krijgen van nachtmerries. Volgens mij omdat ze ruikt dat ik heb gedronken en door die lucht wordt herinnerd... aan een bepaald voorval. Ze wordt ook steeds 's nachts wakker...' Ashlyns stem ebde weg. 'Ik ben gestopt met die bijeenkomsten,' zei ze toen. 'Het was te moeilijk toen ik... Toen we net hier waren, wist ik niet of hij de politie had gebeld, of mijn cursusleider, of hij naar me op zoek was. Ik wilde niet al te veel mensen ontmoeten, dus het was gemakkelijker om niet te gaan. Ik had genoeg aan de kinderen. Maar ik was vergeten dat ze zoveel werk met zich meebrachten. En dat ze zoveel aandacht nodig hebben. Ik had ze de afgelopen zes maanden slechts af en toe gezien. En voor die tijd... was ik nog aan het ontnuchteren. Dat maakte ik mezelf tenminste wijs. Ik begrijp nu pas dat ik een alcoholist was die niet dronk, in plaats van tegen mijn verslaving te vechten. Ik ging naar de bijeenkomsten toe, maar ik deed niet mee aan het stappenprogramma. Ik had geen doel voor ogen, ik liep alleen rond met een soort spandoek waarop stond: "Kijk eens hoe braaf ik ben. Ik drink niet meer." Het was heerlijk om Jaxon en Summer weer bij me te hebben. Ik had het gevoel dat ik een nieuw mens was. Het was nooit tot me doorgedrongen hoe dof en hoe doods ik zonder hen vanbinnen was geweest. En toen kwam mijn moeder een weekje logeren.'

Haar moeder? Dat kreng. Dat vuile, leugenachtige kreng. Ze had geweten waar ze waren, maar ze had Kyle gewoon in die martelende onzekerheid gelaten. En hem afgebluft door voor te stellen om de politie te bellen. *Wat een kreng. Ik hoop dat ik haar nooit ontmoet. Want dan zal ik haar stevig aanpakken. Misschien niet lijfelijk, maar in ieder geval verbaal.*

'Toen kon ik ook weer weg. Maar ik had niets te doen, dus besloot ik om weer naar een paar bijeenkomsten te gaan,' zei Ashlyn.

Ashlyn kon weer weg, en omdat ze niets te doen had, besloot ze om maar weer naar een paar bijeenkomsten te gaan. Ze had haar moeder niet verteld wat er mis met haar was, welnee, ze had gewoon gezegd dat ze naar vrienden ging. Toen ze na die onderbreking weer bij de bijeenkomsten kwam opdagen, was het nog akeliger geweest. Ondanks het feit dat ze niets had gedronken. Ze begroette een paar mensen, haalde een kop koffie en ging achter in de kamer op een klapstoel zitten. Ze geneerde zich een beetje. En ze was ongerust. Waarschijnlijk omdat ze al zo'n tijd niet meer was geweest. Of misschien omdat het plotseling echt tot haar doordrong wat dit inhield.

Ze was precies zoals de anderen. Als ze hier in het verleden zat te luisteren, had ze altijd gedacht: *Ik ben niet zoals zij. Zo erg is het niet met me. Kyle mag denken wat hij wil, maar zo erg is het nog lang niet met me.* Nu besefte ze plotseling dat dat wel het geval was. Misschien kwam het omdat ze in haar eentje voor de kinderen moest zorgen. Of het was de wetenschap dat ze hier na afloop met niemand over kon praten. In elk geval begon het langzaam maar zeker tot haar door te dringen. Ze had haar gezin verdriet gedaan. Ze had haar man voortdurend beledigd. Ze had haar eigen carrière bijna geruïneerd.

Wat ze echter het allerergste vond, was dat ze eindelijk begreep dat ze nooit meer een druppel drank mocht aanraken.

Nooit meer. Als ze echt een alcoholist was, zou ze nooit meer kunnen drinken. Niet op een verjaardag, niet op feestjes, niet om 's avonds lekker te ontspannen en niet om de scherpe randjes weg te halen als de wereld vijandig en onvriendelijk leek.

Dat is niet waar, maakte ze zichzelf wijs. Dat kon gewoon niet waar zijn. Misschien was zij wel anders. Misschien was zij een alcoholist die haar drankgebruik wel aan banden kon leggen. Ze had al zo lang niet meer gedronken en ze was nauwelijks naar bijeenkomsten geweest, dus daaruit kon je toch al opmaken dat ze anders was. Ze kon het toch gewoon proberen. Door één glaasje te drinken en zichzelf, Kyle en de rest van de wereld te bewijzen dat ze genezen was. Genezen van haar alcoholverslaving.

Toen haar moeder weer weg was, besloot ze om te proberen of ze haar drankgebruik onder controle had. Ze nam gewoon één glaasje, en meer niet. Ze was genezen, ze was geen alcoholist meer, dus dat kon ze best doen. Ze was nooit van haar leven in staat geweest om het bij één glaasje te laten, echt nooit, maar nu kon ze dat wel. Gewoon om te bewijzen dat ze gelijk had.

Twee dagen later kocht ze een fles wijn. En nog een, om te bewijzen dat ze die niet nodig had. Ze kon het bij één glaasje laten, zelfs al was er nog een fles in huis. Het hoorde allemaal bij het experiment. Om te bewijzen dat ze genezen was.

Dat eerste slokje wijn stond haar nog heel helder voor de geest, zelfs nu, na twee weken. Hoe heerlijk het in haar mond voelde en door haar keel naar binnen gleed. De tweede slok was bijna even lekker. Het steeg haar naar het hoofd en ze voelde de eerste sporen van dat vertrouwde, warme gevoel in haar lichaam opwellen. Ze had zich in geen tijden zo vrij gevoeld. Ze begon te lachen, omdat ze eindelijk weer iets deed waar ze van hield. Dit was pas leven. Niet al dat gedoe, niet al die dingen die je moest doen en waar je aan moest denken. Je moest jezelf af en toe kunnen ontspannen. Het derde slokje nam haar mee naar gelukkiger tijden.

Die vierde slok kon ze zich niet meer herinneren. De vijfde en de zesde ook niet. Het eerste wat ze zich daarna herinnerde, was dat ze wakker schrok op de bank. Jaxon zat op de grond voor de tv met het geluid uit (dat moesten ze altijd van haar doen als ze een kater had) en liet zijn autootje om een van de twee lege flessen rijden. Ze had één arm in de mouw van haar jas gestoken, de rest van de jas hing naast de bank en ze had haar autosleutels in de hand. Een rilling van schaamte liep over haar rug, omdat ze voordat ze buiten westen was geraakt kennelijk van plan was geweest om meer wijn te gaan halen.

Haar experiment was mislukt. Maar dat kwam gewoon omdat ze niet genoeg haar best had gedaan. Ze kocht meer wijn, vier flessen in plaats van twee. Met meer wijn in huis zou ze niet in de verleiding komen om met een slok op achter het stuur te kruipen als het experiment opnieuw mislukte.

Nadat ze veertien dagen tevergeefs had geprobeerd om te bewijzen dat ze normaal was, dat ze genezen was, werd Ashlyn opnieuw op de bank wakker. Ditmaal keek Jaxon op haar neer en schudde haar wanhopig door elkaar. Zijn gezicht stond bezorgd en zijn ogen waren groot van angst. Hij had kennelijk al een tijdje geprobeerd om haar wakker te krijgen. Buiten was het pikdonker, het enige licht in de kamer kwam van de tv. 'Summer is ziek,' zei Jaxon. Ondanks haar roes kon ze zien dat hij doodsbang was, en toen hoorde ze Summer boven gillen.

O god, o nee. Ashlyn krabbelde moeizaam overeind, maar haar benen werkten niet mee en ze plofte terug op de bank. Jaxon stond handenwringend van zijn ene voet op de andere te springen en naar boven te kijken, waar zijn zusje lag te krijsen. Ashlyn hees zich weer overeind en slaagde erin om met knikkende knieën en door een waas van slaap en wijn achter haar zoon aan de trap op te kruipen.

'Summer lag nog te slapen. Ze was nat van het zweet en lag gillend door haar bed te woelen. Ik slaagde erin om haar wakker te maken en ze begon over het slijm te brabbelen. Het slijm dat haar probeerde te pakken. Ik kon haar niet eens fatsoenlijk geruststellen, omdat ik nauwelijks kon praten en haar ook niet goed kon vasthouden. Uiteindelijk klom Jaxon op het bed en vertelde haar dat er niets aan de hand was. “Wees maar niet bang, Summer,” zei hij. “Ik zorg wel dat het je niet te pakken krijgt. Ik en Garvo zullen je beschermen.” En toen sloeg hij zijn armen om haar heen en klopte haar op haar hoofd. Mijn zesjarige zoontje moest mijn dochter bemoederen omdat ik daar niet toe in staat was. Uiteindelijk viel hij naast haar in slaap en ik liep naar de andere kamer, waar ik weer buiten westen raakte. De dag erna heb ik Kyle gebeld. Toen ik weer even helder na kon denken, besefte ik dat ze momenteel beter bij Kyle konden zijn. Ze hebben behoefte aan stabiliteit.’

Ik was met stomheid geslagen. Omdat Ashlyn haar kinderen dat had aangedaan. Haar stem had heel verdrietig geklonken terwijl ze het vertelde en ze had af en toe heel diep moeten zuchten om zichzelf in bedwang te houden. Desondanks waren niet alleen haar kinderen daar het slachtoffer van geworden, maar ook zijzelf en andere mensen.

‘Ik weet zeker dat ik op een dag in staat zal zijn om de kinderen die stabiliteit te geven,’ zei ze nu. ‘En dat zal niet lang meer duren. Maar eerst moet ik echt van de drank af zijn. Voor mijn kinderen.’

‘Waarom niet voor jezelf?’ vroeg ik.

Ashlyn keek me met betraande ogen aan. ‘Er is niets belangrijkers in mijn leven dan Summer en Jaxon.’

‘Dat weet ik wel. Maar je dronk niet voor de kinderen, je dronk voor jezelf. Omdat je ziek bent. En ik heb altijd gehoord dat je eerst met jezelf in het reine moet komen voordat je de zorg voor anderen op je kunt nemen.’

Zelfs in het donker zag ik de blos op haar wangen verschijnen terwijl de boosheid uit haar ogen spatte en zich op haar gezicht vastzette. Ze was woedend. Ze had niet gehoord wat ik zei, ze hoorde alleen dat ik kritiek op haar had omdat ze zoveel van haar kinderen hield. Maar dat was niet waar. Ik had alleen opgemerkt dat ze nog ongelukkiger zou worden als ze ‘het voor haar kinderen deed’. Want als ze dan weer in de fout ging, zou ze zichzelf wijsmaken dat ze gewoon niet genoeg van haar kinderen hield, dat ze slecht was en dat het geen enkele zin had om nuchter te blijven. Ze moest het voor zichzelf doen.

‘Neem me niet kwalijk,’ zei ik. ‘Ik had mijn mond moeten houden. Kennelijk weet je heel goed wat je doet.’

'Ik heb je dit alleen maar verteld,' zei ze terwijl ze haar best deed – maar daar duidelijk niet in slaagde – om de boosheid uit haar stem te weren, 'omdat ik van mijn kinderen houd. Ik wil alles voor ze doen. Maar voor hun eigen bestwil kunnen ze voorlopig beter uit mijn buurt blijven. Ze hebben Kyle nodig. Hij is evenwichtig en stabiel...' Haar stem brak. 'Ik wil dit helemaal niet,' gooide ze er in een stortvloed van tranen uit. 'Ik wil bij ze zijn. Ik wil ze iedere dag kunnen knuffelen. Ik wil Summer zien dansen op een herkenningsmelodietje van een tv-programma en Jaxon horen praten tegen zijn denkbeeldige hond. Ik wil 's morgens wakker worden met de zekerheid dat ze vandaag weer iets totaal anders zullen gaan zeggen of doen dan gisteren.' De tranen drupten van haar brutale neus, maar ze poetste ze niet weg. 'Maar dat zijn allemaal egoïstische redenen. Zij hebben een normaal leven nodig, dat weet ik best. En dat kan op dit moment nog niet. Misschien in de toekomst, maar nu nog niet. En jij moet ook beslissen wat je gaat doen.' Ze had het nu over mij. En tegen mij.

'Wat bedoel je?' vroeg ik.

'Jij moet beslissen of je blijft of niet. Summer en Jaxon houden van je. Het doet me gewoon pijn om dat te zeggen.' Ze legde haar hand op haar hart om aan te geven waar het pijn deed. 'Ze vergisten zich voortdurend en bleven me maar Kendie noemen, waardoor ik er steeds aan werd herinnerd hoe vaak je kennelijk bij hen bent.' Haar magere hand drukte nog harder op haar borst. 'Ik wil niet dat ze nog meer verdriet krijgen. Als jij niet van plan bent om voorlopig te blijven, in ieder geval zolang ze je nodig hebben, dan moet je nu weggaan. Meteen. Als je bij hen blijft, moet dat voor altijd zijn. En als je dat niet kunt beloven, moet je weg.'

Ze gleed van haar schommel af en bleef voor me staan, met haar armen over elkaar geslagen. Tegen de kou, maar misschien ook om me angst aan te jagen.

'Ik ben een ontzettend slechte moeder geweest en ik zal ervoor zorgen dat ze dat niet nog een keer hoeven mee te maken. Je blijft voorgoed, of je gaat weg.'

Vervolgens draaide ze zich met een theatraal gebaar om en liep weg. Terwijl ik haar nakeek, drongen haar woorden pas goed tot me door. Ze had me voor het blok gezet en ik moest kiezen: bij Jaxon en

Summer blijven of vertrekken. Wat betekende dat ik een gelukkig huwelijk met iemand die ik nog niet had ontmoet en een eventuele adoptie wel kon vergeten en me erbij zou moeten neerleggen dat ik altijd tweede keus zou blijven.

Momenteel vond ik het heerlijk om bij ze te zijn, en van ze gescheiden zijn was een hel die ik niet nog eens wilde doormaken, maar kon ik dat wel opbrengen? Kon ik me wel voorgoed binden aan twee kinderen die nooit de mijne zouden zijn?

Tweeënveertig

De volgende ochtend rond tien uur begonnen Kyle en ik de spullen van Summer en Jaxon in de auto te laden. Ze hadden in de afgelopen zes weken behoorlijk wat nieuwe kleren, speelgoed, boeken en dvd's verzameld, te veel om in hun tassen te pakken. Daarom deden we alles in plastic boodschappentassen, en wat er daarna overbleef, werd los op de bagage in de kofferbak gelegd. Summer en Jaxon zaten samen met hun moeder op de bank op een kaart te kijken hoe we het best terug konden rijden naar Kent.

Ashlyn had nog steeds haar nachtpon aan, maar ze had Kyle zijn T-shirt teruggegeven en dat vervangen door een groot crèmekleurig vest met grove ribbels. Nadat we de laatste lading naar de auto hadden gebracht liepen we terug naar de woonkamer. Summer keek op van de bank toen Kyle en ik in de deuropening bleven staan en wachtten tot ze afscheid zouden nemen. Ze keek haar moeder aan, tikte haar op haar hand en zei: 'Mama, je moet je wel eerst aankleden. Papa vindt het niet goed dat je in je nachtpon in de auto stapt.'

De volwassenen keken elkaar een beetje verrast aan. We waren er allemaal van uitgegaan dat een van de anderen de kinderen wel zou vertellen dat Ashlyn niet mee zou gaan. Maar de kinderen wisten nog steeds niet dat ze hun moeder een hele tijd niet zouden zien.

Summer had meteen in de gaten dat er iets aan de hand was toen het stil bleef na haar opmerking. Ze hield haar hoofd scheef en keek haar moeder met samengeknepen ogen aan. Ze bood geen weerstand toen Ashlyns dunne vingers zich om haar hand sloten en bleef stil zitten toen Ashlyns andere hand die van Jaxon vastpakte. 'Summer,' zei Ashlyn. 'Jaxon.' Ze zweeg even om haar kinderen aan te kijken. Aan de manier waarop haar ogen over hun gezicht, hun haar en hun lichaam dwaalden, kon ik zien dat ze hen letterlijk in haar hoofd probeerde te prenten.

'Ik ga niet mee naar huis. Nu nog niet, in ieder geval. Nog lang niet. Ik moet eerst beter worden.'

'Hoezo?' vroeg Summer. Haar stem klonk rustig en ijl, maar een huilbui lag op de loer.

'Ik moet eerst beter worden,' zei Ashlyn. 'Ik moet nog allerlei dingen doen. Ik voel me al een hele tijd niet goed en ik moet weer helemaal opgeknapt zijn voordat ik bij jullie terug kan komen. Maar ik kom heel gauw langs. Dat beloof ik.'

Summer trok haar hand uit die van haar moeder en we konden gewoon zien hoe ze haar nekharen overeind zette toen de woede en het onbegrip de overhand kregen. Ze kromp in elkaar en begon te huilen, maar het zachte gesnik veranderde al snel in gejammer. 'Waarom niet, mama?' vroeg ze tussen de tranen door. 'Waarom niet? Je moet mee naar huis, mama. Mee naar huis.' Het ging niet alleen om nu. Ze huilde niet alleen omdat we Ashlyn nu achter zouden laten, maar om al die tijd dat ze het zonder haar moeder had moeten doen. En het was toch logisch dat Summer en Jaxon verwachtten dat Ashlyn weer thuis zou komen, nadat ze hadden gezien hoe Ashlyn en Kyle elkaar gisteren omhelsd hadden?

'Ga mee naar huis, mama. Mee naar huis.' Summers gesnik sneed door mijn ziel. Kyle sloeg zijn armen over elkaar en probeerde niet te laten merken dat elke snik dwars door hem heen ging. Jaxon gleed van de bank, liep zonder iets te zeggen de kamer door, ging naast de keukendeur op de grond zitten en drukte zijn gezicht op zijn knieën.

'Ik zal heel lief zijn, mama. Dat beloof ik. Echt lief,' jammerde Summer, die steeds harder begon te huilen. 'Echt waar, mama. Echt waar.'

'Ach, Sum, het gaat helemaal niet om jou.' Ashlyn trok haar dochter in haar armen. 'Jij bent een lieve meid. Je bent altijd lief. Het gaat om mij. Om mama. Ik moet hier blijven tot ik helemaal beter ben.'

Maar Summer bleef krijsen, dwars door de troostende woorden van haar moeder heen. 'Ga mee naar huis! Alsjeblieft! Mama! Alsjeblieft, mama! Alsjeblieft! Alsjeblieft!'

'Summer, lieve schat,' zei Ashlyn, nauwelijks hoorbaar door Summers gegil. 'O Summer, het spijt me zo. Het spijt me zo.'

Kyle kwam in beweging. Ik dacht dat hij naar Summer zou lopen, maar hij ging naar de keuken. Naar Jaxon. Naar zijn zoon, de kleine binnenvetter, die net zoveel verdriet had als zijn zusje, maar die dat niet zo kon tonen als Summer deed. Hij leek op zijn vader, hij werd vanbinnen door verdriet verscheurd. Kyle ging op zijn hurken naast hem zitten en trok hem tegen zich aan. 'Alles oké, kerel?' vroeg hij. Jaxon sloeg zijn benen om het middel van zijn vader, drukte zijn gezicht tegen zijn hals en sloeg zijn armen om hem heen. Zo liet hij zich naar de keuken dragen, weg van al dat verdriet.

Ik moet eigenlijk weggaan en het aan Ashlyn overlaten om haar dochter te kalmeren, dacht ik. Maar dat kon ik niet. Ik kon Summer niet in de steek laten nu ze verscheurd werd door verdriet. En ik voelde met haar mee. Ik kon het niet ontkennen, ik had een band met Summer. Net als met Jaxon. Als hun iets overkwam, voelde ik dat ook.

Summer begon zich tegen haar moeder te verzetten en kronkelde in haar armen omdat ze niet te horen kreeg wat ze wilde horen. 'Mama, kom nou mee naar huis! Mee naar huis!' Dat was toch niet te veel gevraagd? Ze vond dat haar moeder dat best voor haar kon doen. Voor hen.

'Het komt heus weer goed, Summer,' zei ik voordat ik me kon inhouden. 'Je mama komt echt weer naar huis, alleen nu nog niet.'

Summer rukte zich los, rende naar me toe, sloeg haar armen om mijn middel en drukte haar gezicht tegen mijn maag. Ze huilde nog steeds, ze schreeuwde het uit, maar de woorden waren verdwenen. Nu was alleen het geluid over, een gejammer dat door merg en been ging.

Ik ging op mijn hurken naast haar zitten, sloeg mijn armen om haar heen en liet haar tegen me aan uithuilen, terwijl ik mijn vingers troostend door het gitzwarte haar liet glijden. Uiteindelijk werd ze te moe om nog langer te huilen en stond trillend in mijn armen, terwijl ze hikkend haar wanhoop probeerde te onderdrukken. 'Laat haar mee naar huis gaan, Kendie,' fluisterde ze tegen mijn wang. 'Laat mijn mama mee naar huis gaan.'

Ik drukte haar stijf tegen me aan. 'Op een dag komt ze weer thuis,' antwoordde ik. 'Maar nu nog niet.'

Ashlyn kwam bij ons staan. Bleek en bevend, met een gezicht dat nat was van de tranen. Toen ik in haar ogen keek, zag ik verdriet. Een intens, hartverscheurend verdriet. Zij had dit ook niet gewild. *Waarom ga je niet gewoon mee naar huis?* wilde ik haar vragen. *Je kunt thuis ook hulp krijgen. Dit is helemaal niet nodig.*

'Mag ik alsjeblieft even met Summer praten?' vroeg ze star. Alsof ze daarvoor mijn toestemming nodig had.

'Natuurlijk,' zei ik en probeerde voorzichtig Summer van me los te maken, hoewel dat niet meeviel. Summer bleef zich aan me vastklampen, omdat ze haar moeder niet aan wilde kijken. Als ze dat deed, zou ze weten dat het echt waar was.

Maar uiteindelijk draaide ze zich toch met tegenzin om naar haar moeder en keek haar aan, van top tot teen bevend en met een vlekkerig gezicht en opgezwollen ogen. Ze zag er verslagen en gebroken uit. De hoop was uit haar ogen verdwenen. Zo zou een zesjarig kind nooit mogen kijken. Zo zou niemand ooit mogen kijken.

Ik liet ze alleen en vluchtte door de voordeur naar de auto. Ik trok het portier open en ging languit over de voorstoelen liggen. Ik had na mijn nachtelijke 'gesprek' met Ashlyn vrijwel geen oog meer dichtgedaan. Ik legde mijn handen over mijn ogen en luisterde naar de stilte en naar het geluid van mijn eigen hart, dat luid en duidelijk te horen was. Het verdriet van wat zich net had afgespeeld bleef in de auto hangen. Ik had dit helemaal niet verwacht. Dat we de kinderen alleen maar terug konden krijgen door hun hart te breken.

Wat later pakte ik mijn mobiel en belde Gabrielle op om te vertellen dat ik in Penzance zat, in Cornwall, om de kinderen op te halen.

'Goddank,' verzuchtte ze. 'Goddank. Ik begon net te vrezen... Maar dat doet er nu niet meer toe. Is alles in orde? Zijn ze oké?'

'Ja hoor, alles is in orde. Ze hebben het er alleen moeilijk mee dat Ashlyn hier blijft, maar daar komen ze ook wel weer overheen.'

'Nou ja, het enige dat telt, is dat ze niets mankeren. Bedankt dat je me hebt gebeld. Ik weet dat jullie allemaal door een hel zijn gegaan, maar dat geldt ook voor mij, dus nogmaals bedankt.'

'Ik bel ook om mijn verontschuldigingen aan te bieden voor wat er in de pub is gebeurd.'

'Lieverd, daar hoef je je niet voor te verontschuldigen.'

'Jawel. Dat we vrienden zijn betekent nog niet dat ik me niet hoef te verontschuldigen. Dat respect verdien je gewoon.'

'Maar je hoeft je niet te verontschuldigen, omdat je volgens mij niets verkeerds hebt gedaan. Als iemand zoveel druk op mij had uitgeoefend als ik bij jou heb gedaan, zou ik stapel krankjorum zijn geworden. Het was iets anders geweest als je erom had gevraagd, maar dat heb je niet gedaan. En ik ben buiten mijn boekje gegaan. Dus ik wil wel zeggen dat het me spijt.'

'Je probeerde me alleen maar te helpen.'

'Oké, laten we het er dan maar op houden dat we er allebei spijt van hebben en de draad weer oppakken als je terug bent uit Cornwall. Gewoon met ons tweetjes.'

'Tof. Bedankt, Gabs.'

'Bedankt voor het telefoontje, Kennie. Doe de groeten aan Summer en Jaxon.'

Bij de auto aangekomen knuffelde Ashlyn de kinderen alsof ze hen nooit weer zou zien. Summer gedroeg zich als een geslagen hondje. Ze omhelsde haar moeder, ging in haar stoeltje zitten en liet zwijgend toe dat haar moeder haar gordel vastmaakte. Haar manier van doen paste meer bij Jaxon. Zelfs als ze haar mond hield, was Summer nog een herrieschopper. Nu was ze rustig en verdacht stil, terwijl ze haar voorhoofd tegen het raampje drukte en naar buiten keek.

'Zorg goed voor je zusje,' fluisterde Ashlyn tegen Jaxon terwijl ze hem in zijn stoeltje hielp en de gordel vastmaakte.

Ik draaide me om toen Ashlyn naar Kyle toe ging en deed net of ik de gordels van de kinderen controleerde en keek of de tas met etenswaren veilig onder mijn stoel stond. Maar natuurlijk kon ik ze wel horen. Het gemompel, de beloften, het gebabbel. Toen ze hun mond hielden, richtte ik me weer op en zag nog net dat Kyle het haar van zijn vrouw achter haar oor streek voordat hij zijn hand onder haar kin legde en haar aankeek alsof hij niet wist wat hij moest zeggen. Hij had zoveel te vertellen, maar de woorden wilden niet komen... Ik kende die blik.

'Ik hou van je,' zeiden Ashlyns lippen.

Kyle knikte, maar zei niets.

Zeg nou dat je ook van haar houdt, schreeuwde ik bijna uit. Het was pijnlijk om te zien, vooral als je wist dat ze nog steeds van elkaar hielden. Maar ze praatten nog steeds niet met elkaar, ze waren nog steeds niet eerlijk. Uiteindelijk duwde Kyle Ashlyn van zich af en bleef naar haar kijken, alsof hij zich dit beeld van haar in zijn hoofd wilde prenten. Alsof hij wist dat hij haar zo nooit meer zou zien. Hij trok het portier open en stapte in. Terwijl hij zijn gordel omdeed en probeerde te voorkomen dat hij in zou storten, liep Ashlyn om de auto heen en klopte op mijn raampje. Ik draaide het omlaag, een beetje bang voor wat ze zou zeggen.

'Tot ziens, Kendie,' zei ze terwijl ze me recht aankeek. 'Ik wens je een prettige rit naar huis, oké?' Maar eigenlijk zei ze: *Vergeet niet wat ik vannacht tegen je gezegd heb.* 'Ik heb veel om over na te denken. Ik moet erachter zien te komen wat ik wil voor ik iets doe,' vervolgde ze. Maar eigenlijk zei ze: *Ik zal nadenken over wat je hebt gezegd.*

'Ik vond het leuk om je weer te ontmoeten, Ashlyn,' antwoordde ik.

Ze stapte glimlachend achteruit, met ogen die groot waren van angst. Daarna liep ze langzaam terug, tot ze op het bordes van het huisje stond. De kinderen zwaaiden door de achterruit en Kyle drukte op de claxon en stak zijn hand op voordat hij langzaam naar de weg reed.

'Stop!' zei ik dringend, terwijl ik mijn gordel losmaakte en mijn hand uitstak naar het portier. 'Ik vergeet iets.'

Kyle trapte op de rem en trok de handrem aan. 'Wat heb je vergeten?' vroeg hij terwijl hij me fronsend aankeek. We hadden niets meegebracht, dus eigenlijk kon ik ook niets vergeten.

'O, je weet wel,' zei ik vaag terwijl ik het portier opendeed en uitstapte voordat hij nog meer kon vragen.

Ik liep haastig en vastberaden over de oprijlaan, terwijl het grind onder mijn voeten knarste. Met elke stap die ik nam, raakte ik er sterker van overtuigd dat ik dit moest doen. Ashlyn stond me verbijsterd aan te kijken toen ik naar haar toe liep.

'Kendie?' zei ze vragend.

'Laten we maar even naar binnen gaan,' zei ik terwijl ik langs haar heen liep. 'Ik ben iets vergeten.' Ik wilde niet dat Kyle en de kinderen ons konden zien, voor het geval de dingen uit de hand liepen. Je wist maar nooit.

Ze liep achter me aan. 'Wat heb je dan vergeten?' vroeg ze argwanend, omdat ik geen aanstalten maakte om iets te gaan zoeken in de puinhoop die het vertrek van de kinderen had achtergelaten.

'Ik heb vergeten je de waarheid onder de neus te wrijven,' zei ik. Ondanks die strenge woorden stond ik te trillen op mijn benen.

Ze deinsde achteruit. Mooi. Dat was beter dan dat ze zich met een van woede vertrokken gezicht op me wilde storten.

'Jij bent echt de grootste egoïst die ik ooit heb ontmoet, Ashlyn,' zei ik, terwijl ik er zorgvuldig voor waakte om te gaan schreeuwen. 'Ik vind het echt ongelooflijk dat je nooit verantwoording hebt hoeven af te leggen voor alles wat jij je gezin aangedaan hebt. Misschien ga ik nu wel buiten mijn boekje, maar dat kan me niets schelen, het wordt tijd dat iemand je op de vingers tikt. Waar haal je het lef vandaan om hun dit aan te doen? Hoe dúrf je? Ik weet dat je ziek bent en dat alcoholisme een ziekte is, maar waarom moeten je kinderen daaronder lijden? Oké, je hebt hulp gezocht, maar waarom kun je ondertussen niet gewoon bij hen blijven? Er worden overal in het land, overal ter wereld zelfs, bijeenkomsten gehouden, dus waarom ga je niet gewoon mee naar huis? Je weet niet half hoe gelukkig je bent dat je met Kyle getrouwd bent. Want als het aan mij had gelegen, had ik de politie al gewaarschuwd op het moment dat jij de kinderen meenam. Ik had je de sociale dienst op je dak gestuurd. Maar hij bleef ondanks alles vertrouwen in je hebben. De hele zomer lang was hij ervan overtuigd dat jij niet meer dronk. Volgens hem zou je er niet eens over piekeren om te drinken nadat je de kinderen had ontvoerd. Maar dat komt omdat hij de waarheid over je ziekte en over jou niet onder ogen wil zien. Omdat het nooit bij hem zou opkomen dat je wel eens tegen hem zou kunnen liegen. Hij beseft niet dat jij je door niets van je volgende borrel laat afhouden, zelfs niet door je kinderen.

Je zult hem de waarheid moeten vertellen, Ashlyn. Hij moet het weten en met de werkelijkheid worden geconfronteerd. Dat jij helemaal niet "genezen" bent, dat er geen sprake is van een wonderbaarlijk herstel en dat je weer in je oude fout kunt vervallen.'

'Dat gebeurt niet,' zei ze, ontzet dat ik zoiets zelfs maar durfde te suggereren.

'Hoe weet je dat? Toen ik je een paar maanden geleden ontmoette, zei je dat het helemaal niet zo erg met je gesteld was. Je zei dat je was opgehouden met drinken, en wat zien we nu? Je bent niet alleen opnieuw gaan drinken, maar je hebt zelfs de kinderen in gevaar gebracht.'

'Dat heb ik je in vertrouwen verteld, dus dat hoef je me niet voor de voeten te gooien.'

'Dat heb je me alleen maar verteld om ervoor te zorgen dat ik dat stomme spelletje van ontkennen ook mee zou gaan spelen, net als de andere mensen om je heen. Nou, vergeet het maar. Ik werk er niet aan mee om twee onschuldige kinderen te kwetsen die zoveel van je houden dat ze hun leven voor je willen geven. Ze zouden alles voor je doen. Weet je wel hoe gelukkig je bent? Weet je dat wel? Er zijn mensen die er alles voor over zouden hebben om in jouw schoenen te staan, en ja, je bent ziek, maar dat betekent niet dat je geen rekening met hen hoeft te houden. Zeker niet vanwege dat soort egoïstische reden.'

Ashlyn wist niet hoe ze het had. Zo was ze nog nooit aangepakt. Kyle had haar wel eens voor het blok gezet, maar hij had meteen ingebonden toen hij dacht dat ze bij hem weg zou gaan, toen hij dacht dat ze echt hulp had gezocht en van de drank af was. Hij had vast niet begrepen dat het maar iets tijdelijks was. Ze kon wel stoppen met drinken, maar dat betekende niets als er niets aan de oorzaak werd gedaan. Ashlyn mocht dan denken dat ze dronk omdat ze niet tegen Kyle op kon, of omdat de kinderen haar te veel werden, maar ze dronk gewoon omdat ze verslaafd was en bij elk excuus weer naar de fles zou grijpen.

Als ze echt hulp wilde, kon ze die ook krijgen zonder haar kinderen in de steek te laten. Dat deden vrouwen iedere dag. Ze vochten dag in dag uit tegen hun verslaving, zonder hun kinderen, hun man of hun baan op te geven.

'Je had het recht niet om eisen aan mij te stellen en tegen me te zeggen dat ik moest besluiten of ik zou blijven of weg zou gaan, terwijl jij dat zelf niet kunt opbrengen. En het zijn jóúw kinderen.

Ik zou dolgraag willen dat ze van mij waren, maar ze zijn van jou.'

Ashlyns fijnbesneden gezicht verbleekte en haar ogen waren strak op het vloerkleed naast mijn voeten gevestigd. 'Ga je... ga je Kyle vertellen dat ik weer ben gaan drinken?' vroeg ze, bijna fluisterend. Heel even kreeg ik de neiging om mijn armen om haar heen te slaan en haar net zolang te knuffelen tot ze zich weer beter voelde, net zoals ik altijd met haar dochter deed.

'Nee,' antwoordde ik en zette mezelf schrap. Als ik niet oplette, zou ik alles wat ik net had gezegd weer ongedaan maken. 'Je moet het hem zelf vertellen.'

Ze schudde langzaam maar stellig haar hoofd. 'Dat kan ik niet.'

Ik haalde mijn schouders op. 'Dan niet. Dan vertel je het hem niet, dan kom je gewoon niet terug. Je moet het zelf weten, Ashlyn. Vergeet alleen niet dat het een bijverschijnsel van je ziekte is. Dat je altijd precies doet wat je zelf wilt, dat je altijd in de eerste plaats aan jezelf denkt en niet aan andere mensen. En als je Kyle niet iedere keer als je hem spreekt met zijn neus op de waarheid drukt, maak je de leugen alleen maar groter.'

Ik liep langzaam naar de deur en legde mijn hand op de smeedijzeren deurknop. 'En wat je ook niet moet vergeten, is dat je geen enkele garantie hebt dat Jaxon het niet aan Kyle zal vertellen. Heb je liever dat hij het van hem hoort?'

Terwijl ik over het knarsende grind terugliep, kon ik toch begrip opbrengen voor Ashlyn. Meer dan ze wist. Meer dan ik wilde. Mijn eigen verslaving voedde ik met zelfverachting.

'Oef!' zei ik terwijl ik met trillende vingers mijn gordel vastmaakte. 'Maar goed dat ik nog even ben gegaan, want ik besefte niet eens dat ik zo nodig moest. Stel je voor dat ik onderweg tot die ontdekking was gekomen.' Ik wist dat ik uit mijn nek zat te kletsen, maar ik kon er niets aan doen. Ik was nog steeds ontzet over wat ik had gedaan. Dit gezin zorgde er constant voor dat ik me gedwongen voelde om iemand de waarheid te zeggen.

Ik kon dus begrip voor Ashlyn opbrengen. Maar ik had niet gezegd dat ik om haar gaf, ik had niet gezegd dat het me pijn deed dat ze zichzelf zoveel leed berokkende, ik had niet gezegd dat ik haar een lieve meid vond; ik had gezegd dat ze absoluut hulp moest zoeken.

Dat had ik niet gezegd omdat het niet waar was. Alles wat ik haar voor de voeten had gegooid was voor Jaxon en Summer geweest. Voor die twee kleine stakkers die zich aan een volslagen vreemde hadden gehecht omdat ze hun moeder al te lang misten en niet op hun vader konden rekenen.

Arme Ashlyn. Arme, arme Ashlyn.

'Stop!' riep ik.

Kyle trapte op de rem en keek me aan. 'Wat nu weer?'

'Ik ben zo terug.'

Ik sprong uit de auto en rende terug naar het huis. Ashlyn zat op de bank naar de open haard te staren en keek om toen ik de kamer binnen kwam. Ik zag dat ze zichzelf schrap zette, omdat ze een nieuwe uitval verwachtte.

'Het spijt me,' zei ik. 'Ik meende elk woord, maar ik had het ook op een andere manier kunnen zeggen.'

Ze keek me glazig aan, alsof ze niet helemaal bij de tijd was. Ik keek haastig rond, op zoek naar de fles of de borrel, want ze zag eruit alsof ze had gedronken. Maar ik zag niets en ik rook ook geen alcohol. Ze haalde verloren haar schouders op. 'Ik zal het wel verdiend hebben,' mompelde ze.

'Ashlyn, het spijt me echt. Ik... ik had niet zo tegen je tekeer mogen gaan. Hoewel... ik had wel tegen je tekeer mogen gaan omdat je iedereen zoveel ellende hebt bezorgd, maar ik had erbij moeten zeggen dat het heel dapper van je was om weer hulp te zoeken. En dat je een goed mens bent en dat ik er bijna van overtuigd ben dat je jezelf al genoeg kwelt. Maar het komt gewoon...' Ik liep door en ging op de armleuning van de bank zitten. 'Ik hou van je kinderen. Ik ben zo ontzettend aan ze gehecht, ook al zal ik nooit jouw plaats kunnen innemen. Maar ze hebben zoveel verdriet omdat jij niet bij ze bent, en ik wil voorkomen dat ze nog meer te verduren krijgen. Je moest eens weten wat je allemaal mist... Ga mee naar huis, Ashlyn. Als je wilt, ga ik wel verhuizen, dan kun je in de flat trekken als je het niet uithoudt bij Kyle. Maar ga mee naar huis.'

Ze schudde haar hoofd. 'Dacht je nou echt dat ik niet mee zou gaan als dat kon?'

'Ik zou het niet weten.'

'Als ik mee naar huis kon gaan, zou ik het echt wel doen. Maar het gaat niet. Ik wil niet dat ze me zo zien.'

'Maar dat is verleden tijd, zo hoef je toch niet te blijven.'

'Heb jij ooit iemand je allergrootste geheim verteld?'

Ik staarde haar uitdrukkingsloos aan en dacht: *Nee, natuurlijk niet. Ik wil niet dat iemand daar ooit achter komt.*

'Ik betwijfel het. Omdat je gewoon niet wilt dat iemand je van je slechtste kant ziet. En mijn kinderen hebben mij hun hele leven lang van mijn slechtste kant gezien. Ze hebben leren leven met mijn allergrootste geheim. En dat wil ik ze niet langer aandoen.'

Ik zou haar nooit zo ver krijgen dat ze van gedachten veranderde en mee naar huis ging om weer beter te worden. 'Oké, je zult wel weten wat je doet. Maar denk eraan, jij bent het enige wat je kinderen willen. Het enige wat ze nodig hebben is dat jij hun het goede voorbeeld geeft. En tot nu toe heb je ze alleen een dronkenlap voorgeschoteld en iemand die zich ellendig voelt als ze nuchter is. Luister eens, ik kwam eigenlijk alleen maar terug om te zeggen dat het me spijt. Ik wil dat alles weer goed komt met je en het spijt me dat ik zo tegen je tekeer ben gegaan. Ik hoop dat je vindt wat je zoekt.' Voordat ik erover na kon denken, sloeg ik mijn armen om Ashlyn heen en drukte haar tegen me aan. Alleen maar om haar te laten merken dat ik toch hoopte dat alles weer in orde zou komen.

Toen ik opsprong, stond zij ook op en ze liep langzaam naar de deur terwijl ik naar de auto rende.

'Oké,' zei ik, terwijl ik voorin ging zitten. 'Ik ben zover.'

'Weet je het zeker?' vroeg Kyle. 'Ik dacht dat je zei dat je iets had vergeten.'

'Ja, om naar het toilet te gaan.'

'Maar je zei net ook dat je naar de wc was geweest.'

'O ja?'

'Ja en je zei dat je nog iets had vergeten. Ik kreeg de indruk dat je iets moest ophalen.'

'Maakt het wat uit?' vroeg ik hem. 'Zeg nou eens eerlijk, Kyle, dat maakt toch niets uit?'

Kyle keek me onderzoekend aan. Zijn donkere ogen bestudeerden mijn gezicht alsof ik onder een microscoop lag. Ik voelde de kracht gewoon uit me wegebben en ik wist dat ik zou toegeven als hij me een rechtstreekse vraag stelde. De vlammen sloegen me uit.

'Er is iets aan de hand, hè?' zei hij rustig.

'Ik heb ook iets vergeten,' zei Summer ineens. Ik ontspande op slag, toen hij zijn aandacht op haar vestigde. Kyle en ik draaiden ons tegelijk om en keken haar aan.

'Ik ook,' zei Jaxon.

'Op deze manier komen we nooit weg,' zei Kyle terwijl hij op het punt stond om zijn gordel los te maken.

'Maar ik heb het met opzet vergeten,' vervolgde Summer.

'Ik ook,' zei Jaxon.

'Ik heb Huppeltje vergeten,' zei Summer. 'Ik heb haar expres achtergelaten. Zij zal op mama passen. Ik heb papa en Jaxon en Kendie die op me passen en mama heeft niemand.' Summer knikte ons vol overtuiging toe. 'Huppeltje zal wel op mama passen. Zij kan haar knuffelen als wij dat niet kunnen.'

'Ik heb Garvo achtergelaten,' zei Jaxon. 'Hij zal ook op mama passen.'

Ik keek Kyle weer aan en onze blikken kruisten elkaar. Ik kon zijn hart bijna in zijn borst zien kloppen, even snel als het mijne. Ik had juist gehandeld, iemand moest Ashlyn met haar neus op de waarheid drukken.

In de zijspiegel zag ik haar weer opduiken. Ze zag er ineens veel brozer uit. Geschokt, zwak en bang. Heel even vroeg ik me af of dat mijn schuld was, maar nee, Ashlyns problemen waren allang begonnen voordat ik in haar leven kwam. En zelfs al een eeuwigheid voordat Kyle in haar leven kwam.

Ik hoop dat je hulp vindt, seinde ik haar zwijgend toe. *Voor je kinderen en voor jezelf.*

Ashlyn slaagde erin om nog ergens een glimlach vandaan te toveren en zwaaide. De kinderen zwaaiden door de achterruit, Kyle toeterde, stak zijn hand op en reed langzaam de met grind bestrooide oprit af.

Ik zag haar nog één keer in de zijspiegel toen Kyle aan het eind van de oprit linksaf sloeg. Ze stond op het bordes, met haar slanke armen om haar lichaam geslagen, een sok hoog opgetrokken en de ander slobberend om haar enkel. Toen zakte ze in elkaar. Ze kon kennelijk niet eens meer op haar benen blijven staan tot we uit het zicht waren. Ze zakte in elkaar en schreeuwde waarschijnlijk haar longen uit haar lijf.

Eigengemaakte muesli met yoghurt

Drieënveertig

'Ik zou Summer en Jaxon in december graag meenemen naar Londen om dit te doen,' zei ik tegen Gabrielle. 'Maar ik denk niet dat Kyle ze langer dan drie minuten uit het oog wil verliezen, laat staan een hele dag. Hij is ontzettend paranoïde geworden als het om zijn kinderen gaat. Ik kan dat wel begrijpen, maar Summer en Jaxon kijken hem alleen maar aan met zo'n "wat is er in jouw jeugd misgegaan"-blik als hij weer zo begint.'

Mijn beeldschone bazin hield zich vast aan de balustrade rond de ijsbaan en stond nog na te hijgen van de zes rondjes die ze in snel tempo had afgelegd. Haar adem kwam in witte wolkjes uit haar mond.

Ik was dol op schaatsen. Op het ijs had ik het gevoel dat ik zonder dat iemand me tegenhield de hele wereld over kon glijden. Hoewel ik eigenlijk altijd last had van evenwichtsstoornis en voor geen meter kon rolschaatsen, ging het op het ijs heel anders... De kou die in mijn gezicht sloeg, de opwinding, de vrijheid, altijd op mijn gemak, altijd kalm.

Gabrielle was er net zo dol op als ik, en om na mijn terugkeer uit Cornwall weer even 'bij te praten' had ze voorgesteld om te gaan schaatsen. Na het werk, want de baan bleef tot laat open voor ervaren schaatsers en er waren maar een paar andere mensen aanwezig. Onder leiding van een trainer hadden ze een stukje ijs afgezet om hun sprongen en hun passen te oefenen, zodat wij het andere eind van de baan praktisch voor onszelf hadden.

'Hoe is het met de verrukkelijke Kyle?' wilde Gabrielle weten.

'Paranoïde, maar voor de rest oké. Ze voelen zich allemaal prima nu ze weer samen zijn.'

'Geweldig,' zei Gabrielle. 'Ik ben ontzettend blij dat je je gezinnetje weer bij elkaar hebt.'

Ik keek haar even met opgetrokken wenkbrauwen aan, maar zei niets.

Ze duwde zich af aan de balustrade en gleed gracieus en mooi achteruit over het ijs terwijl haar lange donkere krullen om haar gezicht dansten. Toen ze aan de overkant was, bleef ze even staan voordat ze weer naar me toe kwam en vrij onbeholpen tot stilstand kwam door zich weer aan de balustrade vast te pakken, waardoor ze er bijna overheen sloeg.

'Ik weet wel dat we het verleden achter ons hebben gelaten,' zei ze terwijl ze zich oprichtte, 'maar ik wil nog één ding zeggen. Je had me echt moeten vertellen wat Janene tegen je heeft gezegd.'

'Dat kon ik niet,' zei ik alleen maar. 'Ik kon die smeerlapperij niet over mijn lippen krijgen.'

'Maar nu blijft ze ongestraft. Als wij onze mond houden over dat soort dingen, krijgt de dader nooit zijn of haar verdiende loon.'

'Ik heb mijn mond niet gehouden, ik... Nou ja, het meeste weet je inmiddels wel.'

'Je had het toch tegen me moeten zeggen. Als mensen zich zo kwetsend gedragen, al is het maar iets wat ze zeggen, dan nemen we hen in bescherming door onze mond te houden. Het is niet gemakkelijk om aan de bel te trekken, maar zal ik je eens iets vertellen? Het is een van de belangrijkste dingen die er zijn. Voor onszelf. Door te zwijgen helpen we de mensen die ons kwetsen.'

'Wat moet dit voorstellen, een soort voorlichtingsfilm van de overheid? Ik dacht dat ik de enige was die dat soort toespraken hield,' zei ik. Ze had een keer tegen me gezegd dat ik waarschijnlijk de enige persoon ter wereld was die een tweede zeepkist nodig had omdat de eerste versleten was.

Gabrielle lachte. 'Af en toe kan ik me gewoon niet inhouden.' Ze liet de balustrade los, maakte een pirouette en pakte de rand weer vast. 'Ik kan er zo ontzettend over inzitten... Je weet wel, na...' Ze zweeg even en keek me aan om te zien of ze dat woord in mijn bijzijn wel kon gebruiken. Ik snapte niet waarom ze nu ineens het gevoel had dat ze op haar woorden moest letten. 'Nadat ik was aangerand.'

Ze had voor het veiligste woord gekozen, het woord dat minder emoties opriep en niet zo rauw en gewelddadig klonk. 'Ik heb niet echt zelf aangifte hoeven te doen, maar ik heb er geen spijt van. Totaal niet. Af en toe zou ik willen dat het niet algemeen bekend was, dat ik binnen onze familie niet "degene die is... *aangerand*" zou zijn, maar ik heb er geen spijt van dat ik het doorgezet heb. Niet om wraak te nemen, maar omdat het betekent dat ik weerstand heb geboden. Weliswaar pas nadat het gebeurd was, maar toch. Daar zal ik nooit spijt van hebben.'

'Maar de mensen geloofden je. Niet iedereen heeft dat geluk.'

Gabrielles gezicht betrok. 'Maar niet iedereen geloofde me, hoor. Je zou ervan opkijken als je wist hoeveel mensen me niet geloofden en er niet aan wilden dat zo'n "fijne kerel" zoiets kon doen. Weer anderen zeiden dat ik loog en dat ik geestelijk niet in orde was. Er er waren er ook die beweerden dat ik zo gefrustreerd was dat ik niet durfde toe te geven dat het gewoon seks was geweest. Maar dat maakt niets uit. Want uiteindelijk weet hij net zo goed als ik wat er is gebeurd. En hij weet ook dat zijn poging om het stil te houden niet is gelukt, omdat ik het luidkeels rondgebazuind heb.'

'Ja, dat zal wel.'

'Het kwaad kan zich alleen maar uitzaaien als eerlijke mensen hun mond houden.'

'Dit was een mededeling van de overheid.'

'Sorry,' zei ze giechelend, waardoor ze ineens op het kleine meisje leek dat ze vroeger was geweest. 'Laten we dan maar over iets anders beginnen. Mag ik je iets vragen?'

'Ja, hoor. Maar dat betekent niet dat je ook antwoord krijgt.'

'Krijgt Kyle nu de rekening gepresenteerd voor wat een of andere klootzak je aangedaan heeft?' vroeg ze. 'Wil je hem geen kans geven omdat jou vroeger iets naars is overkomen?' Ik kon voelen dat ze me strak aankeek om mijn reactie te peilen.

Ik sloeg mijn ogen ten hemel en boog me over de balustrade zodat het bloed naar mijn hoofd steeg. Mijn blauwe muts viel niet af, maar mijn haar viel langs mijn nek omlaag. Zodra ik weer rechtop stond, voelde ik me sterk genoeg om Gabrielle recht aan te kijken. 'Zelfs als ik wist waar je het over had, zou het een niets met het ander te maken hebben. Kyle krijgt nergens de rekening van gepresenteerd, omdat Kyle alleen maar een goede vriend is. Ik wou dat dat eindelijk eens tot je doordrong.'

'Dat weet ik wel.'

'Nee, dat weet je niet, anders had je die vraag niet gesteld. Ik ben dol op Kyle, het is een fantastische vent en hij heeft een speciaal plekje in mijn hart, maar ik zie hem niet als een man. Niet op die manier. Hij is een vriend, net zoals jij mijn vriendin bent. Hij is niet... Ik hou nog steeds van Will. Daar kan ik niets aan doen. Ik weet dat het geen zin heeft, ik weet dat hij in Australië zit en dat het nergens op slaat en ik weet ook dat ik mezelf nooit zal vergeven wat de uitwerking van onze relatie was, maar ik hou van hem. En ja, iedereen vindt dat ik hem uit mijn hoofd moet zetten. Maar hoe dan? Door geen contact met hem op te nemen? Dat heb ik geprobeerd. Door niet bij hem in de buurt te blijven wonen? Veel verder weg dan naar Engeland kan niet. Door niet aan hem te denken? Dat gaat gewoon onbewust. Ineens is hij er. Ik hou van Will. En ik kan iemand anders pas een kans geven als dat voorbij is.'

Ik keek Gabrielle een beetje gegeneerd aan omdat ik zo hartstochtelijk had gereageerd. Omdat mijn gevoelens nog steeds zo sterk waren. Ik wist best dat ik nog ontzettend veel voor Will voelde, maar ik had aan niemand, mijzelf inbegrepen, durven bekennen hoe intens die gevoelens waren. Voornamelijk omdat ik gewoon bang was om aan hem te denken. Als ik dat deed, werd ik ook meteen herinnerd aan die brief en aan wat er in zou staan. Als ik aan hem dacht, moest ik ook meteen aan zijn vrouw denken, die zo wanhopig was geweest dat ze had geprobeerd zelfmoord te plegen. En daar voor zover ik wist misschien wel in geslaagd was. Als ik aan hem dacht en heel even al het andere vergat, had ik het gevoel dat er vanbinnen lichtjes werden ontstoken, waardoor ik net een kerstboom was, met brandende kaarsjes. Of de Eiffeltoren bij nacht. Als ik even aan Will kon denken zonder al die andere dingen kwam mijn hart ineens tot leven.

Toen ik uitgepraat was, zag ik dat Gabrielle even in zichzelf stond te lachen.

'Klink ik als een sukkel?' vroeg ik, terwijl het klamme zweet me uitbrak.

‘Welnee, lieverd, helemaal niet. Ik moest alleen glimlachen omdat je zijn naam noemde. Je hebt voor het eerst zijn naam genoemd, waardoor hij niet langer de getrouwde man is wiens leven jij zogenaamd hebt geruïneerd, maar gewoon een man. Hij is ineens Will, een echte man, voor wie jij iets hebt gevoeld. Dit was de eerste keer dat je jezelf dat niet kwalijk nam. Je gaf toe dat je iets voor hem voelde en je schaamde je daar niet voor.’

Ik sloeg mijn ogen neer. ‘Ja, dat zal wel.’

‘Je zult mij niet horen zeggen dat het een ideale situatie was, maar je kunt niet kiezen op wie je verliefd wordt. Als dat wel zo was, wie zou er dan nog ongetrouwd zijn? Wie zou er dan nog scheiden? Ik denk wel eens dat het maar het beste is om alles maar gewoon te ondergaan en te kijken wat er gebeurt. Of het wel of niet werkt. En gewoon verdriet te hebben als dat niet zo is en het vervolgens te verwerken.’

‘Dat zal in dit geval waarschijnlijk niet mogelijk zijn.’

‘Misschien wel, misschien niet. Heeft Will de rekening gepresenteerd gekregen voor wat een of andere klootzak je aangedaan heeft?’

‘Zelfs als ik wist waar je het over had,’ zei ik nog een keer, ‘dan zou dat op de lange duur misschien wel het geval zijn geweest. Ik weet het niet. Ik weet alleen dat ik me bijna vanaf het allereerste begin ontzettend veilig voelde bij hem. Weet je nog wat je destijds over intuïtie zei? Afgezien van mijn schuldgevoelens, is er nooit ook maar één moment geweest dat ik me bij hem niet op mijn gemak voelde. Ik was juist heel ontspannen. Heel normaal. Mijn lichaam reageerde normaal, ik had geen...’

Gabrielle legde haar hand op mijn arm toen ik stokte. ‘Ik begrijp het, lieverd,’ verzekerde ze me. ‘God, ik begrijp het zo goed.’

‘Nou,’ zei ik, ‘zullen we dan maar eens een rondje om het hardst doen, of durf je het niet tegen me op te nemen?’

‘Alsof ik daar ooit bang voor zou zijn,’ zei ze spottend. ‘Ted heeft wel de rekening moeten betalen voor wat mij is overkomen. Hij heeft het ontzettend moeilijk gehad.’ Ze ging rechtop staan, op de punten van haar schaatsen, en staarde naar de duisternis onder de stoeltjes. ‘Niet zozeer om wat ik deed, maar omdat hij zag dat ik mezelf de vernieling in hielp. Hij had me best willen helpen, maar dat kon hij niet.

Ik kon mezelf niet eens helpen, dus hoe zou hij dat kunnen? Toen stelde hij voor dat we zouden proberen om een baby te krijgen. Maar dat kon ik niet.' Ze haalde haar schouders op en keek voor de verandering naar boven. 'Ik kon gewoon geen kind op de wereld zetten na wat mij was overkomen. Ik dacht dat ik het wel zou kunnen, maar toen puntje bij paaltje kwam, kon ik het toch niet. Aanvankelijk had hij moeite om zich daarbij neer te leggen, maar dat was snel over. Hij had het echt gemeend toen hij "in voor- en tegenspoed" beloofde. Maar ik wilde niet dat hij dat offer zou brengen, Ik vroeg hem om weg te gaan en hij weigerde. Maar ik bleef het vragen, tot hij op een dag zei dat hij zou gaan, maar dan moest ik wel toekijken hoe hij zijn koffers pakte. Want als ik ook maar een moment zou twijfelen, bleef hij. Ik heb aan één stuk door gehuild toen ik zag hoe de enige man die ik sinds mijn vijfentwintigste had vertrouwd aanstalten maakte om bij me weg te gaan. Het heeft weken geduurd voordat ik het kon opbrengen om naar huis te gaan. Ik bleef gewoon op kantoor zitten janken.'

'Wanneer was dat?'

'Een paar maanden voordat jij naar Australië vertrok.'

Ik was verbijsterd. Daar had ik geen flauw idee van gehad. Ze had absoluut niet laten merken dat er zoiets belangrijks aan de hand was.

'Heeft hij een ander?'

'Nee.'

'Dus je hebt nog steeds contact met hem?'

'Ja, we houden contact.'

'Kunnen jullie dan niet weer bij elkaar komen?'

Ze keek me aan met ogen die zo hard waren als een stel saffieren en een spottende trek op haar gezicht. 'Waarom zou ik hem dat nog eens aandoen?'

'Zou je dat niet aan hem overlaten?' vroeg ik. 'Als Ted terug wil komen en jij wilt hem terughebben, waarom zou je dan dwars gaan liggen?'

Voor het eerst sinds ik haar kende, vroeg ik me af of Gabrielle geestelijk nog wel helemaal in orde was. Als Will vrijgezel was en hier woonde en me nog steeds wilde hebben, zou ik geen moment aarzelen. Geen moment. 'Jullie vliegen elkaar toch niet in de haren?' zei ik tegen Gabrielle. 'En wees nou eens eerlijk, als je ook maar een klein kansje op geluk hebt, waarom zou je dat dan niet met twee handen grijpen? Het is al moeilijk genoeg om iemand te vinden die niet alleen leuk maar ook vrij en precies oud genoeg is en die bovendien hetzelfde voor jou voelt. Waarom zou je je daar dan tegen verzetten? Ik bedoel maar, het is inmiddels drie jaar geleden en jullie zijn allebei nog steeds alleen en jullie geven nog steeds om elkaar. Denk je niet dat je daar iets uit kunt opmaken?'

'Ik weet het niet, Kennie. Zou het echt zo gemakkelijk zijn?'

'Soms wel en soms niet. En soms moet je het gewoon gemakkelijk maken. Maar dat weet je pas als je het probeert. Wat heb je per slot van rekening te verliezen?'

'Mijn laatste hoop. Zodra ik het zeker weet, is die ook vervlogen. Op deze manier kan ik nog altijd de hoop koesteren dat het misschien toch nog goed komt.'

'Met hoop schiet je niets op als je er niets mee doet. Gewoon maar passief hopen dat iets vanzelf goed zal komen, of de hoop dat iets goed komt omdat je er echt alles aan doet om het voor elkaar te krijgen, zijn twee totaal verschillende dingen.'

'Misschien heb je wel gelijk,' zei ze. 'Wat ik wel weet, is dat ik me blijf afvragen hoe het zou zijn om weer met hem getrouwd te zijn. Daarom heb ik zijn naam ook gehouden. Omdat ik dan nog steeds kon doen alsof... Misschien moet ik dat gewoon doen. Gewoon, om het zeker te weten.' Ze hield haar hoofd schuin en grinnikte me vol genegenheid toe. 'En wat moeten we dan met jou beginnen? Wat gaan we aan onze mooie Kennie doen?' Ze stak haar hand uit en streelde even over mijn haar.

Ik week abrupt achteruit, omdat ik het nooit prettig vond als iemand me aanraakte. Of het nou mannen of vrouwen waren, vrienden, familie of wildvreemden.

'Sorry, dat had ik niet mogen doen,' zei ze. 'Let maar eens goed op, dan zal ik je laten zien wat ik kan.' Ze schaatste naar het midden van de grote ijsbaan, waar ze een paar rondjes draaide voordat ze met gespreide armen opsprong, twee keer om haar as draaide en weer keurig op haar schaatsen landde. Ik applaudisseerde spontaan en hoorde boven het gekras van haar schaatsen de vraag 'Mijn laatste sprankje hoop?' door de hal galmen.

Mijn laatste sprankje hoop. Ik dacht aan de brief van Will die ik nog steeds niet had opengemaakt en het gebruikelijke gevoel van angst bleef uit, omdat ik door het gesprek met Gabrielle ineens op een ander idee was gekomen. Misschien was mijn angst om te lezen dat het te laat was geweest en dat Wills vrouw was overleden niet de enige reden waarom ik zo bang was om die brief open te maken. Het kon best dat ik hem niet had opengemaakt omdat ik dan zou weten dat alles voorbij was met de enige man met wie ik ooit zo'n sterke fysieke, emotionele en geestelijke band had gehad. En zou begrijpen dat ik de ware liefde niet alleen had gevonden, maar ook weer kwijt was geraakt.

Vierenveertig

Wills woorden stonden niet alleen in blauwe inkt op papier, maar ze zweefden door de kamer en waren zowel mijn hoofd als mijn hart binnengedrongen.

Ik had een paar keer diep moeten zuchten en het had zelfs vijf of zes vergeefse pogingen gekost voordat ik de envelop eindelijk opentrok. Daarna moest ik tien minuten bijkomen, voordat ik de twee velletjes eruit kon halen. En vervolgens had het nog twintig minuten geduurd voordat ik zijn woorden durfde te lezen.

> Alles is in orde. Ze heeft zich net op tijd bedacht. Ze besefte dat ze haar kinderen niet in de steek mocht laten en belde haar zus op. Ze hebben haar maag leeg moeten pompen, maar ze heeft er gelukkig geen leverbeschadiging aan overgehouden. Alles is in orde, ze voelt zich een stuk beter en ze gaat hulp zoeken.

Dat waren de woorden die ik keer op keer herlas terwijl de dankbaarheid als een vloedgolf door mijn aderen bruiste. Ze was in orde, ze leefde. Ik was niet gedeeltelijk verantwoordelijk voor...

Hij vertelde dat ze bij de verplichte therapiesessies die je in Australië moest volgen als je wilde scheiden tot de conclusie waren gekomen dat ze niet bij elkaar wilden blijven. Waarschijnlijk hadden ze al veel eerder uit elkaar moeten gaan, of in therapie, maar nu wilden ze hun eigen leven weer oppakken. Ze begonnen weer wat vriendschappelijker met elkaar om te gaan, maar de scheiding ging gewoon door.

De woorden die ik gewoon aan moest raken, alsof zijn gevoelens op die manier tastbaar werden, waren:

Ik hou van je, Kendie. Als ik naar Engeland kon komen, zou ik dat meteen doen, dat weet je hopelijk wel, maar ik kan mijn kinderen niet alleen laten. Zou je niet willen overwegen om terug te komen? Ik weet dat het veel gevraagd is, maar ik wil bij je zijn. Ook al duurt het nog zo lang tot deze brief je bereikt, ik weet zeker dat daar geen verandering in komt. Ik heb nu al twee jaar op je gewacht en ik denk niet dat mijn gevoelens ooit zullen veranderen. Zou je erover na willen denken? Als je bang bent dat jouw gevoelens misschien veranderen als je me beter leert kennen, kun je toch ook op vakantie komen? Gewoon voor drie maanden, dan kijken we daarna wel verder.

Hij had die brief een eeuwigheid geleden geschreven, maar ik wist dat hij elk woord zorgvuldig had afgewogen. Als hij vroeg of ik terug wilde komen, dan meende hij dat. En ik wist ook zeker dat hij in de tussentijd niet van gedachten veranderd was. Zijn gevoelens waren nog precies hetzelfde, net als bij mij het geval was. En omdat de brief al maanden oud was, zou hun scheiding inmiddels wel voor de deur staan. We konden nu bij elkaar zijn. Ik kon teruggaan naar Australië, terug naar die schaarse momenten van geluk die me ontnomen waren. Ik kon teruggaan en weer tot rust komen. En me veilig voelen. Dat was wat Will met me deed. Hij gaf me het gevoel dat ik veilig was. En normaal. Ik kon letterlijk teruggaan in de tijd. Naar een tijd waarin ik geen last had van flashbacks. Bij Will hoefde ik mezelf niet te verstoppen. Ik kon alles tegen hem zeggen, hem alles vertellen. En dat was nu allemaal binnen handbereik.

Ik pakte mijn mobiele telefoon en rekende snel uit hoe laat het daar was. Midden in de nacht. Ik wist dat hij meestal pas laat naar bed ging, maar als dat nu niet het geval was, zou hij zeker wakker worden als ik hem een sms'je stuurde.

Ik wist niet precies wat ik moest zeggen. Ik wilde hem vragen of hij nog steeds wilde dat ik terugkwam. Of hij echt dacht dat we samen een toekomst hadden. Ik wilde niet halsoverkop terugrennen en ook nog niet zeggen dat ik zou komen, maar ik moest zeker weten dat hij op me had gewacht.

Wil je nog steeds dat ik terugkom?

Ik tikte het berichtje in en verzond het voordat ik erover na kon denken. Ik ondertekende het niet, dat was niet nodig. Tenzij hij nog een andere vrouw in Engeland had die hij had gevraagd om terug te komen, en in dat geval zou hij op het vliegveld een behoorlijke schok krijgen.

TRIINNNNGGG galmde mijn telefoon hooguit dertig seconden later. Ik maakte een sprongetje van schrik. Belde hij al zo snel terug? Ik keek op het schermpje en zag Summer, Jaxon en Kyle die me toelachten.

'Hoi,' zei ik, terwijl ik me afvroeg wie van de drie het was.

'Met Kyle, Kendra.' Zijn stem klonk formeel. Er was iets aan de hand.

'Hoi,' zei ik opnieuw.

'Kun je even hier komen?'

'Hoezo? Wat is er aan de hand?' vroeg ik in paniek.

'Dat vertel ik je liever onder vier ogen. Kun je nu meteen komen?'

'Ja, hoor,' zei ik.

'Bedankt.' Hij verbrak de verbinding zonder te wachten tot ik afscheid van hem had genomen. Waar haalde hij het lef vandaan? Dat pikte ik niet.

Ik stuiterde de trap af, met de sleutels in mijn ene hand en mijn telefoon in de andere. *Hij kan me wat met zijn verrekte problemen.* Ik klopte kort op de keukendeur en stormde meteen, zonder te wachten, naar binnen.

'Verrassing!' riepen Kyle, Jaxon en Summer in koor toen ik de keuken in liep.

Mijn hart stond stil en er ging een schok door mijn lijf. Nerveuze types zoals ik zijn meestal niet dol op verrassingen. Ook al zijn ze nog zo leuk.

Ik zag dat ze alle drie met een verwachtingsvolle glimlach naar me stonden te kijken. Ze hadden groepjes rode, blauwe en groene ballonnen aan de muren opgehangen. Op de houten tafel lag een rood-wit-blauw tafelkleed en er was een slinger omheen gespannen. Midden op de tafel stond een grote – en dan bedoel ik echt een grote – taart.

Allemaal laagjes chocola afgewisseld met laagjes chocoladewafels en chocoladecrème. Met bovenop een laagje roze glazuur en een netwerk van roze en witte marshmallows. En in het midden stond een dichte bos kaarsjes, zoveel als ze erop hadden kunnen proppen, en ze brandden allemaal.

Mijn verbijsterde blik gleed van de feestelijke tafel terug naar hun gezichten.

'Eén, twee, drie...' telde Jaxon en ineens klonk hun eigen versie van 'Lang zal ze leven' door de keuken. Ze zongen heel zuiver, met Kyles warme bariton als basis voor de jonge, hoge stemmetjes, en bij elk woord sprongen de tranen me in de ogen. 'Hiep Hiep Hoera!' riepen ze aan het eind en klapten in hun handen. Met mijn hand voor de mond slikte ik de emotie weg die me een brok in de keel bezorgde.

'Maar ik ben helemaal niet jarig!' kon ik nog net uitbrengen.

'Dat weten we wel,' zei Kyle.

'Je had gezegd dat het in augustus was...' begon Jaxon.

'Maar in augustus waren wij in Cornwall,' vulde Summer aan.

'Vandaar dat we het nu vieren. Op die manier wisten we zeker dat het een verrassing zou zijn,' zei Kyle. 'Blaas nu maar eerst eens de kaarsjes op je taart uit.'

'Je had er niet meer op kunnen zetten, hè,' zei ik bij wijze van grapje.

Dit was echt fantastisch, niet alleen omdat ze al die moeite voor me hadden gedaan, maar omdat het betekende dat ze het eindelijk voor elkaar hadden en een hecht gezinnetje vormden. Ze hadden dit samen voor elkaar gekregen. Jaxon kon weer praten, omdat hij niet langer bang was dat hij met iets wat hij zei alles zou verknoeien. Summer hoefde geen driftaanvallen meer te krijgen omdat haar vader ook zonder dat genoeg aandacht voor haar kon opbrengen. Kyle was terug bij zijn gezin, Jaxon en Summer hadden weer een vader. In zekere zin had Ashlyns vertrek ervoor gezorgd dat Kyles relatie met zijn kinderen een stuk beter was geworden.

Ik liep naar de tafel en bukte me.

'Je moet een wens doen!' hielp Summer me herinneren.

Ik keek op en ving Kyles blik op. We bleven elkaar even aankijken en ik wist precies wat mijn wens zou zijn. Nadat ik met mijn ogen dicht mijn wens had gedaan, haalde ik heel diep adem en blies zo hard mogelijk, terwijl ik om de taart heen liep om ervoor te zorgen dat alle kaarsjes direct uitgingen. Deze wens móést gewoon uitkomen.

'We hebben ook cadeautjes voor je,' zei Summer, en met Jaxon op haar hielen was ze de kamer al uit voordat ik kon zeggen dat de taart meer dan genoeg was.

'Ze vindt mijn cadeautje vast veel mooier dan het jouwe!' riep Jaxon, terwijl hij zo te horen in haar kielzog naar boven rende.

'Helemaal niet!' schreeuwde Summer terug.

Ze kibbelden. Summer en Jaxon kibbelden. Het had niets om het lijf, maar een paar maanden geleden had dat nog onmogelijk geleken. Toen klampten ze zich nog wanhopig aan elkaar vast en konden alleen met behulp van de ander de beide kanten van hun persoonlijkheid laten zien. Nu ze elkaar wat vrijer lieten, hadden ze ook de ruimte gekregen om te kibbelen.

Ik trok een stoel achteruit, duwde een lange blauwe ballon opzij en ging zitten. Kyle volgde mijn voorbeeld, plofte tegenover me neer en begon nadenkend de kaarsjes van de taart te plukken. Ik kon zien dat hij me iets te vertellen had.

'Ik eh... Ashlyn heeft me gebeld,' zei hij terwijl hij met een gedraaid roze kaarsje begon te spelen. 'Ze belde mij, niet de kinderen. En ze heeft me alles verteld.' Hij keek naar me op. Hij wist kennelijk dat ik precies begreep waar hij het over had. 'Alles. Ben je daarom nog twee keer uitgestapt? Om haar zover te krijgen dat ze het toegaf?'

'Ik heb toch tegen je gezegd dat ik iets had vergeten,' zei ik.

'Oké. We hebben een hele tijd met elkaar zitten praten en besloten dat ik de voogdij over de kinderen op me neem. Ik heb al een verzoek ingediend en dat zal wel toegewezen worden, omdat Ashlyn niet van plan is om zich ertegen te verzetten. Ze accepteert nu dat ze niet in staat is om alleen voor hen te zorgen en ze wil niet dat we weer in zo'n toestand verzeild raken.'

'Wat ontzettend fijn voor je, Kyle,' zei ik.

'Eerlijk gezegd had ik niet verwacht dat ik er ook blij om zou zijn, maar beter nieuws kon ik niet krijgen. En nu kan ik ook eindelijk ophouden met me zorgen te maken over Ashlyn. Ze is in therapie. Pas toen ze het zelf tegen me zei, besefte ik dat ze eigenlijk nooit had toegegeven dat ze een probleem had. Ze ging alleen maar naar die bijeenkomsten toe omdat ik had gezegd dat ze een probleem had en niet omdat ze dat zelf inzag. Maar nu heeft ze erkend dat ze een probleem heeft en is ze hulp gaan zoeken.'

'Ze zeggen altijd dat dat de eerste stap is, dat je erkent dat je een probleem hebt waar je alleen niet uit komt.'

Hij glimlachte even. 'Dat zei ze ook tegen mij.'

'Ze mag in haar handen knijpen dat ze jou heeft, Kyle. Je zult de vrouwen de kost moeten geven die hetzelfde probleem hebben als zij en die getrouwd zijn met een lieve man die geen flauw idee heeft hoe hij die toestand moet aanpakken. Maar na een paar miskleunen wist jij toch wat je te doen stond.'

Kyle glimlachte. Hij was echt een lieve vent. Met een hart van goud.

'Ik had zelf ook een probleem, maar dat begrijp ik nu pas,' vervolgde hij. 'Ik heb haar geholpen om verslaafd te raken. Doordat ik veel te lang net heb gedaan alsof er niets aan de hand was, haar de hand boven het hoofd hield, kwaad werd als ze alles weer in het honderd liet lopen en haar stiekem verweet dat door haar mijn carrière in het slop was geraakt. Daar schoten we niets mee op. Als ik het weer over zou mogen doen, zou ik hulp zoeken. En met iemand gaan praten.'

'Dat kun je nu toch ook doen?' zei ik vriendelijk.

Hij zat nog steeds met het roze kaarsje te spelen en lachte. 'Dat doe ik toch?'

'Ik heb het over een professional,' zei ik. 'Of mensen die weten wat het is om met een alcoholist samen te leven.'

'Misschien wel. We gaan trouwens toch door met de scheiding. Omdat we vooruit willen in plaats van een stap terug te doen, snap je?'

Ik knikte.

'We zijn overeengekomen om het beschaafd te houden, maar we moeten realistisch blijven. Het is best mogelijk dat het uit de hand loopt, maar wat er ook gebeurt, we zullen de kinderen niet meer als wapens gebruiken. Veel tijd zal het wel niet kosten, er moeten alleen wat financiële dingen geregeld worden. Maar ik vind het wel een eng idee om niet meer met Ashlyn te zijn. We zijn bijna zolang als ik volwassen ben samen geweest. Ik kan me nauwelijks voorstellen dat er een ander kan komen.'

'Wie z'n cadeautje wil je het eerst openmaken?' onderbrak Summer ons gesprek toen ze samen met Jaxon de keuken weer binnenviel. Ze bleven bij de deur staan, met de handen op de rug.

'Ik hoef op mijn zogenaamde verjaardag niets te doen,' zei ik, handig de problemen ontwijkend.

'Oké, papa, zeg jij het dan maar,' zei Summer.

Kyle keek even moeilijk, maar zei toen: 'Geef jij het maar eerst, Jaxon. Aangezien Summer als eerste werd geboren, ben jij de jongste hier.'

Jaxon lachte en kwam naar me toe met zijn cadeautje dat verpakt zat in een kartonnen koker, die versierd was met tekeningetjes en 'Hartelijk gefeliciteerd, Ken' in Jaxons hanenpoten. Ik pakte de koker aan en trok er een vel glanzend papier uit, met de bouwtekeningen voor een gebouw van twee verdiepingen. Boven aan het vel stond in kleine typletters 'Kendies huis'.

'Dat is je nieuwe huis,' verduidelijkte Jaxon.

'Mijn nieuwe huis,' herhaalde ik terwijl ik de tekening zorgvuldig bestudeerde. Op de begane grond was een grote woonkamer met deuren die toegang gaven tot een keuken en daarachter een kleinere kamer voorzien van de tekst 'Kendies speciale kamer'. In het midden was een trap naar de eerste verdieping, met vier kamers. Slaapkamer 1 en een badkamer, gevolgd door 'Jaxons kamer' en 'Summers kamer'.

'Er zijn ook kamers voor mij en voor Summer voor als we bij je komen logeren,' zei Jaxon.

'O.'

'Papa heeft me geholpen het op zijn computer te maken. Hij heeft gezegd dat hij het wel voor je wil bouwen als je hem een boel hasj geeft.'

'Eh, ik denk dat ik "cash" heb gezegd,' verbeterde Kyle haastig. 'Dat is een ander woord voor contant geld.'

De brok in mijn keel werd zo groot dat ik bijna stikte. Ik kon mijn tranen bijna niet inhouden.

'Ik vind het prachtig,' zei ik tegen hem, terwijl ik met de rug van mijn hand over mijn gezicht poetste. 'En zodra ik genoeg hasj heb, zal ik aan je vader vragen om het te bouwen.'

Jaxon grinnikte verheugd. Daarna stapte Summer naar voren en gaf me haar cadeautje dat zorgvuldig was ingepakt. Omdat ik het idee had dat het iets breekbaars was, begon ik heel voorzichtig het papier te verwijderen, velletje voor velletje, tot er eindelijk een gevlochten mandje tevoorschijn kwam, ter grootte van een ontbijtbordje. Het had een terracottakleurige bodem en de randen waren rood met zwart en geel en oranje. Rond de bodem had Summer met witte verf 'voor Kendie' geschilderd, maar ze was te groot begonnen, zodat er bijna geen ruimte meer over was geweest voor de d, de i en de e. Het vlechtwerk was een beetje slordig en ongelijk.

'Dat is voor je oorbellen en die rare ringen,' legde Summer uit.

'Het is gewoon prachtig,' fluisterde ik, terwijl de emotie in me opwelde. Mijn onderlip begon te trillen en Summer was gewoon ontzet toen ze de tranen zag die uit mijn ogen biggelden. 'Je moet niet overal om huilen,' zei ze terwijl ze me op mijn hand klopte. 'Zelfs papa huilt tegenwoordig haast niet meer.'

'Pardon?' zei Kyle.

Ik beet op mijn lip om niet in lachen uit te barsten en sloeg mijn armen om hen heen. 'Dit is de fijnste verjaardag die ik in tijden heb gehad,' zei ik.

Het verjaardagsfeestje en hun cadeautjes waren om meer dan één reden fantastisch. Daaruit bleek dat ze geen buitenstaander meer nodig hadden om te zorgen dat alles in het gareel bleef. Ze voelden en gedroegen zich echt als een gezin, ze deden het zo fantastisch dat ze mij niet langer nodig hadden.

En dat betekende dat ik terug kon naar Australië als ik dat zou willen.

En precies op dat moment klonk er een pieptoontje uit mijn telefoon die ik op tafel had laten liggen. Summer en Jaxon liepen weg om hun vader te helpen bij het aansnijden van de taart en ik pakte het toestel en las het berichtje.

Natuurlijk wil ik dat je terugkomt. Ik zal je het geld voor de vlucht sturen. Ik hou van je. Will x

Zij hadden me niet meer nodig. Will daarentegen wel. Als ik dat wilde, kon ik terug naar Australië.

Water

Vijfenveertig

Ik zal dit echt missen, dacht ik terwijl ik met mijn winkelwagentje door de supermarkt liep. Ik had vandaag geen hulpjes bij me, want die hadden vannacht bij Ashlyn geslapen nadat ze de dag bij Naomi doorgebracht hadden.

Na wat Naomi hem geflikt had, vond ik het toch wel erg edelmoedig van Kyle dat hij haar dat zomaar had vergeven. Van mij had ze het heen en weer kunnen krijgen. Maar hij wilde geen ruzie binnen de familie riskeren. Hij nam het voornemen om altijd eerst aan de kinderen te denken bijzonder serieus.

Terwijl ik langs de frisdranken liep, op weg naar het mineraalwater, ging mijn telefoon. Ik viste het toestel uit mijn tas, en omdat ik het nummer niet herkende, nam ik een beetje argwanend op. 'Hallo, mevrouw Tamale, ik bel u terug over de prijzen van vluchten naar Australië,' zei de vriendelijke stem die ik aan de lijn kreeg.

'O, hallo,' zei ik. 'Ik heb even geen pen bij de hand, maar kunt u me misschien een idee geven van de prijzen?'

Ik piekerde er niet over om Will voor mijn vlucht te laten betalen en ik probeerde uit te vissen hoeveel de reis me zou kosten en hoe lang ik daarvoor zou moeten sparen. Ik kon ook niet meteen weg, want ik moest bovendien genoeg geld hebben om het daar drie maanden uit te kunnen zingen. En ik moest me langzaam losweken van de Gadsboroughs.

Misschien zou ik het geld over zes maanden al bij elkaar hebben, als ik mijn best deed om zoveel mogelijk nieuwe klanten te strikken. En nu Ashlyn weer in Londen werkte, zou ze Kyle vast weer regelmatig zien en misschien was ze over een halfjaar alweer zo ver dat ze naar huis kon.

In die tijd kon ik me langzaam maar zeker losmaken van het gezin. Ashlyn zou echt niet willen dat ik haar constant voor de voeten liep en dat zou ik ook niet prettig vinden. Wat ik mezelf ook probeerde wijs te maken, ik voelde me niet op mijn gemak als Ashlyn er was, want dan moest ik er voortdurend aan denken dat zij hun moeder was. Dat wist ik natuurlijk best, maar soms was het gemakkelijker om daar niet aan te denken en te blijven dromen. Australië zou me de kans geven om daar volledig mee te kappen. In feite zou ik er dan opnieuw naartoe gaan omdat ik geen kinderen kon krijgen, maar deze keer wist ik dat er iemand op me wachtte.

Will.

Ik moest altijd lachen als ik aan hem dacht, zeker nu ik niet bang meer hoefde te zijn voor wat er met zijn vrouw was gebeurd. Gabrielle vroeg me vaak waarom ik zat te lachen en dan gaf ik nooit antwoord, maar keek stiekem even naar de foto die ik van hem in mijn mobiel had. Dan tintelde ik gewoon van blijdschap. Er was nog nooit een man geweest die me zo'n gevoel bezorgde. Ja, natuurlijk zouden we heel verstandig zijn en geen overhaaste beslissingen nemen als ik daar eenmaal was aangekomen, maar ik kon er niets aan doen. En hij ook niet. We brachten elkaar gewoon het hoofd op hol.

'Hartelijk bedankt,' zei ik toen de dame een hele rits bedragen en vliegmaatschappijen had opgedreund. 'Ik zal erover nadenken, dan bel ik u terug.' Ik verbrak de verbinding en stopte de telefoon terug in mijn tas. Daarna ging ik weer op weg naar het mineraalwater, maar de weg werd versperd door een ander winkelwagentje, dat dwars voor het mijne werd gezet zodat ik geen stap verder kon. Ik keek op en zag Kyle. Ik grinnikte naar hem, maar het lachen verging me al snel toen ik zijn gezicht zag. Hij was kennelijk niet echt blij om me te zien, want het stond op onweer.

'Hallo, Kyle,' zei ik behoedzaam. Hij antwoordde niet en keek me alleen maar boos aan. Toen een andere man met een winkelwagentje ongeduldig begon te raken omdat hij er langs wilde, keek Kyle hem alleen maar aan. De man besloot plotseling dat hij eigenlijk de andere kant op moest en blies de aftocht. Kyle keek me opnieuw aan.

'Zo,' zei hij. 'Dus jij gaat terug naar Australië. En wanneer was je verdomme van plan om dat aan mij en de kinderen te vertellen?'

Ik had plotseling een droge mond. Het was helemaal niet de bedoeling dat hij er op deze manier achter zou komen. En zeker niet nu. Ik had het pas over een paar maanden willen vertellen, als hij en de kinderen eraan gewend waren dat ik niet constant op hun lip zat. Nu stond ik met mijn mond vol tanden.

Kyle wreef met zijn handpalmen in zijn ogen. 'Waarom?' riep hij gefrustreerd uit, met zijn blik op het plafond van de supermarkt. 'Waarom gebeurt dit nou keer op keer?'

Ik zag dat er van alle kanten mensen op ons af kwamen, dus ik liet mijn winkelwagentje staan en duwde dat van Kyle opzij terwijl ik hem meetrok. Hij rukte zich los en stapte uit eigen beweging opzij.

De eerste die langskwam en zag hoe Kyle op mijn aanwezigheid reageerde, was onze buurvrouw. Haar geteisterde wenkbrauwen schoten bijna van haar gezicht af toen ze naar Kyle keek en zijn van woede vertrokken gezicht zag. Ze liep door, maar bleef bij de frisdrank staan en tuurde naar de flessen alsof de uitslag van de staatsloterij daarop te vinden was.

Ik ging wat dichter bij Kyle staan en dempte mijn stem zodat Zij van Hiernaast het niet kon horen. 'Ik was echt niet van plan om morgen weg te gaan.'

'Waarom moet je zo nodig weg?' vroeg hij met een stem die ze in Schotland nog konden horen. 'Vertel me dat eerst maar eens. Waarom wil je weg?"

Ik keek even naar de buurvrouw, die met uitpuilende ogen de frisdrank bleef bestuderen. 'Ssstt,' zei ik. 'Praat eens wat zachter.'

'Nee,' zei Kyle met nog meer stemverheffing. 'Waarom wil je weg?'

'Ik vertel je niets als je je niet wat rustiger houdt.'

Kyle klemde zijn lippen op elkaar en knikte.

'Hoor eens, ik heb al gezegd dat ik echt niet van plan ben om morgen weg te gaan of zo. Hooguit over een paar maanden. Waar het op neerkomt, is dat jullie drieën me niet langer nodig hebben, dus ik kan best weg.'

'Wát?' schreeuwde hij bijna. Ik wierp een blik op Zij van Hiernaast (die inmiddels gewoon openlijk naar ons stond te staren) en trok mijn wenkbrauwen op bij wijze van waarschuwing. 'Ja, 't is al goed,' zei hij, weer iets rustiger. 'Maar waar heb je het in vredesnaam over?'

'Het gaat nu zo goed bij jullie, en omdat het ernaar uitziet dat jullie binnenkort Ashlyn ook weer wat vaker zullen gaan zien, zullen jullie me niet meer nodig hebben. Dus dan kan ik best weg.'

'Maar verdomme nog aan toe... Denk je soms dat je een soort Mary Poppins bent, die alleen maar binnen komt vallen om de zaken recht te zetten en er vervolgens weer vandoor te gaan? Je hóórt gewoon bij ons, Kendra, je bent een lid van ons gezin. We vinden het fijn dat je er bent.'

Dus toen moest ik het hem wel uitleggen. 'Maar... maar ik wil naar Will toe.'

Hij deed een stapje achteruit en keek me verward aan. 'Wie is Will?'

'Mijn... De...' Ik wapperde vaag met mijn handen.

'Die vent in Australië?' vroeg Kyle, die het ineens begreep. 'Maar die heb je toch in geen... wat zal het zijn... acht, negen maanden gezien? Hoe kun je dan naar hem teruggaan? Wat is er zo bijzonder aan hem?'

'Alles en niets. Het gaat niet zozeer om hem, maar om hoe ik me voel als ik bij hem ben. Als een normaal mens. Dan lijkt het bijvoorbeeld ineens niet meer zo erg dat ik geen kinderen kan krijgen. Het was al heel lang geleden dat ik me zo had gevoeld, maar dat veranderde toen ik Will had ontmoet. Met hem voel ik me net als andere mensen.'

Hij bleef me aanstaren alsof hij me binnenstebuiten wilde keren om al mijn geheimen te ontrafelen en er zo achter te komen hoe ik precies in elkaar stak.

'Waar komt al die zelfverachting vandaan?' vroeg hij rustig.

Ik had het gevoel dat ik best een beetje op Zij van Hiernaast begon te lijken toen ik mijn wenkbrauwen optrok. 'Pardon?' zei ik.

'Je hebt me een keer verteld dat je jezelf haat. Waarom?'

Ik keek even om of Zij van Hiernaast ons niet kon afluisteren, maar kennelijk had het feit dat we inmiddels fluisterden haar plezier vergald. Of misschien was ze wel naar het kantoortje van de winkelchef gehold om te vragen of hij even wilde omroepen dat het stel dat ruzie stond te maken bij de frisdranken door moest lopen of anders zo hard moest praten dat iedereen hen kon verstaan.

'Dat heb ik nooit gezegd.'

'Wel waar. Toen we naar het museum zijn geweest. Ik probeerde een foto van je te maken en je zei dat je jezelf haatte.'

'Nee, ik zei dat ik foto's van mezelf haatte.'

Hij schudde zijn hoofd. 'Toen je dat zei, wist ik meteen dat je het niet alleen over foto's had. Vertel me nou maar eens waarom je jezelf haat.'

Dus dat had hij al die tijd onthouden en hij had gewoon gewacht op een moment dat hij erover kon beginnen. 'Dat is niet zo gemakkelijk uit te leggen,' zei ik tegen Kyle, omdat ik wist dat hij nog veel nieuwsgieriger zou worden als ik probeerde om hem af te poeieren.

'Probeer het toch maar.'

'Ik zie niet in wat dat te maken heeft met het feit dat ik van plan ben om weg te gaan.'

'Je kunt mij alles vertellen.'

'Ja, dat weet ik wel,' zei ik schouderophalend, 'maar er valt niets te vertellen.'

Zijn ogen boorden zich in de mijne, terwijl hij probeerde te ontdekken of ik de waarheid sprak. Maar ik had niets te vertellen. Echt niet. Een mevrouw bleef staan en stak haar arm tussen ons door om een fles kersenlimonade te pakken. Daarna trok ze haar arm weer terug, maar Kyle bleef me strak aankijken, alsof er geen onderbreking was geweest.

'Je kunt alles aan mij kwijt,' zei hij. 'Ik zal het echt niet verder vertellen.'

'Dank je,' zei ik.

'Je weet toch ook alles van mij. Alles. Zelfs dingen die ik niet eens aan mijn vrouw heb verteld. Ik wil hetzelfde voor jou doen.'

'Ik heb je al bedankt, maar heus, Kyle, ik heb niets te vertellen.'

'Kendra, wat ik ook te horen krijg, ik zal je geloven.'

De tijd stond ineens stil. Heel even had ik weer zo'n gevoel van uittreding, zoals me de laatste tijd vaker overkwam. Toen ik Janene bedreigde, bijvoorbeeld. En toen de kinderen waren verdwenen had ik ook het gevoel gehad dat ik naar mezelf zat te kijken. En daar in dat donkere hoekje in het hotel, terwijl zíjn handen over mijn lichaam gleden. Nu stond ik opnieuw naar mezelf te kijken, daar in die helder verlichte supermarkt midden in de zaterdagse drukte. Ik zag er breekbaar uit. Ondanks het feit dat ik een fleecejack, een spijkerbroek en sportschoenen droeg en ondanks het haar dat half voor mijn gezicht hing, zag ik de haarscheurtjes op mijn lichaam. Als je me iets te hard aanstootte, zou ik aan diggelen vallen. Het kwam door die vier woordjes. Ik had nooit begrepen dat ik daar altijd op had gewacht. Ik had nooit gedacht dat die alles in me los konden maken, zelfs de permanente warboel in mijn binnenste.

Toen de tijd weer verder begon te tikken, was alles weer normaal. Ik stond niet meer naar mezelf te kijken. 'Waarom zou jij me geloven, Kyle?' vroeg ik hoofdschuddend. 'Ik geloof mezelf niet eens.'

Lucht, niets dan lucht

Zesenveertig

'Ik wil dat je hier blijft zitten terwijl je dit leest. Ik ga wel naar de slaapkamer. Ik... eh... hier.' Ik drukte Kyle de dichtgeplakte witte envelop in zijn hand zonder hem aan te kijken. Het had twee weken geduurd voordat ik de moed kon opbrengen om hem 'alles' te vertellen en uiteindelijk had ik voor de veilige weg gekozen. Plan B. Wat erop neerkwam dat ik alles laf op papier had gezet.

Kyle stak zijn hand uit om mijn gezicht aan te raken, waarschijnlijk bij wijze van geruststelling, maar ik week achteruit. Hij liet zijn hand zakken en zei alleen maar: 'Ik bel je als ik het gelezen heb.'

Ik wilde me eigenlijk verontschuldigen, zodat hij toch zijn hand tegen mijn gezicht kon leggen om me gerust te stellen, maar ik kon het niet. Nu zou alles tussen ons veranderen. Als hij wist wat er gebeurd was, zou het tussen ons nooit meer hetzelfde zijn, dat wist ik zeker. Ik sjokte naar mijn slaapkamer, waar ik even heen en weer drentelde voordat ik op het bed neerviel en naar de knoesten in de houten vloer staarde. In gedachten zag ik Kyle op de bank zitten terwijl zijn grote vingers de witte envelop open scheurden. In gedachten zag ik hoe hij de stapel witte velletjes eruit trok en begon te lezen.

Er stond geen 'lieve' boven, geen 'Kyle'. En ook geen datum, omdat ik er eeuwen over had gedaan om de brief te schrijven.

Ik zal je alles vertellen. Alles wat ertoe heeft geleid dat ik uiteindelijk ben geworden wie ik nu ben.

Ik heb er nooit met iemand over gepraat. Ik denk er zelfs zelden aan. Er is maar één andere persoon die weet wat er is gebeurd. En de kans is groot dat zijn verhaal anders is dan het mijne.

Toen ik twintig jaar was, heeft een man die ik vertrouwde zich aan me opgedrongen. Maar je moet niet denken dat ik daarop uit was. Want dat was echt niet zo.

Zevenenveertig

Ik zal je alles vertellen. Alles wat ertoe heeft geleid dat ik uiteindelijk ben geworden wie ik nu ben.

Ik heb er nooit met iemand over gepraat. Ik denk er zelfs zelden aan. Er is maar één andere persoon die weet wat er is gebeurd. En de kans is groot dat zijn verhaal anders is dan het mijne.

Toen ik twintig jaar was, heeft een man die ik vertrouwde zich aan me opgedrongen. Maar je moet niet denken dat ik daarop uit was. Want dat was echt niet zo.

Het begon 's avonds laat, op de avond dat ik naar Harrogate was gekomen voor een feestje van zijn bedrijf.

Toen we bij zijn huis aankwamen, gedroeg hij zich voorbeeldig. Hij had koffie voor me gezet en me de kamer laten zien waar ik kon slapen. Het was niet dezelfde kamer waarin ik samen met Tobey had gelogeerd, maar toch best leuk. Netjes en schoon, met een keurig opgemaakt bed en dichtgetrokken gordijnen. Hij deed de lamp op het nachtkastje aan en we zaten even op het bed te kletsen. Ik voelde me niet helemaal op mijn gemak, omdat hij niet had verteld dat al zijn huisgenoten weg waren. Maar ik prentte mezelf in dat ik me niet moest aanstellen. Dat ik het niet zo hoog in de bol moest hebben, want hij was gewoon een aardige vent, en nadat hij me tegen mijn zin had gekust, had hij niets meer geprobeerd.

Ik trok het geblokte overhemd aan dat hij me had geleend. Weliswaar ontbrak het bovenste knoopje, maar ik was er toch blij mee, want ik hield er niet van om in mijn kleren te slapen.

Ik sliep zodra mijn hoofd het kussen raakte. Dat kon ik toen nog. Als ik dat wilde, viel ik meteen in slaap.

Midden in de nacht, toen alles donker was, echt pikdonker, wilde ik op mijn zij gaan liggen, maar er lag iets zwaars op me. Ik probeerde het nog een keer, maar het gewicht werd alleen maar zwaarder. Misschien omdat ik wakker werd en me er dus meer bewust van werd. Maar het drukte me bijna plat en ik lag naar adem te snakken.

Ik deed net mijn ogen open toen hij zijn hand op mijn mond legde, waardoor ik niet meer kon praten, schreeuwen of gillen.

Eerst dacht ik nog even dat hij me plaagde, dat het een stom spelletje was om me te laten schrikken. Maar toen ik hem weg wilde duwen, kon ik mijn armen niet gebruiken. Het leek net alsof ze vastzaten, hoe wist ik niet, maar ik kon me niet bewegen. Op dat moment voelde ik de angst opwellen, een dikke, logge angst die als een vat hete teer door me heen kroop. Ik begon te worstelen om hem van me af te gooien en hem op te laten houden met wat hij wilde doen.

Ineens kneep hij met zijn ene hand mijn keel dicht, zodat ik geen lucht meer kreeg. Terwijl de angst me langzaam begon te verscheuren, centimeter voor centimeter, en alles om me heen zwart leek te worden, schoten er twee gedachten door mijn hoofd. *Hij heeft dit eerder gedaan. Hij gaat me vermoorden.*

Ik voelde zijn lippen tegen mijn oor. 'Je bent heel bijzonder voor me,' fluisterde hij. 'Hou op met je te verzetten, je bent niet zomaar iemand. Als je je niet verzet, zal ik je niet vermoorden.' Ik moest wel gehoorzamen. Als ik mijn verzet niet staakte, zou hij nog harder knijpen. Dan zou hij me...

Toen gebeurde het voor het eerst. Dat ik uit mijn lichaam trad. Als kind was ik echt een dromer. In gedachten kon ik alles doen en als ik zat te lezen ging er vaak een nieuwe wereld voor me open. Maar dit was me nooit eerder overkomen. Ik was nooit buiten mijn lichaam getreden om me ergens te verstoppen. Ik sloot mijn ogen en ging opgerold op dat donkere plekje liggen waar ik veilig was. Waar me niets kon overkomen.

Ik wist dat er van alles gebeurde, maar ik was er niet bij. Ik hoorde wat hij in mijn oor fluisterde, maar het drong niet tot me door. Zijn geur drong in mijn neus en gleed door mijn keel, maar ik was er niet bij. Ik voelde hem tegen en in mijn lichaam bewegen, maar dat was niet echt. Dat kon niet gebeuren, want ik was er niet bij om het mee te maken.

Plotseling was het voorbij en hij bleef hijgend op me liggen. Alleen zijn hijgende borst bewoog. Zijn borst en zijn zweet. Het rolde van hem af en kwam op mij terecht. Zodat ik bedekt werd met zijn geur. Zodat er nog meer van hem op me achterbleef. Ik wilde hem van me af duwen, maar ik bewoog me niet. Als ik me bewoog, zou ik toegeven dat ik daar lag en dat het echt gebeurd was.

Van de rest herinner ik me alleen flarden. Momentopnames, het geklik van de sluiter.

Klik.

Hij praatte. Hij lag naast me, leunend op zijn elleboog. 'Raak jij nooit gefrustreerd?' vroeg hij na een tijdje. 'Verlang jij nooit zo ontzettend naar iets dat je tot alles bereid bent om het te krijgen?'

Hij keek op me neer, wachtend tot ik antwoord zou geven. Ik hoorde mezelf ademen, vandaar dat ik wist dat ik nog in leven was. Ik bewoog me niet, maar lag naar de haarscheurtjes in het plafond te kijken. Ik kon me niet bewegen en ik voelde niets. Maar ik hoorde mezelf ademen. Met korte zuchtjes. Vandaar dat ik wist dat ik nog in leven was.

'Ben je nog van plan om je mond open te doen?' vroeg hij. 'Zeg iets tegen me, Kendra.' Hij stak zijn lange vingers uit naar mijn voorhoofd, om een paar haartjes weg te strijken misschien, of om mijn voorhoofd te strelen, of gewoon alleen om me aan te raken. Ik kromp in elkaar. Uit angst. Omdat ik bang was dat hij me pijn zou doen. Opnieuw.

'Ik zal je heus niets doen,' zei hij, geschrokken van mijn reactie, maar hij raakte me niet aan. 'Ik zal je nooit pijn doen. Kendra, je betekent zoveel voor me. Ik zou je nooit pijn willen doen. Ik dacht dat jij er zin in had.'

Hij had net gezegd dat hij tot alles bereid was als hij iets wilde en nu zei hij dat ik het wilde. Wie sprak de waarheid? Hij of ik?

Klik.

'Waar het om gaat, Kendra, is dat ik precies weet hoe je bent. Hoe je echt bent. Dat had ik meteen door,' zei hij. 'Ik dacht dat jij er zin in had.'

Ik had hem van me af geduwd toen hij me kuste. En nu had ik geprobeerd om hem aan zijn verstand te brengen dat ik dit niet wilde. Ik had geprobeerd mijn hoofd te schudden. Ik zou nee hebben gezegd als ik adem had kunnen halen. Maar toch dacht hij dat ik er zin in had. *Waarom? Hoe kon hij dat denken?*

'Hé, zullen we morgen gezellig in de stad gaan lunchen? Volgens mij is het markt. Daar kun je mooie dingen kopen, dat vind je vast wel leuk.'

Hij deed net alsof er niets aan de hand was. Had ik me alles verbeeld? Had ik me vergist? Had hij echt gezegd dat hij me zou vermoorden? Als hij zo gewoon kon liggen kletsen, had ik me misschien toch vergist.

'Denk er maar over na, goed? Je kunt toch wel een paar colleges missen? Dan breng ik je 's middags naar huis.' Hij probeerde niet opnieuw om me aan te raken. 'Goed, ik ga nu nog een paar uurtjes maffen. Welterusten.' Hij draaide zich om en lag binnen een paar minuten al diep en rustig te ademen, vast in slaap. Toen bewoog ik me wel. Langzaam en heel voorzichtig draaide ik me om en schoof bij hem weg. Ik moest heel voorzichtig zijn, want ik wilde niet dat hij weer wakker zou worden. En me zou aanraken. Of tegen me praten. Als ik had gekund, was ik opgestaan en had me aangekleed om naar huis te gaan. Maar ik wist niet hoe ik daarvandaan bij het station kon komen. Ik wist niet eens of ik wel op mijn benen kon staan. En het was nog steeds donker buiten.

Klik.

Ik kon hem ruiken. Zijn geur kleefde aan me. De hele kamer rook naar hem. Stonk naar hem. Naar wat hij had gedaan.

Klik.

Ik had pijn. Heel diep vanbinnen. Niet alleen op de plek waar hij me pijn had gedaan, maar in mijn keel. Die had hij weliswaar dichtgedrukt, maar de pijn zat dieper. Midden in mijn keel, precies in het midden. Alsof iemand een stuk van mijn ziel weggehakt had, zodat er een diepe wond achter was gebleven die nooit zou helen. Ik zou hier nooit over kunnen praten. De pijn zat veel te diep. Ik zou het wel weg willen wrijven, maar ik kon er niet bij. Het was ook niet mijn lichaam, het was mijn wezen dat gewond was. Alles wat en wie ik was. Ik voelde de angst en de afschuw door mijn lichaam gutsen, regelrecht naar dat gat waar ik niet bij kon en dat ik niet kon vullen.

Klik.

'Wil jij eerst onder de douche?' vroeg hij.

Ik schrok gewoon van zijn stem. Ik had geen oog dichtgedaan. Ik had alleen naar de duisternis achter de gordijnen gekeken, wachtend tot de zon op zou komen. De uren kropen voorbij en het wilde maar niet lichter worden.

Ik knikte.

'Mooi, dan zet ik vast water op.' Hij sprong uit bed en draafde de kamer uit.

Ik stapte langzaam uit bed, pakte mijn spijkerbroek, mijn T-shirt, mijn trui en mijn jasje en sloop naar de badkamer.

Klik.

Ik liet het water over me heen lopen, maar ik wilde mijn lichaam niet aanraken.

Klik.

Hij had het bed verschoond en opnieuw opgemaakt. Het laken lag als een uit de krachten gegroeid schuimpje in de hoek van de kamer. Hij had de gordijnen opengetrokken, zodat het licht in de kamer viel.

Klik.

Ik vouwde zijn overhemd waar nu alle knoopjes aan ontbraken netjes op en legde het op het laken.

Klik.

De stilte weergalmde door het huis. De leegheid. Wat zich daar had afgespeeld.

Klik.

De douche ging aan toen ik naar beneden liep om op hem te wachten.

Klik.

'Heb je goed geslapen?' vroeg hij, terwijl hij naar de waterkoker liep. Ik bleef strak naar de tafel kijken en volgde de dunne lijntjes van de nerven in het hout. Alsof ik door een doolhof wandelde, zo concentreerde ik me op de dunne lijntjes tot ze eindigden en zocht dan weer andere. 'Ik heb als een blok geslapen. Ik wist niet dat Heidi zo'n lekker bed had. De mazzelkont.' Hij pakte twee mokken uit de kast. Zou Heidi het erg vinden dat ik in haar bed had geslapen? Zou ze raden wat zich in dat bed had afgespeeld? 'En weet je al of je wilt gaan lunchen?'

Hij stond me afwachtend aan te kijken. Ik hoorde de klik toen de waterkoker afsloeg en het bleef stil in de keuken terwijl hij wachtte tot ik mijn mond open zou doen.

'Ik...' Dit was de eerste keer sinds middernacht dat ik mijn stem gebruikte en het deed ontzettend pijn om door die gekneusde keel en dat gat in mijn ziel te praten. 'Ik moet naar huis,' zei ik.

'O,' zei hij verbaasd. Echt verbaasd. Alsof hij had verwacht dat ik zou blijven. Misschien had hij toch niet geprobeerd om me te vermoorden. Misschien waren die anderen wel gebleven. Misschien dacht hij echt dat hij niets had misdaan. Of begon ik nu gek te worden? 'Weet je het zeker?' vroeg hij.

Ik knikte. Kort.

'Oké, dan rijd ik je zo naar het station.' Hij zette een kop koffie voor me. Met melk en één klontje.

'Dank je wel,' zei ik automatisch. Want dat hoor je te zeggen als iemand je iets geeft. Dank je wel.

Klik.

Ik dronk de koffie niet op. Gewoon omdat ik niet van koffie houd. En op dat moment leek het heel belangrijk om iets wat ik niet fijn vond niet te doen. Het was de enige manier waarop ik mijn eigen wil kon volgen.

Ondertussen begon ik misselijk te worden. Alles deed me pijn. Vanbuiten en vanbinnen. Mijn hoofd. Mijn borst. Ik wilde hier weg.

Ik wist dat hij naar me zat te kijken en ik bleef met gebogen hoofd naar de koffie kijken om te voorkomen dat ik zou zien wat hij echt dacht. Als ik triomf zou zien, als hij tevreden zou kijken omdat hij zijn zin had gekregen, dan bleef ik er misschien wel in. En als ik niets bijzonders zag als ik hem aankeek, als ik besefte dat het voor hem een gewone ochtend van een gewone dag was, dan zou ik er zéker in blijven. Dan werd ik gek en zou ik ter plekke doodvallen.

Klik.

Hij stond veel te dicht bij me toen ik een kaartje kocht voor de terugreis naar Leeds. Ik had pijn in mijn mond. Ik had zonder het te beseffen mijn tanden zo vast op elkaar geklemd dat mijn kaken er nu pijn van deden.

Ik bedankte hem voor de uitnodiging voor het feestje, voor de slaapplaats en voor de lift naar het station. Ik was beleefd, want ik was netjes opgevoed. Hij knikte en bukte zich om me een kus op mijn mond te geven, maar ik kon mijn hoofd nog net wegtrekken en sprong achteruit. Op zijn gezicht verscheen een mengeling van woede, verwarring en ergernis. En ik wist ineens zeker dat het echt was gebeurd. Dat had de instinctieve reactie van mijn lichaam me verteld. Ik stond niet op het punt om krankzinnig te worden, dit was geen gewone dag, hij had me kwaad gedaan. 'Ik bel je nog wel,' zei hij toen ik me omdraaide. Dat heeft hij trouwens nooit gedaan. Maar tot ik uiteindelijk verhuisde, bleef ik doodsbang dat hij dat wel zou doen.

Klik.

Het landschap vloog langs het treinraampje voorbij, een waas van groen en huizen. Een serie vage vlekken die ervoor zorgden dat de nacht steeds verder weg leek.

Klik.

Ik verloor mijn kalmte pas toen de voordeur achter me dichtviel. Er was niemand thuis en ik holde meteen naar de badkamer. Ik smeet mijn tas neer en rukte mijn kleren uit. Ik wilde ze niet langer voelen, ik wilde niets meer voelen. Het was een studentenhuis, er was alleen maar een bad, en het duurde eeuwen voordat het vol was. Maar toen er genoeg water in zat, stapte ik erin en wreef me in met het witte blokje zeep. Met de zeep, maar niet met mijn handen. Ik walgde van mijn eigen huid.

Klik.

Toen het na een paar minuten nog niet hielp en ik hem nog steeds kon ruiken en nog steeds tegen en in me voelde, liet ik de zeep vallen en bleef ineengedoken in bad zitten. Ik huilde niet. Ik zat voorovergebogen, met mijn gebalde vuist zo ver mogelijk in mijn mond gestopt, zodat ik kon gillen zonder dat iemand me hoorde. Zonder dat ik mezelf kon horen.

Klik.

We zaten in de kroeg. Iedereen zat te praten en te lachen en gekheid te maken. De wereld was niet vergaan. Ik weet niet waarom ik dat verwacht had, maar het was niet gebeurd. Waarom ook? En terwijl ik ondanks alles zat te lachen om Meg en Elouise die in topvorm waren, kon ik het even vergeten. Ik dacht ook niet aan de spijkerbroek, het T-shirt, de beha, het broekje, de trui en het grijswitte jasje die ergens onder in mijn kast in een plastic zak lagen te wachten tot volgende week het vuil werd opgehaald. Ik dacht niet aan de inwendige kneuzing die het me moeilijk maakte om te slikken en ik dacht niet aan de pijn die door mijn onderlichaam golfde. Ik dacht niet aan de behoefte om op te springen en het uit te schreeuwen.

Klik.

Voor het eerst van mijn leven bad ik dat ik ongesteld zou worden, dat ik niet zwanger zou zijn. Dat ik die keus niet zou hoeven te maken. Ik besefte destijds nog niet dat die nacht ervoor had gezorgd dat ik nooit zwanger zou worden.

Klik.

De verpleegkundige die me bloed afnam voor de aidstest had een vriendelijk gezicht en koude handen. Ze was ongeveer even oud als mijn moeder, maar blank en met kort bruin haar. Ze was heel voorzichtig toen ze de naald in mijn arm stak en vroeg waarom ik zoveel kleren aanhad, terwijl het toch zomer was. Toen ik haar vertelde dat ik het altijd koud had, leek ze niet overtuigd. 'Als je ooit wilt praten, kom je maar langs. Ik ben hier altijd tijdens praktijkuren,' zei ze. 'Maak maar gewoon een afspraak.' Ik bedankte haar en maakte aanstalten om te vertrekken. Bij de deur hield ze me nog even tegen. 'Als je niet met mij wilt praten, Kendra, zoek dan iemand anders. Een vriend, een familielid, het maakt niet uit wie. Of je belt een hulplijn. Maar je moet erover praten. Dat is heel belangrijk.'

'Maar dat is het juist,' zei ik schouderophalend. 'Ik heb niets te vertellen.'

Ik kan geen woorden vinden om dit te beschrijven, dus heb ik niets te vertellen.

Klik.

Er waren dagen dat ik mezelf wijsmaakte dat het gewoon seks was geweest. Dat ik geluk had gehad met Tobey, omdat hij een man was die me respecteerde en van me hield en me behandelde alsof ik ook een mens was. Deze keer was het gewoon anders geweest. Alleen seks. Maar zelfs als ik mezelf dat inprentte, wist ik al dat het niets met seks te maken had. Het ging om geweld. Om haat. De woede die hij in en op me had achtergelaten. Maar meestal dacht ik er helemaal niet aan. En zelfs dan wist ik nog dat hij me besmet had met zijn woede.

Klik.

Studeren werd een probleem. Uitgaan werd een probleem. Iedereen begon zich zorgen over me te maken. Mijn cijfers kelderden. Ik ging naar de dokter, die zei dat ik aan een depressie leed. En dat ik minder moest drinken en meer fruit en groente moest eten. 'En je mag ook wel eens iets aan je conditie doen, jongedame,' zei hij. Als je er beter uitziet, ga je je vanzelf beter voelen.' *Hoezo, er beter uitzien,* had ik tegen hem willen zeggen. *Ik heb geen flauw idee hoe ik eruitzie, want ik heb al in geen maanden in de spiegel gekeken. Ik word misselijk van mezelf. Omdat de woorden 'stom' en 'slachtoffer' gewoon op mijn gezicht geplakt staan.* Maar ik onderdrukte mijn gevoelens en slaagde erin iedereen een rad voor de ogen te draaien. Ik zou eigenlijk een Oscar moeten krijgen omdat ik afstudeerde met hoge cijfers en iedereen had wijsgemaakt dat er niets met me aan de hand was.

Klik.

Kort erna kreeg ik last van flashbacks. Dan komt alles weer terug en ik voel het overal. Zijn stem klinkt in mijn hoofd, zijn lichaam drukt tegen het mijne en de angst zit in mijn hart. Het overkomt me nog steeds, maar ik weet inmiddels dat ik het tegen kan houden door in beweging te komen of me te concentreren op iets in het heden. Ik denk – ik hoop – dat het in de toekomst overgaat.

Klik.

Ik ben wel met andere mannen naar bed geweest. Vijf jaar later voor het eerst, en hij was niets bijzonders, net als alle mannen met wie ik daarna uit ben geweest. Ik wilde nooit thuisblijven en ik zorgde er ook altijd voor dat ze wisten dat ik niet wilde blijven slapen. Ik ging altijd naar huis. In die tijd heb ik ook mijn rijbewijs gehaald, zodat ik niet hoefde te drinken en altijd naar huis kon. Als we met elkaar naar bed waren geweest, herinnerde ik me daar niets van. Ik deed net alsof ik het leuk vond, maar ik zette altijd een knopje om, zodat mijn geest niet wist wat mijn lichaam deed.

Bij Will was dat heel anders. Ik vond hem leuk. Hij sprak mijn geest en mijn lichaam aan. Ik wilde hem kussen en ik wilde dat hij mij zou kussen. Ik wilde dat hij me zou aanraken en ik wilde met hem vrijen. En met hem naar bed. Sinds mijn twintigste had ik niet meer dat soort gevoelens voor een man gehad. Sinds die nacht wist ik niet meer of ik dat ook wel zou willen. Maar dat mag je niet hardop zeggen, hè? Je kunt niet zeggen dat je weet dat die getrouwde man heel speciaal is en dat je iets voor hem voelt, omdat je de afgelopen twaalf jaar niet meer door een man bent gekust zonder al je gevoelens uit te schakelen en net te doen alsof je het leuk vindt. En dat je weet dat je van hem houdt, omdat je met je hele wezen naar hem verlangt.

Klik.

Af en toe belde ik een hulplijn, zonder ook maar een woord te zeggen. Alleen maar om te weten dat er iemand naar me luisterde. Zodat ik niet de verkeerde kant op zou gaan. Want dat wilde ik niet.

Klik.

Je hebt me gevraagd waarom ik mezelf haat en toen heb ik gezegd dat ik dat niet goed kon uitleggen. Soms zeg ik het hardop: 'Ik haat mezelf'. Ik haatte mijn lichaam, niet omdat het te dik of te mager was of omdat bepaalde kleren me niet stonden, maar omdat iets dat altijd van mij was geweest, iets dat zo kostbaar was – mijn lichaam – door iemand anders was misbruikt. Hij had zich er meester van gemaakt zonder dat ik daar iets tegen kon doen. Gedurende die minuten was het mijn lichaam niet meer en dat haatte ik. En ik haatte mezelf omdat ik had kunnen weten dat hij gevaarlijk was. Ik had het gevoel dat ik gewoon de trein naar huis had moeten nemen. En dat ik een stoel onder de deurkruk had moeten zetten omdat de deur niet op slot kon en we alleen in huis waren. En dat ik iemand die gewoon toekeek hoe anderen stiekem een borrel in mijn biertje gooiden nooit had mogen vertrouwen. Maar ik had al die gevoelens genegeerd. Alleen maar omdat ik niet onbeleefd wilde zijn. Ik vond wat anderen van mij dachten belangrijker dan mijn eigen veiligheid.

Tegenwoordig haat ik mezelf nog maar af en toe. En ik zeg nooit meer hardop dat ik mezelf haat. Dat soort gevoelens komen alleen in me op als ik herinnerd word aan de twee grote fouten die ik heb gemaakt. De tweede fout was dat ik niet sneller hulp heb gezocht, want als ik dat had gedaan, zou de ziekte waarmee hij me heeft besmet niet zo lang doorgewoekerd hebben en dan had ik misschien wel kinderen kunnen krijgen.

Maar zo erg is dat ook weer niet. Af en toe heb ik het nog een beetje moeilijk, als ik door iets of iemand herinnerd wordt aan wat er toen is gebeurd, maar over het algemeen gaat het best goed met me.

En dat was het dan. Het hele verhaal.

Kendra

Achtenveertig

Ongeveer negenenveertig minuten en zesenveertig seconden later besloot ik dat Kyle tijd genoeg had gehad en liep naar de deur van mijn slaapkamer.

Hij had het inmiddels wel drie keer kunnen lezen. Maar nu hij de waarheid wist, wilde hij me kennelijk niet meer onder ogen komen. En misschien vond hij nu ook dat hij wel een beetje overhaast was geweest met de belofte dat hij me zou geloven.

Ik bleef in de deuropening staan en keek naar hem. Hij zat voorovergebogen met zijn gezicht in zijn handen te snikken. Ik had Kyle nog nooit zo zien huilen, hij zat gewoon hardop te snikken. Eigenlijk wilde ik het liefst naar hem toe lopen om mijn armen om hem heen te slaan en te zeggen dat het allemaal wel weer goed zou komen.

Ik verstijfde toen hij met zijn handpalmen in zijn ogen wreef en langzaam, alsof hij de hele wereld op zijn schouders torste, opstond en zich omdraaide naar de deur. Hij bleef staan toen hij mij zag. Zijn gezicht was vlekkerig, zijn ogen waren rood en het puntje van zijn neus was ook wat rozer geworden.

'Ik... eh...' zei hij, terwijl hij zijn neus afveegde aan zijn mouw. 'Ik wilde net wat water over mijn gezicht plenzen voordat ik naar je toe kwam.'

Ik zei niets, maar liep de kamer in om de afstand tussen ons wat groter te maken. Ik had het gevoel dat ik voor een vuurpeloton stond. En ik kon me niet meer wapenen, want nu was er iemand die alles wist.

'Ik heb het gelezen,' zei hij.

'Dan weet je het nu.'

Hij knikte. 'En ik geloof je. En het idee dat je dat allemaal in je eentje hebt moeten verwerken... Als je toch eens wist hoeveel ik om je geef...'

'Alsjeblieft, Kyle, je hoeft helemaal geen medelijden met me te hebben.'

'Nee,' zei hij, 'je hebt meer behoefte aan mijn vriendschap en aan begrip en steun.'

Maar ik heb me best kunnen redden toen het nog een geheim was. 'Ik wil dat je me alleen laat.'

'Je hoeft niet te proberen je nu nog voor me af te sluiten, Kendra, dat lukt je toch niet meer. Je bent mijn beste vriend.'

'Ik wil alleen zijn. Ga nu maar.'

'Ik laat je niet alleen. Nu niet en nooit niet.'

'O, geweldig. Alweer een man die mij zijn wil probeert op te leggen.'

Kyle keek me stomverbaasd aan en zijn vlekkerige gezicht zag er even uit alsof hij weer in tranen uit zou barsten. Toen wist ik dat hij weg zou gaan. Omdat hij eindelijk besefte dat ik ook nog eens niet goed wijs was. Op de koop toe. Hij zweeg even en zei toen: 'Zeg nu eens hardop tegen me wat er met je gebeurd is. Dat heb je nog nooit gedaan en we weten allebei dat je iets eerst moet erkennen voordat je er echt iets aan kunt doen. Vertel me maar wat er met je gebeurd is.'

Ik schudde ongelovig mijn hoofd en wendde mijn gezicht af.

'Zeg het nou maar,' hield hij vol.

Ik klikte met mijn tong en keek hem aan. 'Dat heb ik al gedaan. Of raak je hier soms opgewonden van?'

Kyle kreeg een harde trek op zijn gezicht, maar hij bleef me strak aankijken. 'Vertel me nu maar wat er met je is gebeurd.'

'Dat heb ik al gedaan.'

'Zeg nu eens hardop wat je is overkomen.'

'Waarom doe je me dit aan?'

'Vertel me wat er met je is gebeurd.'

Ik woelde met mijn handen door mijn haar. Ik wist wat Kyle van me wilde. Wat ik van hem moest zeggen. En dat kon ik niet. Ik kon het gewoon niet. Als ik dat deed, zou ik een slachtoffer worden. In zijn ogen en in mijn eigen ogen. Dan zou ik het enige wat ik nog over had – mijn eigenwaarde – ook kwijt zijn. En daar piekerde ik niet over.

'Vertel me wat er met je is gebeurd.'

'Dat kan ik niet.'

Kyle kwam naar me toe. 'Jawel, lieverd, dat kun je wel.' Nu hij zo dichtbij stond, kon ik zien dat hij tranen in zijn ogen had. Dit deed hem ook verdriet, omdat hij me geloofde. Hij was de eerste persoon die geen moment aan me twijfelde. Terwijl ik me af en toe zelf afvroeg of het wel waar was. Af en toe dacht ik nog steeds dat ik alles verkeerd had begrepen. Maar Kyle geloofde me. Diep vanbinnen geloofde ik het ook. Maar nu moest ik het nog toegeven. Ik voelde mijn weerstand wegebben.

'Vertel me maar wat er met je is gebeurd,' zei Kyle zacht.

'Ik ben verkracht.'

De hele mikmak

Negenenveertig

Waar je voor moet zorgen, is dat het iedere dag een beetje beter met je gaat. Stapje voor stapje. Als je probeert het allemaal in één keer te doen, lukt het niet. Dan krijg je een terugslag en ga je jezelf haten. Als je voorgoed wilt veranderen, zul je het langzaam aan moeten doen.

En langzaam maar zeker begon het steeds beter met me te gaan.

Ik had niet eens geweten hoe ziek ik was, hoeveel verdriet ik had, tot ik bereid was om iemand mijn wonden te tonen. Meer dan één persoon zelfs. Kyle was de eerste, Gabrielle de tweede en Will de derde. En ze geloofden me allemaal.

Het lijkt een beetje dom dat ik echt dacht dat ze me niet zouden geloven. Maar ik ben er al die jaren van overtuigd geweest dat niemand me zou geloven. Vooral omdat hij geen vreemde was, die me op straat had besprongen. Hij had geen mes en geen pistool. Ik kende hem. Hij was een vriend. Ik had me zelfs een keer door hem laten kussen en mensen hadden ons regelmatig samen gezien. Hoe kon ik er dan zeker van zijn dat iedereen zou geloven dat dit tegen mijn zin was gebeurd? Hoe kon ik er zeker van zijn dat iemand hem tot zoiets in staat achtte? Dat waren maar twee van de redenen waarom ik mijn mond hield. Waarom ik niemand vertelde wat hij me had aangedaan. Maar nu had ik ontdekt dat ik wel werd geloofd. En dat was een bevrijding.

Aanvankelijk behandelden de anderen me anders en deden ze alsof ik een porseleinen poppetje was dat tegen al het kwaad in de wereld beschermd moest worden. Dat gebeurde puur uit liefde en ik werd er stapelgek van.

Kyle bleef maar vragen hoe ik me voelde, Gabrielle belde me op de raarste tijden op om even te kletsen en Will riep voortdurend dat hij van zijn vakantiegeld twee weken naar Engeland zou komen om bij me te zijn. En ik wilde helemaal niet dat ze deden alsof er iets veranderd was. Ik was nog steeds dezelfde, ze hadden alleen een andere kant van me leren kennen.

Het waren vooral Summer en Jaxon die me in het begin hielpen om de waarheid te accepteren. De kinderen wisten niet dat ik zo'n traumatische ervaring had gehad en ik waag het te betwijfelen of ze me anders hadden behandeld als ze het wel hadden geweten. Ze zouden nog steeds hebben gezeurd omdat ik niet naar bepaalde hamburgerrestaurants wilde, ze zouden nog steeds hebben geprobeerd om nog een paar minuutjes te rekken voordat ze naar bed moesten, ze zouden me recht in mijn gezicht hebben gezegd dat het wel erg dom van me was dat ik niet meteen had begrepen dat Garvo Twee helemaal geen hond was maar een kangoeroe en ze hadden me vast gevraagd waarom ik in lachen was uitgebarsten toen de wolf aan het eind van Roodkapje niet gedood werd, maar gedragstherapie kreeg.

Zo waren mijn twee aangenomen kinderen nu eenmaal. Ze waren recht door zee en wilden alleen maar dat ik mezelf was.

En ik ergerde me ook alleen aan de anderen omdat ik nog steeds met mezelf in het reine moest komen. Ik moest nog steeds leren accepteren wat die drie woordjes inhielden. Dat wist ik natuurlijk wel, maar pas toen ik ze hardop had gezegd, kon ik aanvaarden dat ze ook op mij sloegen. Ik hoefde niet langer te doen alsof er niets gebeurd was, terwijl ik er tegelijkertijd zo onder leed. Als er iemand was die ik geen rad voor ogen hoefde te draaien, dan was ik dat zelf wel. Ik moest accepteren wat er met me was gebeurd. Ik was verkracht.

Pas toen ik dat durfde toe te geven, kon ik erkennen dat ik al die jaren geleden niet bij machte was geweest om er iets aan te doen. Maar ik had wel iets kunnen doen aan de manier waarop ik erop had gereageerd. Aan de manier waarop het mijn leven was gaan beheersen. Aan het feit dat het alles beïnvloedde wat ik deed.

Ik ging de confrontatie aan met mijn verdriet en probeerde het te overwinnen. Maar gemakkelijk was het niet. Ik ging naar Gabrielles kraker toe, ik ging in therapie, ik zat uren voor me uit te staren en ik kroop onder de dekens om me voor alles en iedereen te verstoppen.

Maar het was de moeite waard. Ik wist dat het normaal was. Ik wist dat ik niet de enige ter wereld was die zich zo voelde. Ik was normaal. Iemand had me kwaad gedaan, maar ik was nog steeds normaal. Dat was het grootste voordeel dat het vertellen van mijn geheim me opgeleverd had. Dat ik had ontdekt dat ik normaal was. En niet alleen.

Will en ik telefoneerden of e-mailden elkaar iedere dag. Ik miste hem, maar hij kon niet naar Engeland komen vanwege zijn kinderen en ik had nog niet genoeg geld om naar Australië te gaan. Maar dat betekende nog niet dat we dit niet konden blijven doen tot we eruit waren wanneer we nou precies bij elkaar zouden komen of tot we er genoeg van hadden, een van tweeën. Hij vertelde me iedere dag dat hij van me hield. Ik was nog wat ingetogen, maar ik had hem zo'n groot geheim verteld dat hij wel wist hoe ik me voelde. We waren inmiddels allebei vrij, hij was weer vrijgezel en ik had mezelf bevrijd van een enorme last. Nu moesten we alleen nog een manier vinden om bij elkaar te komen, en als je naging wat we allemaal overwonnen hadden, leek dat niet eens zo'n groot probleem.

Mijn relatie met Gabrielle was opener geworden. Ze was in tranen uitgebarsten toen ik het haar vertelde en had gezegd dat ik altijd met haar kon praten. Maar we hadden het nooit over onze ervaringen. Helemaal nooit. We bleven gewoon vriendinnen en collega's en het was in ieder geval een geruststellende gedachte dat iemand mij net zo goed kende als ik haar.

En de band tussen Kyle en mij werd nog sterker. We gingen vaak samen lunchen op de dagen dat ik de kinderen niet op hoefde te halen, we zaten vaak tot diep in de nacht met elkaar te kletsen en we maakten plannen voor uitstapjes met de kinderen. Ik was de afgelopen jaren te argwanend geweest om vrienden te hebben – ik vertrouwde geen mens – en nu woonde mijn beste vriend aan de andere kant van de tuin. Bovendien had ik nog mijn vriendin Gabrielle en Will, mijn latrelatie. Maar omdat hij de eerste was die me zover kreeg dat ik mezelf blootgaf en de eerste die me zonder meer geloofde, werd Kyle de beste vriend die ik ooit had gehad.

Geroosterde bagels met kwark

Vijftig

Ik was een aan drank verslaafde moeder. Als ik daaraan denk, stik ik bijna. Dan krijg ik geen lucht meer.

Wat ik mijn kinderen allemaal heb aangedaan. Hoe vaak ik niet dronken achter het stuur heb gezeten. Hoe vaak ik niet tegen hen tekeer ben gegaan omdat ik een kater had. Hoe vaak ik ze misschien wel verdriet heb gedaan, omdat ik een black-out kreeg. En ik heb van mijn ex-man gehoord hoe gemeen ik dan werd. Ik kan me van al die dingen niets herinneren, maar zij wel. Ik heb me verschrikkelijk gedragen tegenover mijn kinderen. En tegenover mijn gezin. En tegenover de persoon die ik werkelijk ben.

Pas nadat ik mijn kinderen had ontvoerd – ja, dat heb ik echt gedaan – en weer begon te drinken, drong het tot me door wie ik werkelijk was. Wat ik was. Pas toen heb ik het hoofd in de schoot gelegd en de waarheid geaccepteerd. Ik verzette me niet langer tegen de waarheid, ik verstopte me er niet meer voor en ik ben weer hiernaartoe gekomen.

Ik had het eindelijk begrepen. Voor het eerst was het tot me doorgedrongen dat ik geen weerstand kan bieden aan alcohol. Ik ben echt een alcoholist. Net als jullie. Aanvankelijk dacht ik dat daar niets van klopte. Ik hield wel van een borreltje, maar zo erg was het niet met me. Maar dat was het wel. Ik was wel degelijk een alcoholist. En dat ben ik nog.

Als ik had gedronken, was ik geestig en knap en kon ik met iedereen praten. En ik dacht dat ik alles aankon. Maar dat was helemaal niet waar. Als ik dronk, was alles altijd de schuld van andere mensen. Als mijn man maar vaker tegen me zou zeggen dat hij van me hield, zou ik geen drank nodig hebben om mijn zelfvertrouwen op te vijzelen. Als mijn moeder maar niet zo zeurde, zou ik me geen moed hoeven in te drinken voordat ik met haar kon praten. Als mijn kinderen maar niet zo druk waren, dan zou ik geen drank nodig hebben om ze bij te kunnen houden. Als de mensen voor wie ik werkte maar niet zo veeleisend waren, dan zou ik mijn projecten veel sneller kunnen afronden. Het drong nooit tot me door dat het door de drank kwam dat ik niet in staat was normaal te functioneren.

Het belangrijkste wat ik nu kan doen, is ervan afblijven. Geen druppel meer aanraken. Dat is momenteel het allerbelangrijkste voor me. Momenteel ga ik minimaal één keer per dag naar een bijeenkomst. Ik dacht eerst dat ik dat nooit klaar zou spelen, maar toen besefte ik dat ik ook genoeg tijd had om iedere dag te drinken, dus waarom zou ik niet in staat zijn om één keer per dag naar een bijeenkomst te gaan?

En als de tijd rijp is en ik van de drank af ben, kan ik de moeder zijn die ik wil zijn. Maar dat is toekomstmuziek, en als er één ding is wat ik heb geleerd, dan is het dat ik niet verder moet kijken dan vandaag. Dat was eigenlijk nooit tot me doorgedrongen. Dat je gewoon dag voor dag besluit om niet te drinken. Dat je die belofte iedere dag opnieuw moet afleggen. Soms moet het zelfs om de paar minuten, omdat de aandrang zo sterk is. Maar dan probeer ik altijd te denken dat alles weer goed zal zijn als ik er maar in slaag om een uur of een halfuur, of voor mijn part een minuut, van de drank af te blijven. Of ik bel iemand op. Ik blijf niet in mijn eentje zitten worstelen. Ik zoek hulp. Dag na dag.

Ik begin nu ook pas te begrijpen dat ik de afgelopen paar maanden gerouwd heb. Gerouwd om de persoon die ik was toen ik nog dronk. Begrijp me niet verkeerd, daar verlang ik helemaal niet naar terug, maar zonder mijn vloeibare zelfvertrouwen herkende ik mezelf nauwelijks. En zal ik jullie nu eens iets vertellen? Ik kan me de naam van het denkbeeldige vriendje van mijn zoon herinneren. Ik weet dat mijn dochter vindt dat Weetabix zaterdags bij het ontbijt naar marshmallows smaakt. Niet op andere dagen, alleen op zaterdag. Ik weet dat mijn dochter niet meer midden in de nacht wakker schrikt van een nachtmerrie waarin ik haar helemaal onderkots, omdat ze eerder op de dag rook dat ik had gedronken. Ik weet dat mijn zoon nooit meer bang zal hoeven te zijn dat hij me niet wakker kan krijgen omdat ik buiten westen ben geraakt. Als ik naar mijn werk ga, hoef ik me niet eerst door een geestelijke brij te worstelen om me te kunnen concentreren.

Vandaag is het een jaar geleden dat ik de drank liet staan. Ik heb een jaar lang geen druppel aangeraakt. Ik had verwacht dat het inmiddels een stuk gemakkelijker zou zijn, maar die drang raak je nooit echt kwijt.

Mijn ex-man wilde met de kinderen naar me toe komen om het te vieren. Dan konden we gezellig met ons viertjes uit eten gaan, zei hij. En hij was ook bereid om samen met mij naar deze bijeenkomst te gaan. Ja, ook al zijn we gescheiden. Maar ik heb nee gezegd. Mijn kinderen zijn in hun leven al veel te vaak geconfronteerd met mijn drankmisbruik en mijn pogingen om van de drank af te komen. De volgende keer dat ik hen zie, wil ik gewoon vieren dat ik weer bij hen ben. Omdat ik hun moeder ben. Ik kan niet wachten tot ik weer naar huis mag.

Ik heet Ashlyn en ik ben verslaafd aan alcohol. Dank je wel dat jullie naar mij hebben willen luisteren.

Eenenvijftig

'Wacht even, Gabrielle, als ik het goed begrijp, geef jij een feestje, maar als ik naar je toe kom, wil je wel dat ik dipsausjes, chips, wijn, bonbons, olijven, frisdrank, kaas en stokbrood meebreng?' zeg ik. 'Heb jij de uitdrukking "afschuiven" soms uitgevonden?'

Ik hoor haar door de telefoon grinniken. 'Dat vind je toch niet erg, lieverd? Het kost Ted en mij zo ontzettend veel tijd om elkaar weer helemaal te leren kennen, dat ik daar gewoon niet aan toe ben gekomen.'

'Maar je had vandaag vrij!' zeg ik ongelovig.

'Hoor eens, jij bent mijn enige bruidsmeisje, dus beschouw dit maar als een van je plichten.'

'Alsof Summer me ooit de kans zou geven om het enige bruidsmeisje te zijn.'

'Alsjeblieft?' Ik kan gewoon horen dat ze verleidelijk met haar wimpers knippert. 'Als ik het nou heel lief vraag?'

'Als je maar weet dat ik er iets voor terug wil hebben,' zeg ik. 'Je staat bij me in het krijt, Traveno.'

'O, bedankt. Hartstikke bedankt. Tot straks, lieverd.'

'Hmm,' zeg ik als we allebei de telefoon neerleggen.

Tien seconden later rinkelt het toestel opnieuw. Ik gris het op.

'Vertel me nou niet dat ik ook nog een mooie jurk mee moet brengen,' zeg ik.

Het is even stil. 'Ik wil je zien, we moeten met elkaar praten,' zegt de stem aan de andere kant van de lijn. Het duurt even voordat ik weet wie het is.

Het wordt doodstil om me heen.

Dit voelt aan als de pauze tussen twee hartslagen. Het moment waarop niets gebeurt. Waarop het bloed in je aderen verstilt, je adem stokt en je verstand op nul staat.

Ik heb hem aan de telefoon.

Hij is het. Hij is het echt.

'We moeten het over ons kind hebben.'

Als ik me had kunnen bewegen, had ik de telefoon neergesmeten. Als zijn stem zich niet stiekem in mijn lichaam had gewurmd, waardoor al mijn spieren zijn verstijfd.

'Kendra?' vraagt hij. 'Ben je daar nog?'

De lijn kraakt een beetje omdat hij met een mobieltje belt. Natuurlijk ben ik er nog steeds. Elk woord komt helder en duidelijk over, zijn lage stem is diep en zacht als een vat vol warme stroop. Ik ben er nog steeds en de herinnering aan hem flitst door mijn hoofd.

Zijn grote sterke hand die voorkomt dat ik struikel; stalen vingers die zich om mijn keel klemmen. Zijn glimlachende mond als hij zegt dat hij alles voor me wil doen, zijn adem die langs mijn oor strijkt als hij bezweert dat hij me zal vermoorden.

'Kendra, ben je daar nog?' herhaalt hij als ik niets zeg.

'Ja.' Ik krijg de woorden met moeite over mijn lippen. 'Ik ben er nog.'

'We moeten praten over ons kind... Je moet me alles over hem of haar vertellen.' Hij zwijgt even, alsof hij naar adem hapt. 'Ik weet niet eens of het een jongen of een meisje is. Dat is niet eerlijk. Ik heb het recht om dat te weten. Dat is mijn goed recht... Je moet met me praten, Kendra. Dat is wel het minste wat je kunt doen.'

Ik zeg niets.

'Ik zie je straks,' zegt hij. 'Na het werk. Ik sta nu voor je kantoor, maar ik wacht wel. Hoe laat ben je klaar?'

Een golf van paniek rijst als een vlucht verstoorde vleermuizen in me op en wordt een deken van dikke, zwarte, leerachtige vleugels waaronder elke emotie smoort. Staat hij buiten? Staat hij daar... nu?

'Ik ben vanavond bezet,' antwoord ik, terwijl ik mijn best doe om gewoon te klinken en de angst in mijn stem te onderdrukken.

'Het kan me niet schelen of je bezet bent,' sist hij. 'Dit is veel belangrijker dan al het andere. We moeten praten.'

'Ik eh... ik uh...' stamel ik. Ik moet het heft weer in handen nemen. Ik mag niet met me laten sollen.

'Ik weet waar je werkt, dus hoe lang denk je dat het duurt tot ik heb uitgevist waar je woont? Ik laat je niet met rust tot je met me gepraat hebt. Die toestand kun je vermijden door nu een afspraak met me te maken.'

Hij meent het. Ik weet dat hij het meent. Ik weet hoe hij is, als hij zijn zin niet krijgt.

'Ik zie je om kwart voor vijf buiten,' zei ik. 'Meer dan een halfuur heb ik niet voor je.'

'Brave meid,' zegt hij spinnend als een poes, met een stem die zacht, redelijk en kalm is. 'Ik wist wel dat je je netjes zou gedragen. Ik kan niet wachten...'

'Tot straks,' gooi ik eruit en ik verbreek de verbinding door de handset bijna op de standaard te knallen.

Vijf minuten geleden was ik er nog van overtuigd dat hij me nooit zou vinden. Vijf minuten geleden was het niet eens bij me opgekomen dat hij naar me op zoek was. Vijf minuten geleden maakte ik me alleen maar druk over de vraag bij welke supermarkt ik boodschappen zou gaan doen.

En nu dit.

Zijn hand die mijn keel dichtknijpt, zijn stroperige stem in mijn oor.

Zou hij me deze keer wel vermoorden?

Ik neem de tijd als ik van mijn bureau opsta en het kantoor verlaat. Hij staat aan de overkant, toepasselijk nonchalant gekleed in een zwarte spijkerbroek, een wit T-shirt, sportschoenen en een colbert met een krijtstreepje. Hij heeft zijn handen in zijn zakken gepropt en staat wijdbeens te wachten.

Ik steek langzaam de autovrije straat over, maar sta toch veel te snel voor hem. Ik kijk heel even op, recht in de ogen van Lance Peters.

'Hallo, Kendra,' zegt hij, terwijl hij zich vooroverbuigt om me op mijn wang te kussen.

Ik keer me van hem af en voel de walging door me heen glijden. 'We kunnen hier wel even naar binnen gaan,' zeg ik en ik loop naar een cafeetje dat vier deuren verderop ligt.

De eigenaar brengt ons naar een tafeltje achterin. Ik ga met mijn rug tegen de muur zitten, zodat ik de deur in de gaten kan houden.

Hij bestelt koffie, ik een glas water.

Zodra we alleen zijn, valt er een stilte. Zelfs nadat onze bestelling is gearriveerd, houdt hij zijn mond. Er zijn al tien minuten voorbij en hij heeft nog geen woord gezegd. Waarom moest hij me dan zo dringend spreken? Ik kijk hem aan. Als onze blikken elkaar kruisen, wend ik – tot mijn grote ergernis – mijn ogen af.

'Je hebt nog zestien minuten, dan ga ik weg. Of je je mond opendoet of niet, ik heb je toch niets te vertellen.' Mijn stem klinkt kil. Kalm en kil. Ik besef tot mijn eigen verbazing dat ik niet alleen zo klink omdat ik dat wil, maar omdat ik me echt zo voel. De aanvankelijke schrik en angst zijn weggeëbd en nu kan het me niets meer schelen. Wat een verschil met die ontmoeting van vorig jaar in het hotel. Toen had ik echt het gevoel dat ik dood zou gaan omdat hij zo dichtbij was.

Hij schraapt zijn keel. 'Kendra, volgens mij... Ik geloof...' Hij lacht. Nee, grinnikt. 'Ik maak er een zootje van.'

Ik kijk hem even aan en richt mijn ogen dan weer op de deur. 'Kendra, ik ben gekomen om mijn excuses aan te bieden voor die nacht.'

'Welke nacht?' vraag ik terwijl ik het schijfje citroen in mijn glas bestudeer.

'Je weet best wat ik bedoel.' Hij klinkt beduusd. 'Díé nacht.'

'Ik heb geen idee waar je het over hebt,' zeg ik tegen mijn glas.

'Ik heb het over die nacht dat we het met elkaar gedaan hebben...' begint hij.

Ik hef mijn gezicht op en kijk hem recht aan. 'Maar we hebben het nooit met elkaar gedaan, Lance. We zijn niet met elkaar naar bed geweest, we hebben niet met elkaar geneukt en we hebben zeker niet met elkaar gevrijd.' Ik kijk hem nog steeds strak aan. 'Jij hebt me verkracht.'

Hij is onthutst, dat is aan zijn gezicht te zien. Ik ben waarschijnlijk de eerste die hem dat ooit voor zijn voeten heeft gegooid. Nu is het zijn beurt om zijn ogen af te wenden. Hij kijkt eerst naar zijn koffie en dan naar de muur achter me. 'Het spijt me,' zegt hij rustig.

'Wat?'

'Van die nacht.'

Ik demp mijn stem. 'Welke nacht? Die keer dat je me hebt verkracht of die keer dat je je aan me hebt opgedrongen?'

'Van allebei,' zegt hij zonder er ook maar over na te denken. Precies zoals hij ook niet hoefde na te denken over wat hij met mij heeft gedaan. Hij zal het wel van tevoren gepland hebben, maar hij heeft er verder niet over nagedacht. 'Het spijt me echt ontzettend. Wat er toen gebeurd is, was fout en...'

'En misdadig.'

Zijn ogen en zijn gezicht smeken me om hem een kans te geven, maar zijn stem zegt: 'Ik ben in therapie gegaan, gedragstherapie. Ik heb hulp gezocht om het gebeurde te verwerken.'

'Wat fijn voor je,' zeg ik sarcastisch. 'Heerlijk dat je daar nu mee om kunt gaan.'

'Ik voel me zo schuldig. Het spijt me, Kendra. Het spijt me echt.'

'Nee, dat is niet waar,' zeg ik.

Hij kijkt me verbaasd aan. Hij had waarschijnlijk verwacht dat ik zou zeggen dat het wel goed was of dat ik zijn excuses dankbaar en zwijgend in ontvangst zou nemen. Hij denkt nog steeds dat hij me kent. Hij denkt nog steeds dat ik een vrouw ben die er niet over piekert om stennis te schoppen. Een vrouw die rustig op de trein naar huis stapte in plaats van naar het dichtstbijzijnde politiebureau te rennen, de vrouw die hem bedankte voor de lift en de gastvrijheid in plaats van hem recht in zijn smoel te zeggen dat ze aan iedereen zou vertellen hoe monsterlijk hij zich had gedragen. Hij verwacht van die Kendra dat ze naar hem luistert terwijl hij haar naar zijn pijpen laat dansen.

'Kendra...'

'Als je er echt spijt van had, zou je nu niet hier zijn. Als je er echt spijt van had, zou je op het idee zijn gekomen dat ik misschien gelukkig was en helemaal niet meer aan jou wilde denken. Spijt van iets hebben betekent niet dat je om vergiffenis vraagt, het betekent dat je beseft dat je nooit meer goed kunt maken wat je hebt misdaan en dat je me daarom met rust moet laten. Spijt hebben betekent niet dat je me met dreigementen naar buiten lokt om vervolgens met onoprechte excuses aan te komen. Je hebt er helemaal geen spijt van.'

'Wel waar, Kendra.' Zijn ogen zakken dicht en hij schudt zijn hoofd. Er komt een lichte snik over zijn lippen en zijn stem zwelt op van spijt en berouw. 'Ik heb er echt ontzettend veel spijt van.' Bestudeerd. Van begin tot eind.

'Waarvan?'

Hij doet zijn ogen weer open en ik zie een vleugje verbazing. En behoedzaamheid. 'Van wat er is gebeurd, natuurlijk.'

'Van wat er is gebeurd of van wat je hebt gedaan?' dring ik aan.

'Het... het spijt me.'

'Wat?'

'Hè, Kendra, doe me een lol. Ik heb echt moed moeten verzamelen om dit te doen.'

'Ik heb je niet gevraagd om hierheen te komen,' zeg ik schouderophalend. Het komt niet eens bij hem op dat ik misschien ook moed heb moeten verzamelen om hiernaartoe te komen en tegenover hem te zitten. Om zelfs maar bij hem in de buurt te zijn. Het komt niet eens bij hem op dat ik misselijk van hem word. En dat ik alleen maar ben gekomen omdat ik niet wil dat hij me tot aan huis achtervolgt. Ik wil hem niet in de buurt van de kinderen hebben.

Hij zwijgt en ik richt mijn ogen weer op de klok.

'We zullen toch een manier moeten vinden om met elkaar om te gaan, Kendra, want ik wil ons kind ontmoeten. Hij of zij zal nu wel ongeveer twaalf of dertien jaar zijn, hè? Ik heb al zoveel gemist en dat wil ik nu goedmaken. Ik wil deel uitmaken van zijn of haar leven. Je kunt me toch op zijn minst vertellen of ik een zoon of een dochter heb?'

Ik staar weer naar mijn drankje, om het moment waarop ik hem de waarheid moet vertellen nog even uit te stellen.

'Heb je gehoord wat ik zei, Kendra?'

Ik zet mezelf schrap en kijk hem strak aan. 'Ik heb je al eerder verteld dat ik geen kind van je heb,' zeg ik met vaste stem. 'Ik had dat alleen maar gezegd om te voorkomen dat je me nog eens zou verkrachten. Ik wist dat het de enige manier was om je tegen te houden. Ik héb geen kind van je.'

Zijn gezicht betrekt en hij wordt zo wit als een doek. 'Ik geloof je niet. Ik heb zelf gezien dat je kinderzitjes in je auto had, dus ik weet dat je kinderen hebt, en als je daarover hebt gelogen, dan lieg je nu ook.'

'Ik kan geen kinderen krijgen. Daar ben ik een paar jaar geleden achter gekomen. En die auto had ik gewoon geleend. Ik heb geen kind van je. Dat zei ik alleen maar om je tegen te houden.'

Als er weer een stilte valt, kijkt hij me woedend aan. Maar ik betaal hem die blik met rente terug. Nu hij openlijk heeft toegegeven wat hij heeft gedaan kan hij me geen angst meer aanjagen. Ineens wendt hij zijn blik af en ik weet dat hij me gelooft. Nu hij de waarheid kent, zal hij me voortaan met rust laten.

Ik sta op en leg een briefje van vijf op het tafeltje voordat ik zonder opkijken de deur uit loop. Maar ik weet dat hij me op de voet volgt. Pas als ik op de stoeprand sta, draai ik me om.

'Ik was nog niet klaar...' begint hij.

'Ik ben jarenlang doodsbang voor je geweest, maar waarom is me nu een raadsel,' val ik hem in de rede. 'Je bent gewoon een stakker. Ik ken achtjarige jongetjes die me meer angst inboezemen.' Terwijl ik tegen hem praat, zie ik hem rood worden van boosheid en hij balt zijn vuisten. Ze zijn groot en angstaanjagend en ze zouden veel schade aan kunnen richten. Ik kijk hem opnieuw aan.

'Als je het waagt om me te slaan, ga ik naar de politie,' zeg ik effen. 'En dan geef ik je aan omdat je me hebt geslagen en ik zal ze ook vertellen wat je jaren geleden hebt gedaan. Misschien geloven ze me en misschien ook niet, maar er zal een proces-verbaal van worden opgemaakt, en als er ooit nog zo'n aanklacht tegen je wordt ingediend, komt dat vanzelf boven water. Dus probeer me vooral te slaan. Dat zal ik maar heel even voelen, maar ik zal er wel voor zorgen dat jij voor altijd met de gebakken peren zit.'

Hij doet niets. Hij blijft stram staan, terwijl zijn groenblauwe ogen met de violette vlekjes in mijn zwarte ogen staren. Ik sla mijn ogen niet neer.

Hij begint langzaam te lachen, nee, te grijnzen. De gemene, valse grijns van een roofdier. 'Je hebt alleen maar gekregen waarom je vroeg, trut,' snauwt hij me toe.

'Ja, en ik heb het overleefd. Je hebt geprobeerd me kapot te maken en ik ben overeind gebleven. Ben je dan een stakker of niet?'

Wonderbaarlijk genoeg draait Lance zich om en loopt langzaam weg. Hij kijkt niet om en loopt zonder me nog een blik waardig te gunnen over de kinderkopjes de winkelstraat in en mijn leven uit.

Ineens sta ik te trillen op mijn benen. Ik dacht echt dat hij me zou slaan. Ik dacht echt dat hij zou proberen om me te vermoorden. Maar ik was niet verlamd van angst. Ik ben erin geslaagd om het knopje van het licht te vinden en het monster weg te jagen.

'Hallo, schatje, kom je hier wel vaker?' zegt Kyle terwijl hij achter me opduikt. Ik krijg bijna een rolberoerte.

'Sorry! Neem me niet kwalijk,' zegt hij, terwijl hij om me heen loopt. 'Het spijt me echt.'

'Ja, al goed, mafkees,' zeg ik. Die schrikachtigheid zal ik wel nooit meer kwijtraken.

'Zeker weten?'

Ik knik en blijf Lance nakijken.

Kyle vist een zak roze en witte marshmallows uit zijn binnenzak. 'Die moest ik van de kinderen aan de lollymevrouw geven,' zegt hij. 'Omdat ze geen uitnodiging hebben gekregen voor haar feestje. Waarom heb je niet tegen me gezegd dat je hun niet had verteld waar we vanavond naartoe gaan?'

'Omdat ik wist dat ze dan des duivels zouden zijn, Kyle. En ik ben niet gek.'

'Nou, ze waren niet echt blij. Volgens mij hebben ze deze zak meegegeven om haar schuldgevoelens te bezorgen.'

'Dat zal niet lukken, want die vrouw zit nergens mee. Ze heeft ook gevraagd of jij haar boodschappen mee wilt brengen.'

'Ik?'

'Ja, ze heeft me een lijstje doorgebeld van de spullen die jij voor haar mee moet brengen.'

'Waarom ik?'

'Ik denk omdat ze op je valt.'

Hij kijkt me met grote ogen aan en ik bijt op mijn lippen om niet in de lach te schieten. Hij trapt er altijd opnieuw in.

Kyle kijkt op me neer en beseft dat ik hem voor de mal houdt. Er verschijnt langzaam een lach op zijn knappe gezicht. Ik vind het zo schattig als dat gebeurt, ik ben dol op de manier waarop mijn beste vriend lacht.

Ik steek mijn arm door de zijne en zeg: 'Kom op' als ik hem meetrek naar de supermarkt. 'Ik help je wel even met dat boodschappenlijstje.'

'Hé, wie was die knappe kerel met wie je stond te praten toen ik de hoek om kwam?' vraagt Kyle.

Ik schud mijn hoofd. 'Niemand,' zeg ik. 'Helemaal niemand.'

Marshmallows

Tweeënvijftig

'Als je naar Australië gaat, zul je ons mee moeten nemen, Kendie,' zegt Summer tegen me.

We zijn op pad om verjaardagscadeautjes te kopen voor hun ouders, die drie dagen na elkaar in november jarig zijn. Het is eind oktober en koud. Ik ben nog steeds niet gewend aan het Engelse weer. Er lijkt vorst in de lucht te zitten en dat voel je als je te lang stil staat, want dan slaagt de kou er steeds weer in om tussen je kleren te kruipen.

Tot nog toe hebben we een digitaal fotolijstje gekocht voor Ashlyn en een paar ongelooflijk chique zwartsatijnen schoenen met hoge hakken, die we apart zullen inpakken. Nu zijn we op weg naar een winkel in schilder- en tekenmaterialen aan de andere kant van de stad, omdat ik vind dat we best een tekentafel voor Kyle kunnen kopen voor zijn vrijetijdstekeningen, plus papier, potloden en pastelkrijt. Ze wisten eigenlijk niet of ze dat wel zo'n leuk idee vonden, maar ik heb tegen ze gezegd dat we hun vader moesten aanmoedigen om net zo goed te worden als zij. Daar konden ze zich wel in vinden.

'Ja,' zegt Jaxon. 'En als je ons meeneemt, kan Garvo Twee op bezoek gaan bij zijn broertjes en zusjes.'

Mijn Australië-plannen staan voorlopig even in de ijskast. Ik ben inmiddels al een jaar aan het sparen en ik heb een behoorlijk bedrag op de bank staan. Will en ik praten nog steeds elke dag met elkaar en zes maanden geleden hebben we zelfs twaalf uur met elkaar doorgebracht, toen hij met zijn kinderen hiernaartoe kwam om bij hun grootouders op bezoek te gaan. We willen nog steeds bij elkaar komen, maar… nou ja. We zijn realistisch. We hebben alle mogelijkheden afgewogen, zelfs de meest pijnlijke, en we willen het nog steeds, maar… nou ja.

Ik blijf staan en trek ze mee naar het portiek van een winkel die op zaterdag gesloten is, zodat we even uit de loop staan. 'Wie heeft gezegd dat ik naar Australië ga?' vraag ik.

'Papa heeft gezegd dat je misschien wel teruggaat,' zegt Jaxon tegen me. 'Hij zei dat je naar je vriend toe wilt.'

'Ik dacht dat papa je vriend was,' bekent Summer. 'Maar hij zegt van niet. Hij zegt dat hij dat best zou willen en dat hij al eeuwen verliefd op je is, maar dat jouw vriend in Australië woont en dat jij naar hem toe wilt. Maar dan moet je ons meenemen. We zullen echt lief zijn.'

'Ja, heel lief. Ik wil met het vliegtuig,' verklaart Jaxon. 'En ik wil kangoeroes zien.'

Ik kijk eerst Summer en vervolgens Jaxon aan. Ze staan me allebei met dezelfde donkergroene ogen aan te staren.

'Luister eens, om te beginnen ben ik ook dol op jullie vader. Maar ik wil hem liever als vriend houden. Dat is gewoon de beste oplossing,' begin ik. 'En ja, papa heeft gelijk, ik liep erover na te denken om weer naar Australië te gaan omdat ik daar een soort van vriend heb, maar dan zou ik jullie niet mee kunnen nemen. Want papa en mama zouden jullie dan veel te veel missen.'

Ze kijken elkaar even aan en zien er zichtbaar geschrokken uit. 'Maar,' zeg ik om hun aandacht opnieuw te trekken. En nog een keer als ze me allebei weifelend aankijken: 'Maar, maar, maar... Als ik echt weg zou gaan, zou ik jullie veel te veel missen, dus nu ga ik toch maar niet.'

Daar hebben zij met hun tweetjes voor gezorgd. Door hen ben ik gaan twijfelen. Natuurlijk. Ik kan ze niet in de steek laten. Ik ben dol op Summer en ik ben dol op Jaxon. Ik ben dol op Summer en Jaxon. Doordat ik hen heb ontmoet en van hen ben gaan houden, ben ik erin geslaagd om het gat in mijn ziel te dempen en mijn gebroken hart te lijmen. Ik kan ze niet in de steek laten.

Ik heb het er uitgebreid met Will over gehad – we praten overal over – en hij kan er begrip voor opbrengen. Hij heeft gezegd dat hij wel zal wachten tot ik het gevoel heb dat ik ze een tijdje alleen kan laten om naar hem toe te komen. Maar dat zal er niet van komen. Dat zal ik gewoon moeten toegeven en ook tegen Will moeten zeggen.

Het zal niet meevallen, maar we zullen onder ogen moeten zien dat er geen toekomst voor ons samen is weggelegd. We zullen elkaar los moeten laten. En dan zal ik weer vrijgezel zijn, in de letterlijke betekenis van het woord. Dat is een angstaanjagende gedachte, maar ook heel bevrijdend.

Ik weet dat Ashlyn nog steeds redenen heeft om niet weer bij hen te gaan wonen. Ik weet dat ze denkt dat dat het beste voor hen is, maar ik kan dit stel niet alleen laten. Daar zou ik in blijven.

'Dus ik ga helemaal nergens heen, begrijp je?' zeg ik tegen hen. 'Ik blijf bij jullie tot jullie groot zijn.'

Ze knikken allebei en het duurt even terwijl ze die nieuwe informatie verwerken en begrijpen wat het effect ervan op hun toekomst is.

'Maar ik wil toch naar Australië,' protesteert Summer.

'Ik ook,' zegt Jaxon. 'En Garvo Twee ook.'

Ze hebben geen flauw idee hoe ingrijpend mijn besluit is geweest, hoe nobel ik mezelf heb opgeofferd. Ik geef de liefde van mijn leven voor hen op, zonder dat ze daar ook maar het flauwste benul van hebben. Dat is een van de redenen waarom ik zoveel van Summer en Jaxon houd. Ze hebben geen boodschap aan grote gebaren of zelfopoffering. En terecht.

'Op een dag zullen jullie daar vast wel naartoe gaan,' zeg ik als ik hun handjes vastpak en de stoep weer op loop.

'Maar ik wil er nu naartoe, niet op een dag,' zegt Jaxon.

'Ik ook,' beaamt Summer.

'Weet je wat, dan vragen we gewoon als we weer thuis zijn aan papa of hij voor ons allemaal een retourtje Australië wil kopen. Dat zal hij vast leuk vinden. En dan natuurlijk wel eersteklas. Ja, ik denk wel dat hij dan een gat in de lucht springt.'

Ze knikken allebei bevestigend en lopen vrolijk naast me mee als we ons weer tussen de mensen begeven die door de winkelstraat lopen.